目录

第一部　**虚空之轮**

远音　　4

如真　　43

净湖　　92

第二部　**燕子归巢**

仁美　　136

慈诚　　191

第三部　**诸神的宫殿**

雀缇　　240

无量　　289

第四部　**心咒**

春泽　　334

第一部

虚空之轮

他醒来，慢慢睁开眼睛，重新打量这座荒废的佛殿庭院。风中的大丽花微微摇晃枝干，燕子仍在轻声鸣叫出入巢穴。已近暮色，她坐在他的身边，安静地看着花园，仿佛她是流逝的时间里不曾移动的坐标。仿佛在渺小的瞬间里她凝望着永恒。

我想赠送你一段诗句，假设自己已经死去，生命已经结束，此后的岁月都是神额外恩赐给你的。那么好好地活下去吧。让生活合乎你的本性。

远音

1

　　远音在梦中看到浩浩荡荡的行列。也许是一场祭祀仪式，男女老少身着古式衣袍，脸戴形状畏怖的动物面具，手持如星辰闪耀的灯火。看不清他们的脸，不知他们从哪里来，往何处去。她意识到此刻自己的躯体透明而无形质，如空气一般与他们相会。而这条闪光璀璨的河流生生不息，从远至近洞穿她的存在。

　　一声巨响。一束升腾而起的绚丽烟花在夜空中爆开。黑暗中回荡笑语盈盈，仿佛人群在寻欢作乐，声音沉寂，近在耳边又相隔遥远。她抬起头，看到空中花火绽放，熄灭，一明一灭，照亮一处黑黢黢的山谷。山影连绵，峰顶有白雪。山岗上显现一座古老而荒废的宫殿，像一艘失去消息的大船，停泊在不动之中。

　　她醒来，发现自己坐在从曼谷飞往廷布的飞机上。早上九点十五分。飞机在下降，准备停留在加尔各答。乘务员走到她的身边，托盘

4

里端一杯新鲜橙汁。四十余岁脸色黝黑的不丹男子，俯身关切地询问，你还好吗，是否需要吃小饼干或零食。顺手帮她拧开阅读灯。她的小桌拉开，上面摊开一本书。开始上下客人及添加机油。她身边空着的邻位，此刻落座一位男子。他体型高大，穿着做工考究而体面的西服、昂贵的小牛皮鞋子，微棕色的脸有高原人轮廓但不存傲慢之气。

他等待稍会跟她搭上话，你好，是第一次去不丹吗。
是的。
为什么会想到去不丹。
我在阅读一本书，里面提到不丹的某些地点。
他的眼睛闪烁出发亮的兴趣，能不能简单介绍一下这本书。我也想知道。
我在一家咖啡店偶然捡到一本书。看起来好像是有人打印的读物，我反反复复看过好几遍。作者没有署名，书中故事提到一些地点，大部分不存在于物理层面。地图上没有找到。
作品应该可以虚拟地点，虚拟人物。
但我觉得这不是作品，而是真实的故事。
你在追溯其中的线索，因为里面提到了不丹吗。
是的。而且是一个很重要的开始。

途中他照顾她饮食，递给她地理杂志阅读，问询她的感受。这些举动里没有狭窄意图，也许只是觉得和邻座的陌生女子说话，提供服务，是男子应尽的基本礼仪。是一种教养。他的妻子和小女儿在相隔过道的位置上，同样衣着华丽。他走过去给熟睡的孩子盖被子，含情脉脉亲吻妻子的手背。他未必觉得让外国人对不丹留下美好印象是他的义务，只是顺其自然地展露美德。

下降前，他说，看着窗外会有惊喜礼物。可以先打开照相机做好准备。她说，美好的记忆靠心来保存，我不准备拍照。飞机试图降落廷布机场，慢慢沿着山脉贴近飞行，绕行一圈，转弯一百八十度。这是第一次近距离看见巍峨入云的喜马拉雅山脉。山壑间遍布密密的房屋，绿意森森中展现出一个静谧的国度。这景观与之前的生活经验相去甚远。

她把脸贴在机窗边俯瞰山谷，眼睛成为无底深渊。

昨天深夜入住泰国机场的转机特定酒店，感觉疲惫却彻夜失眠。醒来时凌晨三点，沐浴，煮热水，喝咖啡。收拾好行李。出门坐上酒店与机场的往返巴士，满满一车背着登山包各色人种的旅客，带着早起的疲惫行色准备去登机。天际透出曙光，一时不知身在何处。对她而言这是熟悉的感觉。年少时跟着亚瑟去旅行，东奔西走，游荡在机场、火车站、车站、旅馆房间，早起赶路四海为家。那时亚瑟放荡不羁，喜欢生活在路上。在西海岸的家仿佛只是一处偶尔落脚的旅馆。

也许因为早年旅行太多，结婚生子之后她越来越少出门。大部分出行只是为陪伴和照顾孩子们去度假。这个转折并不勉强，某种感悟早已确立。她已知人走到哪里都是一样。即便走到天涯海角仍与自心同在。人需要走出来的是这颗心认知的局限，只为观赏风景的旅途对她来说已失去意义。她很清楚，任何旅途都不过是行走于个体的经验当中。

那年，她与怀玉从城市中心移居到郊外。起初住在繁华闹区的高层公寓，随着孩子们渐渐长大空间不够用。楼房靠近马路主干道，开窗能听到汽车与马路摩擦的声音轰然不绝，污染的空气饱含尾气。他们决定搬到城市边缘。由代理推荐一起去看房。孩子入睡，怀玉看护他们在车里等，她一人进入三层大屋，看到空空荡荡的花园种着两棵

6

粗壮海棠。正值春季花树开热烈白花，白色花瓣洒落在混播草坪上。

她对环境有本能的反应，走进楼上楼下各处房间，心里闪出意念。这处房间气氛祥和，适合长辈来住能够长寿。那一间有着铃声般响亮的特质，适合孩童。当她走上顶层阁楼，看到法式木格子窗映照出远处清奇山影。南边有河，西边是果园。整片赠送阁楼仿佛与世隔绝，后来这里成为她的区域。

书房、卧室、冥想室都在阁楼，改造成纯木结构和榻榻米。大量书籍陈放，摆一张古式矮方桌。通常她早晨四点半醒来，洗漱、换衣，静坐一小时，然后开始给孩子们做早餐。送走校车之后，在厨房做杯咖啡，吃两片自制面包，便在花园里劳作。

她种植花草树木，每天花费时间在土地上。喷水、剪枝、除杂草，照料种子出芽。同时也被充满蓬勃生命力的植物所抚慰，享受它们以花朵与果实做出的回报。一两个小时之后，她脱下胶鞋洗干净双手，坐在廊道里休息。此时抽根烟，喝杯热茶，听微风阵阵吹过，树叶草丛摩擦发出各种轻重不一的声响，生机勃勃。

除家务、照顾孩子、自处，她很少无事进出尘烟滚滚的城区。空余时给附近一所孤儿学校义务上课。

院长以前是个成功的房地产商人，近五十岁时因长期心力交瘁生了场大病。在医院度过生死关之后，有所领悟，决定改变生活方式停止操劳。搬到郊外生活，承包农场，建立起一所私立孤儿学校。她主动提出去他的学校帮助，每周一次带领孩子们英文阅读和写作，讲解经典。通常她不备课，随便翻开页码就讲，有时一个段落讲整堂课，从一个点不断延伸。因为有戏剧艺术经验，也给孩子们组建戏剧社。

她不曾想过，二十几岁在舞台和聚光灯下备受关注的公众人物，之后开始隐居，给孩子们教英文和阅读。每次去学校授课，她对着镜子梳理头发，戴上一对白玉耳坠。身着白色薄棉衬衣，绿色绉丝半身裙，薄薄涂上口红，仍保留以前出入各种公开场合留下的习惯，仪容优美地面对他人。骑自行车去学校。最近阅读的是《枕草子》选段。

端午节的菖蒲，过了秋冬还是存在，都变得很是枯白了，甚是难看，便去拿开，预备扔掉，那时闻到当日的余香，觉得很有意思。

衣服上薰得很好的香，经过了昨日、前日和今日好些时候几乎忘了。夜里将这件衣服盖上，觉得在那里边还有薰过的余香，比刚薰的还要好。

在月光很亮的晚上，渡过河去，牛行走着，每一举步，像敲碎了水晶似的，水飞散开去，实在是很有意思的事情……

她想终有一天他们会体会到这些文字之中的深意与美感，体会到觉知的丰富与幽微，如同春天河流自动融化冰雪。

下课后，她去超市买晚餐所需要的食材与配料，在经常光顾的咖啡店小坐。要一杯焦糖咖啡，一盘烤热之后剖成两半涂上新鲜奶油的肉桂贝谷。店里此刻顾客不多，可以安静地阅读数十页书，处理文稿或邮件。从外观来看，她有儿有女，丈夫事业有成，稳重顾家。她本该是一个闲来无事经常流连于美容院做脸做按摩、不时购买一些奢侈名牌、出入社交场合并且珠光宝气的妇人。怀玉也许曾希望她落地于物质表面，过符合大部分人价值认同的安稳生活。

但后来他知道，必须容许她不断持续的自我试验和裂变，以发展生命进程。否则她会萎靡不振，失去控制。

每个人都经历过年少与青春。肉身无邪、饱满、紧实，如初绽的蓓蕾烂漫的鲜花，但这一切不会维持不变。肉身无时无刻不显示无常，外部、内里、骨架、肌肉、气血、经络……各种可见与不可见，每一秒都在发生变化。人入中年，更能明显感觉到身体新陈代谢速度放慢，体力衰落。如潮水退却露出荒凉的沙滩。如一棵树繁花落尽，枝叶疏离，寂寥而结实的果实终究成形。如徒劳地用手掬起海水由它于指缝间流逝。

这种感受很难传递。事实上，也是极为私人的感受。人不能得知时间的秘密，它只会一点一点展露，以显示命运的全盘控制及最后的无情等候。某天，身体里的定时闹钟突然自动爆鸣，提醒察看自己的人生。

她曾对净湖谈论过这种对老去的觉知。睡觉之前、醒来之后所产生的恐惧。时间过于快速，而生活日复一日。有肉身就会感受生老病死之苦。人无法猜度死亡，不知生命何时会突然中止。觉得还没有做好完全的准备，还没有活得完整。

他问，应该做好什么样的准备。怎么才是完整。

她想了想，说，也许是认真而全力地生活过，爱过，也被爱。该做的事情都已完成。

你觉得自己还没有吗。

是的。还没有。

在行李传送带上提出箱子。这只 RIMOWA 黑色行李箱，采用铝镁合金和聚碳酸酯材质，轻便结实。随便在箱子里塞进衣服、书籍，怎么磕碰划拉也无所谓。现在她不适合再背登山包，已非往昔轻松自在的年轻女性。她成为有些重量感的妇人。与邻座男子道再见，机场人稀少。司导春泽站在出口处，手里举着一张白纸，上面写着她的名字。

春泽身着手织条纹厚棉布长袍，领口像和服，白色袖口很宽，系同色腰带。黑色长筒袜子，皮鞋。这是正式装束。按照旅行社的安排与预定，他将开一辆越野车，陪伴和带领她在不丹的整个旅程。她走向他，轻轻挥手。他的眼睛落在她脖子上，赞叹道，一串有故事的美丽的项链。嗨，远音。欢迎。他带她出门，把行李妥当地在车后箱放置之后，从前座取出一条雪白的哈达，小心抖开，用摊开的双手捧着，挂到她的脖子上。这是欢迎远方客人的传统礼节。

汽车离开机场，驶往崇山峻岭。他说，上任法王住在国外，刚才也抵达机场，在去皇宫的路上给当地人摸顶。想排下队让法王祝福吗。我随时可以停车。

前面有道路堵塞已排起长队。她说，不用排队。车子超过队伍，她看到老人、男女、孩子、穿着校服的学生在等待，还有人在加入，但有条不紊安然有序。名贵的吉普车停在路边，穿黄色僧衣戴太阳眼镜的法王从车窗里探出身子，伸手给他们摸顶祈福。暮色深浓，山谷有薄雾升起，没有城市惯有的物质刺激，没有急躁的车来人往，没有麦当劳、肯德基、交通灯。这等候着的虔敬的长长队伍让人莫名心安。

廷布不够标准说是一座现代化的首都，但却是不丹最大的城市。可以想象到其他地方更为接近山区，也更淳朴偏僻。这个迟迟未引入电视机、公路、网络的国度，也许知道对自身最重要的支撑是什么。廷布的楼房没有超过七层的高度。街道上看不到奢侈品商店、广告牌、高楼大厦、车流、神色慌张的人群，倒有置身事外、闭关自守的清贫气氛。也许人的生活本应如此。她想，对目前人类现状来说，最重要的问题，其实是过剩的欲望带来的虚耗与伤害。

酒店靠近森林，是一栋传统宅邸。装饰清雅庄重，石头铺砌的走廊，墙角放着陶罐和烛台，房间使用天然木材，地板上铺褪色的古式羊毛地毯。他把她的行李拎进房间，拉开布帘露出窗外悠悠山景，说，那边山谷中有一尊盘跏趺坐的金色佛陀。她走过去顺着他指出的方向眺望，盘踞山崖上的金色身影俯瞰大地。他说，这个大佛五十米高，据说身体里面藏着两万多座小佛像。

他叮嘱她在酒店餐厅吃晚饭。明天吃完早饭过来接她。他准备道别，说，接下来的日子我们在一起。有任何需要都可以告诉我。我会照顾和陪伴你，这是我的责任，也是我们之间的因缘。这个年轻男人，皮肤黝黑，短发，有一双清澈而温和的单眼皮眼睛。比起热衷表达、言行夸张的人，他身上这种清洁而适宜的克制感让人觉得舒适。也不显得有侵略感或者鲁莽，相反具备一种难言的温柔。

她稍作休息，换下衣服去餐厅吃饭。

晚餐是不丹家常风格。米饭，辣椒炒猪肉，清蒸野菜，细软的奶油香米饭混合藏红花和奶酪。调制独特的香料，搭配腌菜和辣椒。食材大多是野生或当地农家种植。这些饭食能量清净，近似童年时亚瑟做的食物。那时他们经常吃酸奶搅拌的沙拉，把豆类和根茎熬成汤，多种谷物和种子煮成粥，这些灵感大多来自他经常去拍摄照片的喜马拉雅山麓地区。

亚瑟很少吃肉类、鸡蛋、海鲜、奶制品，持守某种食物上的戒律。一天两餐，上午十点一食，下午五点一食。不喝饮料，不吃酸性食物，除正餐其他时间零食也不吃。她十七岁去纽约读书，离开亚瑟远行到国土彼端，开始独自生活。与同学一起，有机会自由自在地吃到汉堡、薯条、牛排这些以前无法轻易触碰的食物。生平尝到第一口冰淇淋的滋味，觉得这无疑是自由的象征。但很快她就厌弃高热量或多种加工的食物，吃完之后觉得体内燥热难以入眠。只有年少时习惯的饮食体系能够带来抚慰。这是已被亚瑟塑造成形的生活方式。

在浴缸里放满热水，洒入柠檬香茅草精油。躺进去深深呼吸，浸泡约二十分钟。临睡前她翻开放在床头柜上的书。这本用普通白纸打印出来的书有手绘水彩的封面和插图，依次翻开，绘有彩虹、瀑布、山谷里的寺院、一座高原之城、大湖、白塔及一尊绿度母像。有人出于热爱精心为它配上插图，却又把它放在咖啡店的小桌上留给他人。当时她打开内页发现夹着一张小纸条，上面写着，你可以带走。读完之后再次放置在干净场所的桌子上。请善待此书。

这是她第三遍阅读，已读到后三分之一。自离开岛上她很少阅读，也不再阅读任何其他无关书籍。大概觉得到了需要只以心去直接体认现实的阶段。这本书是她来到不丹的指南针。

他醒来，慢慢睁开眼睛，重新打量这座荒废的佛殿庭院。风中的大丽花微微摇晃枝干，燕子仍在轻声鸣叫出入巢穴。已近暮色，她坐在他的身边，安静地看着花园，仿佛她是流逝的时间里不曾移动的坐标。仿佛在渺小的瞬间里她凝望着永恒。她用手抚摸他的额头，说，你睡着的时候像正在回家的孩子。

他说，刚才我在梦中见到母亲。她在庄园草地上修剪月季花，是法国人喜爱的一种白色月季，叫雪山女神。母亲还很年轻，穿着夏季细棉袍子，戴松耳石耳环，光着脚。我闻到风中清淡略带着酸涩的花朵芳香。等到薰衣草的旺季开始，他们会开始忙碌，长时间在田地里收割。那时母亲回家浑身都是薰衣草气味。

庄园里有老旧的露天游泳池，长满青苔，有野生小鱼。这是我的天堂。我经常清理完杂草之后，脱光衣服跳进里面。水波清凉，阳光暴晒在眼皮上。小鱼在肌肤上滑行。把头沉到水底觉得世界在消失，只与自己同在。以前我就想过，每个人，每种事物，原子光点汇聚成整体，它们也许可以同时存在于多种维度，此时此地只是当下被投射的映像。除此之外的运行离开我们受限的视野。

梦里回到童年场景，恍惚间全是年少的记忆碎片。听到各种混杂声响也听到你的心跳，这两个平行层面各行其是又同时存在。人生如梦无法分辨，就像现在，我在这里，你在这里，但我们也许还同时存在于过去和未来。

她说，那些过去和未来的我们，都在此刻与我们同在吗。

是的。如果我们看到自己整体性的存在。

阅读的宁静感带来抚慰与困意。她把书放在枕边，翻身睡去。

2

冬日时分，茫茫无际的海天交会处。她看到海面涌动雪白潮水，一次次快速冲击，巨浪拍打海滩发出轰鸣。沙滩上铺满不计其数的鹅卵石，每一颗花纹独具。黑色卵石上面划满一圈圈白色线条，简洁的几何体灰色条纹，如玉般润白，白底上绽开暗红色梅花形圆点，自然的心脏形状，以及一面黑灰一面绿底黑纹……这些图案内含寓意，让人联想到自然万象。银河，宇宙，湖泊，星辰，眼泪，爱人的心脏，大地，六字真言，种种。

她蹲下来仔细抚摸它们，观赏储留其上时间的信息。站起身顶风前行，大风猛烈吹起长发覆裹脸上，穿透身上的衣服。前方是一列廓形清冷的山岗映衬海滩。在背后堤岸上，男人注视着她，用手中的莱卡相机为她拍下几张照片。其中两张后来成为她离开孤岛之前的留念。

　　一张照片是近侧面，如丝黑发随风飞扬，半边脸微微侧对大海，露出浓黑眉毛和月亮般的面颊，耳垂上有一枚银色圆钉耳环。另一张，双手插入外套口袋，裹紧身体埋头往前走。她穿浅灰色上衣、藏蓝长裙，裹着黑羊毛大衣，清瘦肩膀与身影孑然孤单。这是最后一次在海边散步。在花莲。

　　她转身走回到男人身边时做出决定，看着他的眼睛，说，我们结婚吧。那年她三十二岁。

　　这一刻有标志性象征。告别过往与游荡，找到栖息地，试图相夫教子、让心靠岸。婚姻是崭新开始，也是一道分水岭。如果说年轻时候的她，是河流中漫无目的、漂泊无定的种子，遇见怀玉，是遇见山谷中的土壤。她希冀扎根、生长、开花、结果。但最终现实告诉她，这并不是安稳圆满的回归，而是另一段旅程。也是内在挣扎与生发的开端。

　　他比她大十五岁，离异。儿子在英国读书，跟随自己的母亲生活。母亲已有新的家庭。相遇时他独身多年，看起来是性情稳重的生意人。说不出来这种稳重感如何形成来自何处，大概心里自有静定，是天性，也是经历世事起落之后的心平气和，带着些许隐约对世间的失望。她无从了解他内心的历史，也无心了解。两个人汇合，决定在一起，彼此结盟。这是遇见的使命。

他独居多年，生性寡淡，为她决定再次尝试与女人共同生活已算具足勇气。也是宿世的缘分，因缘具足便要实行。花莲是他的故乡。他们在此地注册，没有仪式、婚纱。她生性自然，不慕虚荣，他赠予一枚小小的钻石戒指，收在抽屉里未曾戴上。随后搬去鹿港一年。

她喜欢小城的偏僻没落。隐藏星罗棋布的传统建筑和庙宇，店铺不复以往繁华港口的气度，人去楼空，街巷荒芜。大族余留下来的空宅，些许贵重物品存留。破落之城仍回荡某种温柔敦厚的遗风，只是人不能永久地占有事物，繁华与稳定无法保持不变。她在此地休息，他推掉大半生意的事情陪伴她。他们开一间沿街小咖啡店打发时间。

早晨有人进来要一杯咖啡坐着看报纸，发会呆，离开。附近天后宫在节日时人山人海，街边小吃摊热火朝天。男女老少排长队购买老字号包子铺刚出笼的热包子。她慢慢擦拭器具，看街上阳光转移，黄昏垃圾车缓缓驶来，发出悦耳的提示音乐，此时白日也就将尽。有时她走去龙山寺。古时建立的寺院保存完好，三进院落，斑驳损落的木质架构和彩绘，被风雨褪淡颜色的砖画、木雕、顶脊。只有进出的众生已转换无数世的色身与面目。

她随意走走，经过花草萋萋的庭院，青砖长出苔藓。一侧墙壁上有四行偈子，停下细读，"万法皆空明佛性。一尘不染见禅心。妙相尊严倍有光。真心静寂浑无迹。"镂刻在木匾上的墨字令人心静，她默默看没有移步。那时她尚年轻，无法理解其中涵义。虽然不过几个月的婚姻，她已识得再次席卷而来的孤独。知道与这个结盟的男子无法相爱，也无法轻易分离。

十七岁，决定离开亚瑟去纽约读书。读戏剧专业。打工、演出，基本能维持费用。流连于艺术展览、跳蚤市场、诗歌朗诵会、读书会、剧院、汽车电影院……假期与恋人租车旅行，游荡欧洲。如此激烈地探索全新边界，和人密集交往。也许是渴望与亚瑟逆向而行。亚瑟在漫长的流浪之后，选择开始一种自我隔绝、纯洁、克制、严谨的圣徒生活。这反而增强她的叛逆之心。

她年轻的面容日渐呈现东方质地的美感。在学校时被邀去拍广告。与男友纪辰一起尝试做舞台剧。个性敏感，具备情绪的爆发力，舞台表演有相当天赋。尝试写剧本、演出、当导演，也会亲自动手做服装、做美工，愿意为舞台剧做一切的事情。不怕吃苦，付出大量时间精力去排练、开会、创作，通宵达旦。饿了吃盒饭，疲累时找个墙角就地而卧。

给亚瑟偶尔写信。"我感觉到身心中一股横冲直撞的力量。仿佛渴望把自己碎裂，撕开，释放出其中的压抑，也包括我对这个世界的无知、畏惧、怀疑与挑衅。只有在艺术行为中偶尔体验到一种忘我，能暂时停止内心的交战与冲突，让我觉得平静。但这一切并不长久，不过是短暂的维持并仍有变化与反复。"她知道亚瑟清楚她在说些什么。也知道，亚瑟早就经历过这种无法究竟与彻底的工具与方式。至少，他在曾经有过的尝试中并未看到希望。

毕业后决定跟随纪辰到香港，做有探索意味的先锋的舞台剧。开始成名，被邀请全世界巡演，陆续得到一些奖项。纪辰是野心勃勃、志满意得的男人，格局狭小，对物质世界过于专注与看重。虽然有充沛的个性和意志推动他们的工作，也是尽责的合作者，对她体贴、爱护，但他热衷潮流所趋，试图投人所好获取外界认可得到大量回报。对她来说，所做的除谋生更注重生命实践与提升的意味。

他们形影不离，大部分时间与对方相处、共事，但价值观始终相悖。也许，她终究轻视他。他的心不够有趣，无力穿透物质世界，无法抵达更深处的确认。这是一种精神局限。她不是在城市世俗之物堆积中长大的孩子，接受功利化与合理化的秩序，而是被亚瑟在旅途、大自然、有选择有隔绝的审美倾向中带大。他们与外物保持着一定距离。她从来没有被物质世界的价值观拖着走。

他向她求婚，她意识到自己不够爱他，只是习惯与他共存。但人可以用来相爱的时间应该无多，她总有隐隐不安。对他说不想结婚，要分手。他被迫同意。她在他身边的这些年，他的生命没有虚度，虽然只是她中途停靠的驿站。最后一次，在东京，他们举行极为成功的演出，也是她职业生涯的最后一场演出。她决定分手后暂停表演，面对突破的瓶颈重新回去学校学习。

那正是她备受关注与爱慕的时候。没有接任何商业性广告，没有出席过商业活动，除舞台几乎很少露面。在关键时刻戛然而止，没有人知道她为什么这样。而她知道自己不过是遵从天性而行。

洗尽铅华，回到美国读书，重新做回朴素的寻常人。那时她觉得与心失去联结，需要找到新的情爱对象，否则欲望全然熄灭。对当时的她来说，这种熄灭如同死亡。在酒吧与女朋友们聚会，认识他，来纽约出差的新加坡商人。她喝好几杯马天尼，他坐在吧台边默默注视她。男人健壮而温和，穿着白色衬衣和西服。她也许是有某种西服情结，觉得这种装束代表正常而有序的生活，理性而冷静的秩序。这对她来说很新奇。同时她闻到他情感的气味。

当天晚上跟他回去他住的酒店，在电梯里，他拿出钱包给她看夹在内页的照片，是他的妻子和一对儿女，表面温馨端庄的家庭。他说，这是我的妻子和孩子。他喜欢她，但他需要她事先得知和体谅现实规则。她不动声色地抬起脸对他微笑。他是个妥善得体的中年男子。她对他没有什么企图，只是用来填空。

这段关系并非不美好。他离开纽约之后，经常给她写电子邮件，跟她讨论诗歌与戏剧，嘘寒问暖。并且安排公差，保证每个月过来纽约看她一次。彼此松散、自由、不关痛痒。没有虚伪，不存在占有之心，看起来可以漫漫无期地持续。一年之后，她认识丹拿。他曾是她的戏剧观众，热烈爱慕她。她在邮件里对男子坦白，说，不能再持续这个关系。她终究还是喜欢有目标的感情，或者说是有归宿的感情。他接受现实，回信说，他很难过，但的确给不出她所要的东西。

丹拿貌似单身，其实有隐形同居女友。他需索女性的关注、尊重、宠爱、照顾，要求别人让他满意。习惯苛责他人，却无自觉，这大概就是他几十年都在不同的女人之间徘徊的原因。没有人可以填补他内心那道空虚而焦灼的鸿沟。他习惯性取悦身边的女人，但建立起来的都是分裂而肤浅的情感关系。他不是全心全意的人，也无法建立全心全意的关系。他从未满足。

起初再怎样激情蓬勃，对她惊为天人，经过时间的冲洗，互相之间不停地对撞碰击，种种较量、妥协之后，剩余的也就是一份渐渐干枯的情欲。渐行渐远。一段畸恋，恶战三年。精疲力尽。

因为情感苦痛的煎熬带来的推动力，她接连写出几个成功的剧本。她仍在被关注。但同时，她敏锐地体察到自己对世界的好奇心、热情、野心、欲念正在逐渐退失。一种难以言喻的倦怠。夜深人静时，有时害怕得睡不着。害怕人生苦短而肉身仍不过是放纵漫游。心在警告她，所有人的时间并不多，而人还要在无意义的冲突和纠葛中损耗多久。她没有看到自身成长。

功成名就而内心彷徨迷茫的人很多。她不是唯一受苦的一个。

最后一次与丹拿旅行，在意大利。罗马的酒店奢华，房间陈设华丽正对一处复古花园。即便身临佳境，他们仍为彼此的孽欲煎熬。无缘无故心生恨意，剧烈争吵。他怒掴她，她的嘴角淤血，立时血肿。他极为恼怒，夺门而去。面对如此剧痛，她的心反而冷静下来。整个人仿佛被冰水激醒，坐在床边，知道感情持续下滑，彼此再无力气维系最后一根细丝。

分开之后她独自去威尼斯。这是人生最低潮的时期，感情挫败，对世间的成功感觉虚幻，不知道意义何在。心里只有找到真意的急迫，也许相爱应该归属其中，但现状残酷暴戾，彼此都不善良。在撕裂的困境之中，逐一熄灭情爱的妄念。同时她有预感，苦痛已到顶点，情感的漫长暗夜即将结束。

火车在海水之上移动。通往海岛的长而笔直的铁路，仿佛是通往内心的自省之途。她来到一座被废弃般的没有活力的岛。教堂，壁画，建筑，在迷宫般的街巷来回兜转。冬天是淡季，人少，萧条。水拍打岸边，石头上全是幽绿的海草苔藓。独自住在临海一所老建筑改建的旅馆，房间很小，挂着米白色细麻窗帘。她点一支烟，听到房间外面传来声响。打开窗户探出身去，只见岸边海风巨大，船只桨橹在猛烈地晃动。这声音惊天动地。

当时她有所悟，有所觉，当下身心空落，意识万籁俱寂。在那一刻，她看到人生充满荒诞。荒诞的美，荒诞的艰难，而人在这样的荒诞之中活得过于用力。当欲望熄灭，她感受到的只是怜悯。对他人，对自己。这怜悯是温柔的悲伤。

三个月之后怀玉出现。她跟他去岛上，决定结婚。

3

她在廷布住下的第一个夜晚的梦境。

一座金字塔形云雾缭绕的雪山。她与男子置身于一处花草盛放的庭院。他坐在椅子上，面朝雪山背对她，后面是破旧的旅馆房间。她用白布裹住他的肩颈，倒热水，洗干净刮刀。阳光在刀刃上跳跃着光芒。他的头发很长，平时扎成一束马尾，此时散开。刀刃轻轻移动，黑韧发丝簌簌断裂，碰触她手背的肌肤。她的手抚摩过他的头顶、脖子、肩膀，听到他的呼吸。

如同万物消融，存在于尽头般的世界。他面容不清，不知他的身份，彼此之间却有千丝万缕的连接。只是感受不到男女之间的情欲波澜，一丝丝波动也无。此刻世界晶莹透彻，清净无染，仿佛用琉璃、宝石、水晶雕砌而成，一切毫无瑕疵，美妙绝伦。无喜无悲，只是圆满。定境维持着，她心想这是何时何地。疑惑闪过心神微一动摇，所有景象即刻消失无踪。

当她醒来，听到清晨的雨声，雨水洒落在敞开的大地。淅淅沥沥，与大地碰触发出长短深浅不一的声音。起床，打开窗户，云雾弥漫，山峦起伏，四五只轻声鸣叫着的云雀飞过树林遁入山谷。远处山丘耸起一座寺院，金顶如鸟翼展开。风中传来僧人早课仪轨的诵经声音。草木湿润芳香扑面而来。她闭上眼睛，感受清凉的水滴打在眼皮、额头、眉心、脸颊上。

决定先出门步行感受廷布雨中的早晨。走下酒店陡坡，两边是收割后的水稻田，隐藏在树丛深处的民居，几间店铺。一路围墙里的绿树探出枝条，绽放大簇鲜红三角梅，新鲜落花洒满一地。她独自一人，走得很快。不辨方向，听任直觉随意往前。寒凉细雨，绵绵密密，逐渐衣衫微湿。

经过三岔路口，左拐可以通往市中心，右拐是更为荒寂的路。选择右拐。持续步行约二十分钟，前面地势豁然开朗，高山围绕，白色佛塔耸立。原来抵达一处寺院。她是怎么不知不觉被引导到这里的。山谷间弥漫清晨煨桑的白烟袅袅，男子穿帼，女人穿颜色淡雅的基拉，清晨绕行寺院，祈福礼敬。这是当地人日常生活之中传统式样的开端。以虔敬心开始每日的劳作和生活。

她走向他们，跨入装饰华丽的寺院木门。一尊女身雕塑立在泉井旁边，正对佛殿。旁边是画满壁画的走廊，前后排列八个古老的大经筒。五六位老人坐在地上，转动手里的经轮低声诵经，身边放着食物、水壶。他们看起来长期停留此地。点燃大盏酥油灯，火焰簇动，空气中都是咒语的音节。她跟在一位妇人身后，用力推动经筒，木轴移动，经筒翻滚，发出咔啦咔啦粗重的摩擦声音。

广场中的人们，在雨水中按照顺时针方向继续绕着寺院经行，手持念珠，快速念诵咒语走路很快。瘸腿的男人、背着小婴儿的母亲、白发苍苍的老妇略慢。她绕到寺院正门，顺着白色台阶可以进入大殿，但并未见到有人进去。一位农妇仿佛是远道而来，趴在门前空地上磕长头。进去还是不进去，可以随便进去吗。她看着门扉之间露出来的未知空间正在踌躇，面容清秀的僧人出现在门边对她挥手示意。

她踏上台阶脱掉鞋子，进入幽凉的殿堂。

两位年轻僧人二十岁左右，在殿堂里清扫，点灯。其中一位拿出铜壶，在她手心里倒出一些甘露水。她喝小口，剩余的抹在头顶和额头上。甘露水有草药和番红花气味，流过喉咙时觉得清凉微麻。大殿供奉壮观精美的普尔巴金刚像，众多塑像密密层层叠起，如同寓意神秘的坛城。四角是空行母像。她绕行一圈，仰头观望，所有塑像的眼睛看着远方。僧人再次对她轻轻做手势，示意可以沿楼梯去楼上礼拜。

狭窄的木楼梯边侧，墙上绘满涂抹金粉的壁画，在照射进来的光线中熠熠生辉。一排排度母像，手持莲花面容优美的女神，呈现于古老的矿物颜料之中，露出优雅而悲悯的微笑。逐一看过去，盘旋到二楼，另有一尊巨大的普尔巴金刚像与女身像紧紧相拥，露出獠牙，气势威武。两边摆放巨大的洁白光滑的整根象牙，薄薄的木蝴蝶花一枚一枚串起长线，点缀佛像背后的帷幔。

作为畏怖金刚的形象，有理论曾解释它的每一个造型或标识所具备的特殊意义。三只眼睛，是能够看穿世界幻相的智慧。用五颗骷髅头颅骨制成的王冠，代表五种成就圆满的智慧。披散的头发提示，所有的因缘均已断绝。骷髅头颅骨的装饰，是功德圆满。由被砍下的头颅制成的花环，指三昧修习。装满鲜血的头颅指智空，各种刀砍断虚妄与欲念。被踩在脚下的各种赤裸的人尸，面目猥琐可悲，是被征服的解脱的障碍。

她在空无一人的殿堂之中默默坐了一会。

下楼与僧人道别。那位年轻僧人拿出一条打金刚结的红色丝带递给她。她挂在脖子上，合掌向他们示谢，起身退出。临别前阅读门外墙上的说明。这座寺院是以前的皇太后为死去的国王儿子而建造，进门看到的女身塑像也许是供养人皇太后。大群鸽子在石板地上起起落落，聚集着寻找食物，喝水，咕咕叫着。人们已陆续回家，准备劳作。

廷布开始崭新的一天。

4
—

远音：

终有一别。

凌晨，我躺在孟买候机厅椅子上等待飞机。六个小时，有足够时间适应你的离去。一个中年人起身去买东西，让我照看他的行李。回来之后他开始闲聊，从城市、工作、个人经历一路说起，絮絮叨叨。他看起来富有，也不难看。我不愿意说话，起身离开他，走到远处角落另找空位。用背囊当枕头，脱下外套遮挡身体，继续睡觉。

自你离开，我觉得孤单，渴望入睡。这样可以不再思念。

在候机厅短暂的梦中，我看见与你一起，并肩站在阁楼露台。木地板，赤脚，前面是一面纹丝不动的碧蓝大湖，周围围绕绿色山丘。我们默默无言仿佛是累世的亲人。我心里暗自思忖，这是母亲以前说过的，在生下我之前于梦里看到的那面湖吗？当我醒来，看到对面座位坐着一位穿藏红花色僧袍的老人。八十多岁，剃过的发根雪白，眉毛也是白的。他打开用黄色锦缎包裹的经文，埋头低声诵经。戴玳瑁边框老花眼镜，脖子上挂着很老的深海珊瑚佛珠。裸露出来的右边手臂仍有结实的线条。

我坐起身来，理正衣服，默默听他诵经。想起你跟我说过关于生命的完整性。如果没有做出努力，人不过是随着肉身衰老，灵魂软弱，最终与世间其他物质一起腐败，发出臭味。我不知道自己穷其一生，能够成为什么样的人。这真是可悲。如此重要的问题，却还没有来得及在告别前与你讨论。

回到国内，我与父亲和解。他年老，希望我帮他管理生意。我开始认真做事，打发时日，聊以谋生。一切看起来似乎踏上轨道，再无错漏。但某些时刻，软弱而迷茫的心境依然汹涌如潮，几近让人窒息。我仍需克制不时升起的对男性色身的欲望。无力对抗世俗，不能面对难言之隐。对你的爱也同样的卑微。

但我思念你，一如当初。愿重逢。

在孟买最后的夜晚，已是旅途终点。他们即将各奔东西。在常去的餐厅吃晚饭，用不锈钢餐盘端上来的咖喱米饭，有鱼肉或羊肉咖喱。她只吃素食，喜欢蔬菜炒米饭，叫做 Naan 的泥炉中烤制的扁面饼。偶尔会尝试阿月浑子果冰淇淋。喝了一路的拉西是由新鲜酸奶和冰水调制起来的饮料。

她说，印度的咖喱酱汁，含有丁香、小茴香子、胡椒、桂皮、八角、草果、姜黄粉、川花椒、芥末子……多达数十种的香料，不同的餐馆有自己的配方，烹制出来的咖喱各具风味。有些人不习惯咖喱，闻到气味就不舒服，我却很喜欢。这样美妙而有劲道的食物，回去以后会很怀念。

他说，经常见到一些国内来的人，宁可吃泡面，也不愿意尝试和接受异国食物。在人们无法真正了解事物的特质之前，大概也无法真正地去喜欢它吧。有时我会感觉，以后可能真的要与这个地方告别。不会再回来。

要回去吗。

出发之前就已经有这样的计划。现在更加确认。在这次旅程中，我经常觉得很感动并因此有一种悲伤。

离开餐厅，慢慢散步走到印度门。面向孟买港的拱门建筑融合十六世纪古吉拉特伊斯兰风格，现在成为当地人的中心广场和热闹的集会地。各种聚会、演出、售卖东西的摊位，人群穿梭不息，搭起舞台进行歌舞表演。一位赤裸上身的少年紧跟不舍，要求购买他手中的气球。她买一只，放手丢掉它。他们并肩站立看着红色气球在夜风中慢慢上升，飘向大海的远处。

他提起母亲。

说，我母亲年轻时候很美，喜欢穿连衣裙，长发披肩，身姿丰腴，眼神脉脉含情。三十岁之后她变得丑陋。父亲一直喜欢更多的女人，他外出经商，有这样的机会也有经济上的资格。如果父亲不归家，她蛮力发作，持续给他打五六十个未接电话，一边浑身发抖地咒骂，一边不停拨号码。父亲回来，她扑上去抓打他，父亲回击，斗殴升级。等父亲真正爆发出愤怒不可自控的时候，她试图逃到卫生间锁上门。有一次，喝醉之后的父亲对着门狂踢不止，直到把门踢倒。

我闻到母亲身上散发出求死的气味，又仿佛被现实污脏的土壤培育得更加精神，从没有屈服。父亲在家里毫无生机，早晨醒来，电视机被打开发出剧烈声响，各种汽车刹车、武器打斗、人物的叫喊，他看着直到在沙发上陷入昏睡。要么躲避在外面长时间不回来。他们这样活着，彼此拖累，不知有何意义。母亲因此对我心怀歉疚。

那年我小学毕业，母亲来学校参加毕业典礼。她精心打扮，穿一件茜红色缎质连衣裙，抹着口红，梳洗整齐，看起来很美，只是面容憔悴，失魂落魄。结束后她说天气好，去公园看荷花。一湖白荷开得正盛，风中弥漫刺鼻芳香。母亲与我坐在假山边的亭子里观看，没有说什么话。阳光热烈，清风徐徐。我们喜悦安宁。

她问我要不要吃雪糕，我说要，她说，你在这里等我，我去买。我等在那里，听蝉鸣，看身边人来人往。深绿色湖水之上柳树浓荫映照，野鸭子扑动翅膀，湖中波纹在风中扩散，霞光逐渐西落。我希望这一刻凝固不再往前走。此时母亲出现，手里拿着雪糕，眼睛看着我温柔怜悯。我读懂她的眼神。她在默默对我说，这是她和我在今生的缘分。她能给我的只有这么多。

后来在梦中我曾回去这个公园，仍是坐在湖边看荷花，等待母亲买雪糕回来。在那一刻我与她心存希望。只是我不知道那时她又怀孕了。母亲生下弟弟之后，偶然发现父亲手机里的短信，知道他在经常出差的深圳早已有女人，买房子同居且已偷偷生下两个孩子。她暴怒，与父亲激烈争吵三天。父亲逃去深圳，打电话给她说，一定要离婚。至死不会再回到家里。

那天凌晨，她抱着我未满一岁的弟弟从十七楼跳下。当时有帮佣在场，说她打开家里客厅落地窗，一言不发直接跳下去。一切发生得太快。大小两个当场毙命。母亲当时神经衰弱，有严重的抑郁症。我因为考试复习需要安静在祖母家里寄住。如果当时在家，她或许也会杀了我。她火葬之前我去看她。

嗯。

我抱住她，感觉她的肉体僵硬得像石头，失去所有的柔软和温暖。她的心识连同对我的爱已远行。不知道她的心识最终会去哪里。如果人这样无助而愤怒地过尽一生，不快乐，不原谅，能够去的地方应该不会太好。她的灵魂离开现世的容器，肉身成为被遗弃的行李袋，因为无用需要被烧毁。不知为何我一滴眼泪都没有。

父亲就此再也不回家乡，在深圳做生意越做越大。我由祖母带大很少跟父亲见面。祖母去世之后，他来接我。他那时已有新的家庭，不酗酒不放荡，新生活让他改头换面终于能够获得幸福。他问我要不要去印度，他在印度有生意。我说，愿意。如果不去，我也不想在深圳和他生活。

我再没有梦见过母亲和弟弟，仿佛忘了他们的样子。父亲与我从来不讨论这段记忆。

你在心里要给母亲和弟弟留出位置。要承认他们的存在。
我做不到。记着这些事情让我有罪恶感。
它们是你生命的一部分，这些记忆与你与时俱进。你到哪里，它们跟到哪里。所有发生过的事情都要接受。他们需要你接受和承认他们所感受过的伤痛，这样才会平息。
如果我无法接受呢。
这伤痛会一直漂浮，寻找归宿。

那你是否已接受一切记忆。
是。我全部接受。

她看到自己站在一幢白色大屋前面。门前有两棵榛子树，一棵大枫树成伞状覆盖。她打开门走进玄关，对面是白色的厨房，小客厅楼梯拐角小圆桌上放着一只大玻璃花瓶，插着迷迭香、九里香、丁香、鼠尾草等药草和鲜花。她绕过它，走上木质楼梯。楼上有两个卧室，两个洗手间。未打磨的老橡木地板花纹质朴，旧的丝绒沙发，陶瓷台灯，樱桃木老家具。一间小书房铺着素净草席，案几上有黑陶罐插应季花枝，也许是受到日本文化的影响。窗外是湛蓝无云的夏日天空，露出森林浓绿树梢。旁边洗衣间里的洗衣机在滚动，发出有节律感的噪音。

她又下楼去厨房。柚木餐桌摆在水晶蜡烛状吊灯下面，椅子大多在跳蚤旧货市场挑选。桌上摆满物品，摊开的书页，未洗的咖啡杯子，烟灰缸，可乐，威士忌酒瓶，橙子与无花果，刚刚从烤箱里撤出来的杏仁蛋糕。推开门走到室外，烈日炎炎的花园野草蓬勃，木桌上有一只景德镇制的旧碗，画着绘银边的石竹花，碗底有编号。碗里装着几颗烂熟的黑红色樱桃。

戴着巴拿马草帽的男人站在樱桃树下，穿着旧 T 恤，人字拖鞋，仰头看着硕果累累的树枝。熟透果实砸在地上迸裂暗红色浆汁果肉，还未被路过的喜鹊吃尽。他的手腕上戴着扁宽的银镯，雕刻羽翼纹路。老鹰羽毛在印第安人中具有特别含义，可以赋予至高能量。这只印第安人手工做的羽毛造型的镯子，栩栩如生，精细美丽。但她在很久之后才明白它的寓意。

这是亚瑟去寻找印第安人给他们拍照时，当地酋长赠送给他的。他戴着它，拿着他的哈苏相机，后来遍游喜马拉雅山脉周边地区，寻找残存而古老的文明。

他说，花园里的樱桃树根长得太快，很快爬进厨房，到时根系会把地板撬开。
那是说，在我们的房间里会有可能长出一棵新的树吗。

也许。我考虑是不是需要砍掉树。我们一个月后要出门远行。
我不想砍树。房间里长出一棵树也是很好的事情。

他说，它们应该很想活着。最坏的结果是旅行回来房子倒塌，我
们就住到科罗拉多的山上去，在那里盖木屋。她点头，回到厨房开始
洗碗、洗杯子。她只有十岁，个子却已过一米五十，穿成人衣服的小
尺码。此地离太平洋海岸线六十公里，气候温热、湿润。沿高速路开
车四十分钟，再经过一片森林，抵达大海边的山崖。

这是她小时候与亚瑟住在西海岸的家。这幢房子是亚瑟的父母留
给他的。他的父母已去世。有个年长六岁的哥哥在波士顿，是出名的
牙科医生，但彼此很少联系。窗外古木参天的森林常传来群鸟鸣叫，
有些清脆，有些嘀嘀咕咕，或者只是婉转的几声长音。松鼠沿着木头
篱笆窸窸窣窣地爬过来，野鹿逡巡觅食。只是鲜少见到人迹。她清晨
起来打开窗帘，看到的总是一条无人的小径。

国庆节，邻居孩子们出来拿着小凳子排队，等待看烟花。他们看
起来清洁而有礼貌，但她全不相识，也没有机会与他们玩耍。只偶尔
听到他们出来打篮球的声音。她有东方面孔，是被领养的孤儿。亚瑟
是摄影师，他到处走，但有时他的生活自我封闭。

亚瑟的厨房陈设丰富，有各种瓶瓶罐罐，海盐、黑胡椒、橄榄油、
帕玛森奶酪、蜂蜜。他知道怎么做出美味的食物，会说好几种语言。
学日语，是对剑道、弓道、禅道、茶道等感兴趣。说泰语，是去泰国
学习止观禅修，正式剃度在泰国的寺院里学习三年时间。那里条件
艰苦。亚瑟克制自己的情欲。也许他从未在情感关系中得到过饱足。

当他渐渐年老，他开始逐渐远离现实世界。长时间隐匿在家里，

看书、画画、做园艺，做天然发酵的无花果肉桂面包，在庭院种植香草。有段时间他研究阿育吠陀和婆罗门教，种植荨麻、圣罗勒等各种草药。每个月有一个星期他举行斋戒，除喝特殊的自制饮料，什么都不吃。这是有洁癖的严格的生活。但矛盾的是在斋戒之外，他酗酒成瘾。有时也吸食致幻草药。

他的卧室，床对面的墙壁安置一台小型电视机，看球赛、气象节目和新闻，依靠电视机发出来的声音入睡。他尽量不吃助眠药。吃药之后神志受到干扰，尤其如果酗酒，心昏乱不够清晰，无法进行工作。有时他开车带她去商业中心，去韩国超市，买泡菜、牛肉、面条，回到家做烤肉与沙拉。也去一家越南米粉店。大型超市里可以买到一切生活所需。偶尔在镇上看场电影。

在家里连续住久有些发闷时，他开车带她去海边。途中会路过一个山谷，可以看见瀑布。他们到达海岸边。海水清澈、碧蓝，随着阳光转换着颜色。亚瑟提前做好三明治，把法棍面包分成四片，淋上橄榄油和醋。铺一层菲达奶酪，放上西红柿和洋葱丝，再撒上盐渍山柑、盐、胡椒粉、新鲜罗勒调味，最后浇上橄榄油。这三明治是她年少时吃过最多次的食物。在她离开他以后，她开始尝试自己去做。她很清楚，亚瑟过着与世隔绝的生活。

她离开家以后，一位朋友来到亚瑟的身边。她暑假回家见到过他们。艾伦剃平头，穿蓝白条纹 T 恤，是欧洲与中亚的混血，长相俊美。他们经常早上牵着金毛犬菲斯去山林里散步，两个人光着脚踩鹅卵石路，都喜欢穿白色衬衣。亚瑟为他阅读鲁米的诗歌集。亚瑟后来除诗歌、经文，不再阅读其他的书。艾伦做好吃的印度菜，花很长时间用各种草药和香料炖煮一锅扁豆汤，配白米饭，是印度南部的食物。也许因为他曾在迈索尔修习瑜伽生活过很长时间。

那个时期家里人来人往，经常有时运不济的艺术家朋友们过来白吃白喝，住一段时间告别。这些身份不清的人，装束怪异但都别具一格。他们在家举行派对。亚瑟和艾伦共同生活两年，除温情脉脉的时段，也有歇斯底里的争吵和冷漠的僵持。某天，艾伦不告而别。

5

春泽说，这是我们传统的射箭比赛，也是廷布可观赏的民间景象。

穿着袍子的男人们聚集一起，比试射箭功力，遵循简单的规则，胜利方绕成圆圈唱着歌表示庆祝。五六条黑色大狗懒洋洋地躺在草地上睡觉，全然不顾半空中呼呼飞掠而过的箭雨。观众有男子、妇人、孩子、老人以及穿红色僧袍的僧侣们，他们随意坐在石阶上或佛塔附近。与其说她对观看射箭有兴趣，不如说她对这些当地人的状态更有兴趣。他们自得其乐，聚集在一起找乐。人与人之间有更为紧密的关系。

他带她去当地的周末市场，知道她喜欢日常生活的素材。她的角度与一般游客不同。旺曲河边的两层水泥广场，通道两侧摆满各式小摊。新鲜蔬菜、自制奶酪和肉干、新采摘的水果、手工熏香、烹饪香味原料、手工艺品。一袋袋的藏红花、糌粑、红米、杂粮、鱼干、做供品用的草。蕨菜、杜松粉香、果冻牛皮糖、各种做菜用的奶酪。她看得很仔细。

他找到卖槟榔的摊位，当地男子热衷这个，可以提神振作。用涂着石灰膏的槟榔叶包着，裹成团，打开后就能吃，舌头和牙齿会被染红。他问她要不要试试，她说不要。市场里有他的很多熟人、亲戚，他跟他们打招呼，态度随和。他走在她的前面，个子不是十分高大但身形沉稳，麦色的皮肤，眉毛漆黑。鼻子线条英挺，睫毛是深褐色的。他是个轻松自在的人，喜欢与人开玩笑互相逗乐。

她买些当地产的野生小苹果，皮色被太阳晒得紫红，闻起来清香。有个小摊堆满木蝴蝶大型果壳，撬开边侧，里面挤满层层白色花朵像蝴蝶透明翅膀。在寺院里，她见到过他们把这些干燥花朵用棉线串成一条一条，挂在装饰普尔巴金刚像的锦缎上面。春泽说，在法会中受灌顶的信众，把这白色的花朵贴在眉心之间当作守护的誓言。这种花朵在佛陀涅槃之后不再绽放。

走出市场，迎面有一座形状古朴的木质廊桥，经过漫长的日晒雨淋颜色厚重。它通往寺院。她被吸引，情不自禁走向木桥。他跟在她的身后。一路往前，桥身微微晃动，底下是宽阔的旺曲河翻山越岭流淌而过，望向西边，是金色的山顶大佛。木制护栏上挂满层层叠叠的经幡，大风吹过，经幡拍动，啪啪巨响如同海浪。她在这经幡的海洋中往前走，用掌心抚摸被岁月漫长浸染得光滑发亮的桥栏，心里默默祈祷。

离开岛屿，来到内陆，是怀玉的决定。也许觉得与她的婚姻需要活力和兴奋感来振作，否则日益索然寡味的感情会埋葬他们的未来。定居下来之后，他早出晚归，大部分时间供养给工作。她则在随波逐流的心境中，陆续生下女儿伊萨贝与儿子乔伊。时间流逝，不知觉婚姻持续七年之久。

她成为专职家庭主妇。一日三餐、照顾孩子。怀玉时常加班、出差，周末则尽量留在家里。开车载她和孩子去商业中心，一家人热热闹闹地超市购物、餐厅吃饭、去游乐园。有时去美术馆或博物馆。以家庭为中心的世俗生活乏善可陈，不过是无尽的琐碎，琐碎的重复，日复一日，夜复一夜。有时深夜哄孩子们睡下，她关上他们的房门，独自下楼，在厨房独自清洗碗盘，打扫整理。然后在餐桌边坐下，抽细烟草，泡杯橙花热茶，发一会呆。

此刻她觉得清醒而麻木。清醒的是她的心识，麻木的是她的现状。

怀玉晚归，深夜仍习惯独自在自己的卧室里，喝啤酒，看电视机体育频道的球赛。这是他唯一用来放松的爱好。她看出这个曾经让她觉得无所不能的事业成功的男人，内心极为孤独也并不成熟。他在既定模式里自我沉沦，并不试图成长。那时他们已开始分居，基本上如同两个住在同一所房子里的室友。但又何尝不是本应如此。此生是个旅馆，他们是过路的旅客，相逢作伴只是共行一程。不过是回到人与人之间本初而实相的层面。

她给他做一碗汤面端进去，在门口看到他头顶冒出很多白发，肩膀塌陷。刚结婚时他还显得年轻，是健壮有活力的中年人。慢慢生活拖累他，让他老态毕露。他说，我是个好胜的人，从小到大样样事情都希望做到完美，做到最好。但现在我知道，一些事情自己并没有能力做好。也许他指的还有前段失败的婚姻。此刻他真情流露坦呈内心的无力。

他说，有时候我很困惑，不知道你到底要的是什么。远音，你是否知道你在追寻的是什么。

他们是熟悉的陌生人。不能相爱但共同生活，生儿育女，维持婚姻，何尝没有彼此付出沉重的牺牲。只是没有人主动提出结束。是为尚且幼小的孩子们，还是长年累月的心灰意冷。又或许是对现实具有更深层面的理解和宽恕。不爱是解脱，但如果能够对彼此产生悲悯。

仿佛上天需要安排给她一段较为长久的反省和恢复期。她曾是活跃的舞台剧创作者，一名演员。在别人循规蹈矩的时候，她是放纵不羁的表达者。十多年后，时代变化，随着网络、科技、各种个人平台的表达喧嚣，每个人都争先恐后，显示众生浮躁而微小的存在感，她却心生倦意。她曾经对这个世界抱以热情及率直的行动力，年长之后，却日益迷惘于生活的方向和目标。与其说是自甘沉堕，不如说她对外面的世界、自己的生活，逐渐失去一厢情愿、盲目无知的期望与妄念。

人所热衷的现实中繁杂而肤浅的活动都与最本质的问题无关。但人们乐此不疲。

在孟买旅馆。房间有一处小露台，她把洗干净的衣服晾晒起来。靠近海湾的这家旅馆以前是贵族大宅，电梯款式老旧运行迟钝，升降时发出咔咔摩擦声音。房间小巧而整洁，优雅的拱顶悬挂一盏小水晶吊灯，两张单人床铺着洁白被褥。天气炎热，他们白日大部分时间留在房内。在孟买已停留五天。

她晾完衣服，打开百叶窗，靠在窗台边点燃一支烟。深夜，闷热而纹丝不动的街道，两边粗壮的法国梧桐展开蓬顶般枝叶，遮掩殖民地建筑。群集的乌鸦受惊突然扑楞楞闪动翅膀飞起来，引起一阵悸动。

他说，我们为什么要住到这边来。到晚上，大街站满巡逻的全副装备的警察。

她说，隔三条巷子的拐角处，是泰姬玛哈酒店。那里曾经发生血腥暴动，革命军控制了酒店，客人全部被当做人质。在对峙期间，他们每天在酒店里杀人。

我不知道这个事件。这里仿佛什么都不曾发生过，除了总是看到警察。

所以不妨感受一下死亡的气息。大多数时候，我们假装不认识死亡，也不觉得这件事与自身有关。这是很奇怪的自我欺骗。

为什么人类社会总是充斥着暴力、战争、自相残杀和分歧。

这看起来是很大的命题，落实到每个人身上不过是生命内在暴力倾向的示现。个体的心中隐藏着属于自己的愤怒，同时也归属于古老的愤怒、集体的愤怒。

什么是古老的愤怒。

假设一千年前有一群人被嗔恨与贪欲煽动，互相杀害，这种积聚和爆发的能量会存积起来。它不会消失，会流经一千年后的人的心里。我们习惯性对他人觉得愤怒，其实应该检查内心隐秘的愤怒感。比如觉得自己完美无缺，觉得他人障碍自己的利益与快乐，觉得都是别人的错误。

早上起来他们去拐角处的咖啡店，位于三条街道交会的中心旁边，人满为患。桌子和椅子紧紧相挨，人与人贴得很近，通常挤满西方人。音乐嘈杂，慢悠悠转动的风扇，暗色的柚木窗框与地板，敞开的厚重木门正对街上车水马龙。他们坐在人堆中，喝一杯咖啡，各自抽几支烟，听着周围语言混杂，起身离开。

她陪他去剃头发。长巷之中破旧的理发店，老式可升降皮椅，边角被摔出裂纹的长方形大镜。理发师是中年男子，小男孩在店里玩耍。洗头，擦干，他的头发被慢慢修理成一种复古风格，下缘剃得很短露出青白色头皮。她坐在店门边小凳子上等待，看着阳光下绿色叶片晃动的娑罗树。他透过镜子窥见她的侧影。她穿白色上衣，当地彩色拼布长裙，赤裸双足穿人字拖鞋。暑日炎炎，被汗水浸润的黑色发丝贴在耳鬓边闪闪发亮。

她是中年妇人，有时面呈疲色，眼神与声音却仍有一股清澈的哀思。无法熟透的青涩和隔膜。他们共度多日，她经常独自享受沉默。他已习惯她间或持续长久的静默。

晚上，他们散步走去街边的牛奶店。整洁的店堂灯火明亮，摆放各式擦洗干净的传统铜制容器。四五个穿白衣的年老男子在忙碌，出售生牛奶，热牛奶，奶酪，各式拉西。客人很多，有些堂吃有些打包带走。她点热牛奶，老人用锡碗来回倒，让奶的温度略降低，装进玻璃杯送过来。杯口结着厚厚一层奶皮。街上，叮叮当当的老式有轨电车开过。跟随其后，男人驾驭插满花朵的马车奔腾而过。即便深夜九点已过，城市依旧充满生机。

他说，你喜欢这里吗。

喜欢。街头喇叭和市井噪音，热闹喧哗，尘烟弥漫。黄色出租车、人力三轮车、马车、有轨电车、轿车、地铁……各式交通工具挤在一起，清真寺、教堂和印度教神庙共存。密密麻麻的餐厅、商铺、各式小摊贩，人们只需要一小块地方，就可以与外界相安无事地活下去。并且神态安静。

他们如何做到的。

大概是一种静心传统以及被保存的信仰和文明，这是坚强的骨架。即便表象无序和混乱，内在保持平衡。现代中的古老，前进中的退却，动中的静，混乱之中的优雅。如果没有平衡感不懂得如何静心，社会与人都会感到焦躁而动荡，心里也是一盘散沙。

遇见他之前，她在加尔各答，为"仁爱之家"做义工。再之前，她在南部尼尔吉利尔山脉的闭关中心停留三个月，学习吠檀多不二论和梵语。单人寝室，铺陶土砖的小浴室。中心提供素餐。规定时间内保持禁语，不与人说话。少吃，少睡，读祈祷文，观想，持咒，练习瑜伽。

他说，在课程里有收获吗。

学习《奥义书》《薄伽梵歌》等经典，以前读过但没有听人解说。练习瑜伽、吠陀唱诵。对我来说，重要的是在此期间清理想法，观察心的状态。它的渴求、矛盾、复杂、困惑……第一次感受到不说话的好处。

嗯。

语言带来沟通便利之余，制造许多伤害。背后也许是我们没有察觉到的极细微情绪，比如嫉妒、蔑视、敌意、怨恨……人们用语言制造许多麻烦。不说话的时候，这些燃烧的火苗自动平息，不会轻率而放任地发起攻击、猜测、评断、指责。我们对做了很久并且一直无意识地在做的事情，不应该心生怀疑吗。

在慈善机构里呢。

体验和感受生老病死之苦。这不是我在帮助别人，是他们在帮助我。让我意识到能够健康而知足地活着，就是喜悦。但大多数时候我们不这样认为。在那里，被布施的人才是真正的布施者。

她说，我有两个孩子。曾经有过一个看似合格的家庭。以前我以为，结结实实的家庭，以及人所占有的物质和感情的保障，能够带来安全、稳定、快乐、长久。后来发现并非如此。

这些还不足以是人世间的快乐吗。

快乐应该如何定义……也许最重要的词是"真实"。当生活与心中的真实脱节，它们之间就是分裂、不统一的关系。后来孩子们跟随父亲去了加拿大，他们定居那里。我需要一段自省的时间。

所以你来到这里试图维修好自己。

也许是。我和本性的源头失去连接，不知道应该如何前行。我希望得到答案。

你得到了吗。

还没有。

6
—

正午。灼热阳光洒在平原之上白茫茫一片。

收割后的稻田略显荒芜，村庄被蒸腾出热气。她在临窗的桌子边吃午餐。米饭、辣椒炒牛肉片、玉米汤。餐厅客人不多，墙壁上挂着传统织锦、仪式面具以及旧农用器具。春泽走过来，递给她一罐冰冻可乐，一枚洗干净的日晒苹果。他替她打开可乐，把冒着气泡的冰冻饮料倒进玻璃杯。说，等你吃完午餐，休息足够，我们就上路。

他在隔壁房间与朋友及同行们一起吃饭。穿着传统袍子的男人们聚集闲聊，轻松地开玩笑。她听不懂他们的语言，但知道他们精于快乐的日常之道。中午温度在急剧升高。旅行已持续到第七天，去往普那卡的路上。

烈日下穿过田野小径。山丘树丛中露出的黄色屋顶是切米拉康。由竹巴衮列的堂兄在十五世纪修建纪念这位修行人。当地习俗，渴望怀孕的女性会前来祈求得到加持，新生儿则抱过来取名。他们经过名为 Pana 的村落，走到敞开的空荡荡的谷底。山口狂风呼啸。他撑开一顶黑色大尼龙遮阳伞，为她挡住骄阳直射。伞几次被大风吹翻，他一次次耐心地把它折回来，重新举到她的头顶上。

这是附近多楚拉山口刮过来的大风。他说，竹巴衮列曾经用神通降服多楚拉山口的众多魔女。他自幼生长在严谨的寺院环境中，依戒律修行。二十五岁那年得到证悟，决定离开寺院，弃绝制度化的僧侣生活。他带着弓箭和一只小狗四处游历，经常衣不蔽体，在人多的集市中大声唱道歌警醒世人。人们以神圣心态去看待他突破戒律蔑视世俗的行为方式。也许他的示现是在告诉众生，修行应该抛弃外在的伪装，越过人为的评价和界限。

穿过无人的射箭场，持续上坡。草地上盛放的波斯菊摇曳纤细花枝，花瓣在阳光下闪闪发亮。迎面是寺院的石头台阶，尽头有两棵双生巨大菩提树，枝叶茂盛，风吹过发出摩擦低吟。她站在树荫下，捡起一片心脏形状的菩提叶。他看到她的思绪，说，我们认为这两棵树来自菩提伽耶。

殿堂里在举行仪式。五十多个僧人汇聚诵经，一对年轻夫妇穿着传统服装接受祝福。年轻僧人手里举着三件器物，木制阳具、长牙和铁箭，一边持咒，一边在新娘的头顶上敲击三次。殿内只有她与新娘两位女子。僧人对她招手示意她往前。她合掌躬身往前。那三样器物也落在她的头顶。在震荡之后，她想起春泽刚才对她的叮嘱，如果不想怀孕，不要去接受僧人们的赐福仪式。这个仪式的力量太神奇。

她走出佛殿，看到菩提树下的春泽在微笑。她说，刚才糊里糊涂走进去。我不想再有孩子，应该也不会有再怀孕的机会。他仍微笑着，手里拿着收起的遮阳伞，愉快地说，我喜欢孩子。我们村子里的人喜欢家里有很多孩子。

他开车带她离开廷布，前往普那卡。天气变化，森林中盘旋的公路白雾弥漫，湿气氤氲。松柏树影在雾气中若隐若现。在海拔三千多米的多楚拉山口，阴气更加湿冷。路口林立一层一层的纪念塔，他说这是皇家为抚慰在战争中牺牲的将士的亡灵。在附近的休息站他们稍作小息，他倒给她一杯热红茶，取三五块黄油小饼干，在一路周到的照顾当中有不做作的温情。一部分与职业相关，一部分也许是宗教传统给予的影响。他们关注身边人的需求，发乎自然。

再上路。山路曲折延伸，越野车穿行在茫茫森林之中。从低谷到山顶植被发生变化。橡木、枫木、蓝松、柏木、铁杉、冷杉。远处露出雪山峰顶。杜鹃花还未到花期，旺季通常指满山遍野花朵盛开的季节，但所到之处也会游人成群。他在高山之巅停下车，示意她下车观赏白毛黑面猴子。气温很低，山上潮气大，雾霭腾腾。她披上羊毛外套，在冷风细雨中走到马路边缘的森林边上。

金叶猴被认为是一种吉祥。它们数量很少，吃果实、叶子、种子、芽及花朵，舔食花蜜，在雨季喝叶子上的水。野生冷杉树林中，大猴子带着小猴子在树枝间休憩玩耍，悠然自得。大猴看见她，互相凝视。它有古老而宁静的黑色面容，一双默默的眼睛，她轻声对它说，你好。它发出一声鸣叫，摆动长尾巴轻盈地跃上树梢远去。

位于河口的普那卡宗堡。奔腾的母曲河和父曲河在此地交汇。远远望去，白墙高耸，檐壁雕琢，黄铜屋顶闪闪发光。大棵蓝花楹树，花朵盛放仿佛团团烂漫云雾。他说，这里的佛像在古代的一场大火之后重造，还曾多次发生灾难，大火数十起，两次水灾。父曲河上游冰川融水，宗堡就有可能遭受溺水。而人们反复地在很短时间里再次用传统手法修复。

为什么会经常发生这样的事情。

远古时期这里是古冰川融水汇合地带，河水浩浩荡荡奔腾而过。之后由于地壳的抬升和冰川融水量减少，河谷缩小，慢慢形成平整的地面。人们在逐渐稳定的地面上修建起寺院，也许认为在两条河流交汇之处有强烈的能量。现在河水已平静。

　　他在停车场停下车子。她在长途行车之后觉得疲倦，走到旁边的村子用零钱买两罐可乐。老人在泥路边售卖自种的李子。小个，深紫色，因为烂熟，有些掉在地上变成软酱。她买小袋，吃一个，不是很甜但有清香，是自然熟的野生果实。分给春泽可乐和李子，他躺在路边的大岩石上，立刻享用起可乐，并且自得其乐地轻声哼歌。

　　她说，你的牙齿真白。这很少见到。

　　他笑起来，我小时候每逢换牙，有牙齿掉落，母亲就把牙齿碾碎，一边往天上抛洒一边念着，不要长马牙，不要长驴牙，要长像白珍珠一样的羊牙。所以我们每个人的牙齿都雪白整齐。但我想这其实应该与喝干净的水与常吃奶制品有关。

　　你在唱什么，我想知道意思。

　　他翻译给她听。是疯智之僧竹巴衮列的道歌。

　　虽有太阳晒不干的津液，不能做消渴之茶水。
　　虽然正法密法深细深，不能不修证而得解脱。
　　累积多闻而不修实相，如面对丰筵却饿坐着。
　　善知识贤者若不述不作，如毒蛇头上珠宝能利益谁。
　　若不识自有的佛陀，如此外寻宝物做什么。
　　若不识松坦持续之修行，除妄想又有何用。

他说，我们经常唱道歌。有时很多人围聚听僧人或者老人唱，唱得好的会让大家流下眼泪。这些传统曲调已传承下来好几百年。

他说，休息一下。带你过河去看佛殿。

他们走向廊桥。左边是小宗堡，右边是大片主要建筑，大宗堡。她的目光被小宗堡吸引。他说，小宗堡是原始的宗堡所在地，里面供一尊释迦牟尼佛。每次发大水灾，大水冲垮宗堡，佛陀像却被架在废墟之中留在原地。他们后来重修佛殿，保持它当年在洪灾中幸存的倾斜角度。据说它会开口说话，有求必应。

此时已走过廊桥，来到入口，迎面路口卧着一只虎斑纹小猫，一双温柔的深绿色眼睛被黑色的眼线围绕，慵懒地躺在那里，看见她立即喵喵叫起来，起身走向她。它仿佛在这里等候她已久。她蹲下来，它顶她的裙子，发出呼噜呼噜的声音，温热的肚子轻轻蠕动。她小心翼翼抱起它，抚摸它圆圆的脑袋，心想，它在这里应该见过很多陌生人。它已辗转很多世。

她放下它，它往前走并回头对她轻声叫唤，引领着她往佛陀殿方向走。她跟随它左拐，走上一段大丽花与万寿菊盛开的石头台阶。紫薇花树开在河岸边。佛殿在尽头仿佛一座孤岛。小猫走在前面，跟她形影不离。她沿着外墙围绕的转经筒，决定先顺时针绕行三圈。沿着石头小径，一边走一边伸手转动经筒。午后光线呈现柔和，河面上波光粼粼，视野开阔。

她感受到宁静的喜悦自心的泉眼汩汩冒出。听着经筒慢慢旋转摩擦的声音，转过去，再转过去。在佛殿大门处，看到一位背着草药箩筐穿着长裙的年轻女子。

如真

早上，如真意识到做了梦。这个梦境不像以前那般凌乱、混杂，有明镜般的稳定感。她置身于一面大湖边，湖水碧绿、深广，泛起粼粼微波。仔细看又是完全静止的。左侧有一处面积相对较小的湖，中间以堤岸分隔，相合形状如同葫芦。大湖周围是谷地、山峦，并不是奇峻高耸的大山，而是秀丽幽深的山岭。一道蜿蜒峡谷，两旁密布团形的浓绿矮茶树。她以俯瞰位置看清楚地貌全部内容。心想，以后应该在此地安居。如此便醒来。

这梦境清奇，但起床时仍觉得头晕发胀，嗓子干痒，这是幻海近年来雾霾加剧的影响。久居此地症状渐起，鼻子过敏，咽喉发炎，人觉得精神不振，情绪抑郁。五年前刚抵达此地，这些状况不可想象。最近雾霾强烈时，持续五六日。从楼上俯瞰，蚁群般行人与高耸楼群被茫茫灰雾吞没，日月无光。

她后来对仁美说，如果真有地狱，那不是死亡之后才去的地方。医院、街头、行刑室、监狱，即便一个充满暴力与憎恨的家庭，在某些时刻，人所遭遇到的痛苦不正是地狱景象吗。病痛折磨，哀痛呻吟，心碎欲裂，愤怒爆发，肉身之衰败与艰辛……也包括一座被重度污染的城市。

　　一如既往在灰浊颗粒中开始的早晨。她穿上黑色宽身羊毛大衣，运动鞋，出门去附近咖啡店喝杯热咖啡。走过路边的小花园，冬日草坪没有生机。一棵巨大的泡桐树，脱尽叶子的赤裸树枝划向苍白天空，树木在休憩之中。她走过坡地，打开铁围栏边上的小门，回到大街旁边的人行道。行人稀少，偶尔有几辆车开过。

　　城市正慢慢被撤空，环境恶化导致很多人最终下决心抛弃幻海。富有的人奔向 G 城。他们在那里买下房屋，土地，经济中心也已移到这座在荒漠中建立的新城。聚集大量财富之后的 G 城高速发展，充满荒诞而新鲜的事物。据说最近有人在做一个模仿月球环境的酒店，预定的人趋之若鹜。贫穷的人则大多回去家乡落脚。继续留在幻海的，一类是无力离开，一类是不知道要去哪里。她是后者。

　　现在的幻海已是一座空城。像等待最后一艘渡船离开的码头。

　　平日她经营一家小店铺，没有交际，过着简单而无害的生活。除有时睡眠不太稳定没有其他困扰。她警惕任何沉溺性或过于依赖的习惯，在物质和心理上鲜少依靠他人。后来觉得长发都是麻烦，需要洗发水的挑选、购买，要去理发店修剪，考虑美观与否。一天早上醒来，她做了想过很多年的事情，把一头漆黑浓密的长发彻底剃除。

　　剃发之后的脸部轮廓看起来清爽，眼睛熠熠生辉。后脖子有时觉得凉,在冬天经常戴着黑色牦牛毛编织的围脖。身上的女性特质变淡,不戴任何首饰,衣服素净。这是一连串的推动效应。逐渐清理生活以后,她意识到,对大多数人来说,如何度过时间是个难题。人们用工作、家务、育儿、交际应酬、化妆打扮、吃喝玩乐、娱乐消遣……花样繁多的方式杀掉时间,以便逃避面对自己。

面对自我无疑是人类更困难的处境。

咖啡店里空调出现问题,工人架起梯子修理。大门不能关上冷风猛袭,大衣无法脱下,咖啡香气消失殆尽。为避免混乱、萧条的气氛,店里播放躁动的电子音乐。服务员问,要不要尝试我们新出的榛子或香草口味的拿铁。他是新来的,不认识经常来的她。她说,只要美式,中杯。不加糖,不加奶。

坐在角落的位置上喝咖啡,旁边是一对女性。一位粘了巨长睫毛,涂指甲油,但眉目间有晦气,笑起来牙齿不洁净。对面年轻一些的,整过容,每过十几分钟强迫症一般从包里拿出一面不算小的镜子,趁对方低头看手机,快速查看自己的妆容。她们初次见面,一开始没有认出对方。点完饮料之后,各自发信息、打电话,说话小心,眼神闪烁,无法令人产生信任。应该是做网上推销。

这里周边也曾是公司云集的写字楼,属于高级商务区域。职场人士经常在此开会或小聚,夸夸其谈。出现频率最高的词汇是,多少个亿、投资、项目、产品、股票、利润……大家围着小桌,口沫飞溅,眉飞色舞,仿佛财富举手可得,近在眼前又远在天边。握手告别之后,出门各奔东西。

世间多有荒诞之处,却又分明是生活日常的组成部分。如今咖啡店经营惨淡，顾客寥寥。抽完一支烟，她起身去洗手间，对着镜子扑粉，抹上些许李子色口红，脸上焕发出生机。坐地铁去店里工作。

2

人满为患的地铁已成为过去。她走过通道，只听见自己的脚步声音。

曾经爆满的车厢里，她见到哭泣的孩子，无助的母亲，对着电话说谎言的人，地上爬行乞讨的残疾人，面色苍白神情紧张的单身女孩化着浓妆，埋头沉迷在暴力游戏中的男人，肩膀上掉满头皮屑，在手机上阅读各种武侠、侦探、恐怖小说的人，一大早在 iPad 里追肥皂剧的人，正在昏昏欲睡的人……如同发酵罐，众生身上散发出来的气味隐藏着生死的疲倦和无知。一面望不到边的汪洋大海。

她也是其中一员。与他们同样在苦海里沉沦，无足轻重，想不起自己究竟是谁。那时她想，也许人这般浑浑噩噩地活着，在一座空气肮脏的城市里，却不知道什么时候就会死去。

因为孤独，有时她与陌生人约会。落座之后，收到男子从网络社交平台上发送的讯息，附带一张日常照片。他略上了年龄，平头，薄唇，虽然只是半身照片，衬衣下仍显现出肌肉结实有形，看得出有保持体能训练的习惯。彼此信息都发在交友网站，内容简洁，介绍自己并且提出约会的要求。如果见过面，大多一次告终。也有要求再见面的，但她不想发生深入的关系。在这些关系中，并没有出现让她觉得有值得再见一次的可能性。

确定下午四点见面，在摩天轮弥亚山附近的安娜旅馆。

刚过完三十四岁生日，送给自己的礼物是一张床。

高级睡床有精密合理的弹簧、天然乳胶床垫，设计精妙科学。她在店员的建议下脱鞋躺上去，感觉背部承托力如同微微动荡的波浪，顺势漂流。闭上眼睛，在店员絮絮叨叨的言语之中，她睡着了。醒来时窗外天暗，她在样品试用床上深度睡眠失去知觉达半个小时。并且已被细心地盖上同样是样品的毛毯。是床太好，还是这段时间时常失眠睡眠不足，她略觉尴尬，起身，穿上鞋子。幸好此时店里没有其他顾客。

她订下一张店里最好的床，用信用卡付全款。预订的床将在三个月之后，从北欧漂洋过海运送到家里。她平时生活简朴，买一张好床是可以负担的。人逃避精神上的无解，最快捷的方式是采用物质手段。回想这三十余年，也许是人生的三分之一或二分之一，流浪过的床铺数量无法计算。人的一生，总共可以睡过多少张不同的床。高级酒店客房，背包客聚集的廉价房间，其他人提供的床：朋友的客厅，某个男人家里的客房，他们与妻子的婚床，有时是单身汉的单人床。也包括不时会去睡几个小时的安娜旅馆的床。

终究什么都记不得。最终的栖息地只是一张属于自己的床。一张新床铺，舒适，独睡，代表已没有多余幻想。

五年前，她带着一些钱来到这个城市。幻海肮脏、荒凉、广大、漠然，人可以隐匿其中昆虫般默默无闻地独活，而她需要的正是被遗忘。先在若云家里寄居数月。若云是大学同学中唯一有联系的女友，性格活泼，言语乏味。她潜意识里不想离女性太近。她们是依赖、麻烦的，亲则亵远则怨，情绪与需索层出不穷。若云出身富裕家庭，却与她近，她没有推脱。联系方式一直留在手机上。

若云曾说起对她的感觉，如真，你是那种人，就算被人推倒在地上践踏无数遍，站起来依然还是自己。但生活中大部分人是犹豫、虚弱、自相矛盾的，也包括我。你令我觉得可相信。

若云的人生顺遂，毕业后进入一家外企并与上级高管结婚，生下一儿一女。三年之后，丈夫出轨，她打来电话哭诉，如真在老家当时正落魄，仍默默倾听。最终若云的丈夫决定搬出去，给各自一段平静期。若云接受分居，知道人生一些时刻当前，除非想两败俱伤，否则必须抹去自尊。自尊抵不过现实。自尊不过是一种障碍。

她在若云的公寓借住三个月。为情所创的女友需要抚慰，她也帮着照顾孩子。虽然家务钟点工准时上门，但这三个月让她认清现实。来幻海之前，她就已下定决心以后不再生育，眼前所见更巩固她的决心。吵闹追打欢喜一团的小人们，长大以后仍会成为庸常的成人，遭受物质世界的轮回之苦。生育与抚养，更像是成人给予自己的情感寄托与精神幻相。谁能说孩子一定会比自己活得更开心更完美。不如做好自己。

孩子需要被照顾，更需要成熟而平衡的带领。失败、匮乏的大人们对他们来说没有益处。比如若云和她的丈夫。如果成人们没有经历过真正的爱与被爱，只是抱着妄念得过且过，孩童们又如何经由父母的遭遇，得到正见以应对物质世界的压轧。

反正她没有信心。

三个月后，她找到租住的房子决定搬出去。同时寻到一间小店面。在老城区巷子的小院。把房间粉刷干净，天花板、墙壁、木地板、陈列柜、装饰均为纯白。她以前喜欢黑衣，后来只喜欢单调而清冷的白色系。中意的时髦黑衣服全部送给别人。她收集匠人手作的器物，精选茶叶重新包装，开起一间小茶店。她有些钱傍身，暂时不愁温饱。但终究需要做些事情延续生活。

上午十点开门，打扫房间，泡壶茶。间或有客人来与他们交谈，很多细节可分享，也看对方兴致如何。如果有时间，邀请他们坐下来喝杯茶。无人时，她在一张红酸枝旧方桌上读书、抄经文。中午在街对面的日本小餐厅吃饭，豆腐饭，味噌汤，一杯粗茶。晚上九点歇业，坐地铁回家。

她知道自己一旦决定做什么，会把事情做好。有审美，知觉敏锐，性情敏感，善于体会对方的需求。只是不愿重复母亲曾经的悲剧，所以隐匿度日，微小自处，但求过清净日子。

清高不是后天熏习，是天性。她即便过着极为普通的生活，见到比自己穷苦的人不嫌弃。见到比自己有身份的人不谄媚。不喜欢点头哈腰说一些讨人喜欢的话，不对人撒娇。有时她好像不知道什么是危险，对事物的期待和妄念很少，因此也很少恐惧。胆子大，跟随直觉，会做些离经叛道的轻率的事情。

换任何一个女人像她这般任性尝试，结局一定很惨。奇怪的是，她哪怕经历再大的波折心也是冷静的。并且会绝地逢生。

与若云仍有联系。她的丈夫未必归家，但他们不离婚，孩子和共有财产涉及到太多麻烦。若云在现实煎熬与困境之中，倒是有所领悟，试图获得身心突破。两年前进入禅修班学习，成为积极的灵修参与者，并对如真热烈介绍。她没有拒绝，尝试跟随若云前往一探究竟。

课程在五星级酒店举行，成员主力是中产阶级，同修们头衔多是老总或是董事、影视小明星以及富裕空闲的家庭主妇们。几次回合下来，她决定退出。在集体性修行团队的催眠气氛之中，一方面是彼此组团的抚慰与麻醉，另一方面，一种原始性情绪混杂着依赖、控制、占有、嫉妒产生。仿佛饥渴的幼儿，围绕着心目中类似假性母亲的上师，嗷嗷待哺。

她看出，人们更愿意主观地神化一位上师，赋予对方自我想象的神通功力和美德。重要的是一个精神偶像的存在，看见他，亲近他，夸耀他，想象他。真正的修行恐怕不应只是如此。以她理性与冷静的心态，她承认心灵价值的重要性，也向往与世俗的日常价值有所区分的高远而神圣的事物。即便是成年人，谁能说自己已然成熟，不是迷途的羔羊。但她对集体性抱团确实没有兴趣。

她已知人生变幻之苦，世事脆弱不定，需要更有说服力的观察和勘证，靠近切实的修行。她需要上师与弟子的关系。需要真正的精神训练，以便让自己通过学习、实践，在漂浮不定的世界保持平衡与稳定。不盲目投入，也不随波逐流，更不依靠偶像与崇拜者之间的心理投射。

一次上完禅修课，雍容华贵的中年上师大腹便便，戴着名牌墨镜，前呼后拥，进入弟子开过来的高级轿车。众多人簇拥欢呼，欢喜赞叹，仿佛观摩一位好莱坞来的国际明星。一个交了高昂入会费的宗教派对，一场不明所以的狂欢。对于她这样的人来说，派对和狂欢没有意义。因为过往她知道自己需要的是什么。

她坦率告知若云，她不喜欢集体性气氛，也做不到不经过考证就与某人建立起精神关系。她说，我认为真正的师父与弟子之间的关系，是心心相印。这甚至不是一种上下关系，而是一种无二无别的关系。这两者之间的相印所产生的能量，胜过其他形式的世俗关系。

若云说，如真，你的要求太高。事实上我也不太清楚你在说些什么。

她说，我再等等。等不到也没有关系。

上午在店里抄写心经。有陌生女子进来，她站起来接应，不贴近不多言语，在旁边静候。她判断对方偶然路过，只是进来随便看看没有什么目的。事实上大部分人进来都没有什么目的。人通常都不太知道自己真正需要的是什么。

女人慢慢转一圈，说，你的店里每样东西都很美。又问，喝茶有什么好处。

她回答，可以清心安神。如果心里焦躁或者难过，喝杯茶，闻一闻茶汤的澄澈香气，有些如兰香，有些是花蜜香，滋养与安定人的心神。在喝下时仿佛也在忘记自己。

我还不知道忘掉自己是什么样的感觉。

可以试试。平时我们的烦恼大多来自于过多地关注自我。

可以喝什么样的茶……你平时喝什么。

我喜欢老白茶，用陶壶慢煮。喜欢生普洱，它的芳香清幽。野生的老茶滋味与香气丰富，也最珍贵。

她倒出一杯生普洱茶递给女人，说，这是二十年前的生茶，看起来已是熟茶质地。先享受它的香气，观赏茶汤，多与它接触一会增加体验，然后慢慢喝掉它。让这热能融入身心。

女人在她的推荐下选走一些古树生普洱与老白茶，一把紫砂石瓢壶，两只景德镇青花瓷杯，一个白瓷匀杯。她仔细讲解如何泡茶与品茶，顾客拿着一袋货品满意地出门。告别时说，你的店布置和雅，气氛清净，做生意真诚而如实。跟你说话心里舒服。很久没有这样愉快的感受。这是很多老客人对她说过的话。因为这样的原因他们常回头，有阵子没来就会想念。

下午三点提前关门。去安娜旅馆赴约。

3

她坐上出租车，慢慢上山。头靠在车窗上差点入睡。

在玻璃上看到自己的脸，漆黑粗眉，涂着口红，头皮上短发慢慢有些长出来，神情冷漠。她少有情绪但仍很美，只是形单影只。与陌生人约会是唯一的情爱内容。人终究需要与他人连接哪怕没有情感，但有能量流动，有来有去。肉身联结也未必完全没有情感，某一刻陌生人之间亦有善待，试图让对方愉悦。即便这种关系无法维持长久，像霞光稍纵即逝。

对他们，她无所知也不想了解。对她来说也不存在道德感上的负累，此类捆绑早已被过往的经历突破。

找到约定的房间，摁下门铃。他打开门闻到她的香水味道，说，好特别的檀香气味。这香水叫什么名字。
冥府之路。

闻起来像是恒河边有人祭祀燃烧的味道。

你去过印度吗。

我辞职之后在那里旅行。以前从事过暴力，想去圣湖忏悔。现在我是中学图书馆的管理员。

什么事情让你决定换职业。

抓错一个人，他心脏病发死在等候审讯的狱中。我后来开始整夜睡不着觉，进行很长时间的心理治疗。现在表面恢复正常。但我已离婚，也辞去工作。

现在感觉如何。

还不太清楚如何彻底洗去这个印记。就像曾经在墙上敲一枚钉子，把它拔走，即便把墙糊弄平整，心里却很清楚那个坑洞在哪里。

他体格健壮，两鬓微白，眉目之间仍有一股英气。看起来应已孤独很长时间。暂时不再需要交换复杂的信息，脱掉衣服，赤裸相对，觉得一阵轻松。在越是荒废的城市气氛中，人越信任性欲。大量成人不再热衷婚姻、家庭、生育，而习惯通过公共平台交换讯息，自由交往，不拘形式。虽然有时也会发生极端的事情，但人们普遍对占有性的关系失去兴趣。

但就单纯的性欲而言，再多的自由仿佛也只是以空虚填塞空虚。否则，为何人无法在其中感觉到彻底的满足，而是一再一再地沉沦。她想，这种重复大概是轮回。

暖气不足够，窗帘拉着，光线昏暗。身体热力涌动，渗出的汗水有咸味，绵密交融汇聚成细流，逐渐模糊她的眼睛。有时她迷恋肉身的联结，隐隐觉得这个行为类似死亡，有一种巨大的平静和开放性。当与对方做爱，她体会到内心在流淌某种来自源头的安宁，但心里仍有过疑问，为什么每个人最终不能彻底解决这一再饥渴的孤独。

他说，我并不喜欢女人头发太短，这样缺乏女性情态。头发剃得很短的女人少，但你很美。你的身体这样好。他刚才给予她很多欢愉，她心怀感激，现在只想抽支烟放松片刻。起身去卫生间，打开花洒洗澡，热水淋湿头发和身体，一切荡然无存好像什么都没有发生。在镜子里呈现出来的身体依然年轻苗壮。她很少在肉身上自我欣赏与流连，也许觉得自我不值得被隆重对待。此刻身体仿佛被重新充电。性爱是枚镇定剂，足够维持安宁一段时间。

穿着白色浴袍，包裹起头发，用胶囊咖啡机做出一杯咖啡。她走到阳台上点燃一支烟，深吸一口。烟雾吐到冷冽的空气中。

你在看什么。
远处有个巨大的摩天轮，灯在一点一点地亮起来。现在全部亮了。
我儿子小时候很喜欢玩这个摩天轮，每个周日都带他去。
我也想试试。但现在天气不怎么样。

她说，我想问你一个问题。男人与女人之间是否需要忠贞不二的关系。

他说，我做不到。很多男人应该也做不到。我奇怪为什么有时女人一定要男人做到。只跟一个人做爱，对一具注定会死去腐烂的肉身渴望抱有绝对的控制权，有何重要。这肉身甚至不属于我们自己。哪天出故障或者报废没有人能自控。是女人需要更多的安全感吗。

她说，应该是一种动物性，是从远古时期储留下来的信息。女人需要男人提供食物、给予照顾和保护，这样才能养育后代。但这仅仅是物质层面。如果现在的女人自力更生，已能够给自己提供食物，也可以照顾与保护后代，或者甚至觉得有没有后代也没有什么关系，那么男女相会还剩下什么。

他说，应该是注重能够带给彼此启发、喜悦、提升。即便再怎样独立，人不可能脱离关系。我们只有在关系中才能对照到自己的存在。不管是什么样的关系，有对方就有自己。人不能独自生存，需要给予与接收的平衡。

有时我想，在关系中，如果能够深刻地满足彼此，它是可以恒久的。前提是彼此提供源源不断的滋养与支持，这样他们自然会视对方为唯一。而无需耗费大量时间精力，频繁地调换新鲜对象或积累发生关系的数量。

但人很难感觉到是满足的。很多人在情感部分有创伤，一直等待被治愈。比如像我这样的。

所以，她说，对俗人来说，如果无法独立，情感上饥渴匮乏，欲望泛滥，同时又奢望忠贞和洁净，它只能是一个无法自圆其说的谎言。如果用婚姻制度、伦理道德之类胁迫和捆绑对方，又会与自己、与对方斗争不息。两个人势均力敌，互相滋养，才能够达成唯一的关系。这种唯一其实也是整体性的关系。有整体性，人的着眼点不会只在于个人的快乐和满足。

如果在这种级别，人其实可以做到跟任何人都能相爱。这种爱无需拣择和分别，不会出现只我爱你，而不爱你身边任何一个他人的状况。他说，那是又回到你刚才的问题了吗，彼此如何忠贞。

我认为这个问题本身是扭曲的。就像我们去裁决一个人，必须判断他到底是好人还是坏人。当人们对独立与关系的观念、对整体性的理解达到相当深度，所有包含二元对立的问题都会消失。

我们两个属于什么类型。
至少是不自欺的。

他说，那你对性是什么样的看法。

我对性的看法是平等和开放的。我觉得性是礼物，而不是交换物。但生活中很多女人经常使用它去换取爱情、婚姻、物质、金钱，这难道不是对天性的亵渎吗。她们乐此不疲地精心打扮自己，买漂亮衣服，依赖鞋、包袋、整容术、奢侈品，把肉身装饰精美，无非是想吸引男人对她产生兴趣，以此交换到富裕的生活或男人的忠诚与供养。

他说，不过在人类社会中，性有时候看起来真的只是工具。是一种条件和资源，也是权力象征。

她说，性如果发心肮脏、有占有欲、伤人伤己，最终不免伤痕累累。这是原始的生命欲望，值得被分享、尊重、承认。它是礼物。它是有限的，当人老去之后他们会逐渐失去性。
对男人而言，障碍大多来自他们的价值观，权力欲，僵硬的知识、野心和自信。固守和限制使他们情感麻木。对女人而言，对爱与性、安全感、物质、欲望的贪婪与依赖，造成耽溺和不自控。同时耗费对女性来说本来可以大量用来工作和心灵进步的时间。这些都违背人的自然天性。
我觉得人需要亲密而和谐的伴侣，能欣赏和理解对方，互相照顾，以此整合为一体度过一生，其他是不重要的。是不是有婚姻的形式，或是否有孩子，可有可无。但现在人们倾向把婚姻、后代的存在与否看得高过于伴侣本身，这是很奇怪的本末倒置。正常的重要性排序应该是，伴侣、孩子、婚姻。或者说有了第一，第二第三都无所谓。现在人们的排序，大多是孩子、婚姻、伴侣。

如果对人来说，对衍生品与形式感的重视强过对生命本质的重视，这是不是一种悲剧。但也许，遇见能充分互相满足的伴侣是很难的。两个人过着互相陪伴、清净知足的生活需要福报，因为他们不再需要任何额外的道具。

他说，荣格说，没有经过激情炼狱的人从来就没克服过激情。看样子，你已经克服。你这样冷静与理性。

也许。炼狱的样子我见过。

给我讲一些关于你的故事。我很快要离开幻海，回去故乡。

她说，小时候我睡过一张美式四柱床，白色提花绉绸床罩，坠着流苏的床幔，真丝被单。我的房间由天蓝色和白色装饰，床头柜上的水晶花瓶装饰应季花卉，摆满玩具和绘本。这些都是父亲在高级进口家具店购买。那时我七岁。他生意正在运势上，出手阔绰，日子过得奇幻富有。父亲喜欢穿白色细苎麻衬衣，时髦的丝绒长裤，言谈幽默，慷慨大方。我们常去城中奢华的五星级酒店打发时间。在地下游泳池游泳，稍后去三楼意大利餐厅吃午饭。最美味的是牛小排、龙虾面、香草冰激凌，我喜欢的甜点是巧克力蛋糕，咬开一个小口，热糊糊的巧克力从蛋糕里流出来。这种刺激真是愉悦动人。再下一轮是喝下午茶。除讨论正经生意，他在那里挥霍人生。

他说，嗯，是个有意思的开头。继续。

父亲长租套房，服务生们都认识，对他毕恭毕敬。他款待朋友们，挥金如土，不把金钱当真。或许早知道这一切不过是场游戏。酒店里不断有打扮华丽的男男女女出现，父亲与他们相聚，进食，说笑，玩耍。嘻嘻哈哈聊不完的话题。晚餐更是经常通宵达旦。他在这个金碧辉煌美轮美奂的地方，应酬、交际、不分日夜地度日。但又何尝不是一个狭窄而限制的世界。

偶尔他回到家里，即便在深夜十二点，都可以听见父母在卧室争吵。各种戏剧化声音，争执、追打、男人愤怒地咒骂、女人逃窜、大声哭叫。椅子推倒，玻璃摔碎，地板和墙壁仿佛会抖颤。这出戏剧比电影里的情节逼真。之前我心惊胆战，担心他们失手把对方打伤、打死，后来习以为常，这也许是父母此生的缘分。事出有因，但我们一无所知。

仿佛难以放弃某种堕落的天性，又也许是某种失望，他常年游荡在赌场、夜总会、温泉、酒店、按摩房，很少回家。直到我十岁，大规模生意因为权力转换和决策改变，导致萎缩、失败。为避免祸及家庭，父母终于决定离婚。

之前母亲不依不饶，不同意放手。现在形势强过人，父亲宣告破产，负债累累。为避免刑罚他失踪了。有人说他去了极为遥远的地方，也许是古巴或秘鲁。顷刻之间，高楼倒塌。曾经看起来固若金汤的美好生活，仿佛无始无终的欲望的天堂，人人簇拥围绕的场面，时间一到，转眼成空。房产、豪车、资产、存款都被拿去抵债，财富消失无踪。幸亏那时十六岁的哥哥已被送去美国读书，提前准备出学费的基金，没有参与这场劫难。我与母亲却亲历上天入地的动荡人生。

后来你们如何生活。

我们从独栋别墅搬到普通居民楼，又被踢到贫穷区域。我的美式四柱床已失去，变成可折叠钢丝床，铺在房间角落。母亲落难，受到幸灾乐祸的白眼和势利的对待，但还保留着一丝难堪的清高。家里没有水晶花瓶，喝汽水剩下来的空玻璃瓶插着当季的鲜花。出门买菜她仍换上正式裙装，梳整齐头发，戴上耳环。这未免荒诞，招来更多讥笑。她用自己裙子改出一幅法国白蕾丝装饰窗户。也许是她并未熄灭的信心。

为谋生，母亲学习做面包、甜品。她的面包格外讲究，配料决不糊弄，工序有条不紊，亲自制作天然酵母。下午三点开始有人排队，等待四点出炉的新鲜面包。通常一抢而光。有空闲时我帮母亲一起干活，起早落夜。生意过于忙碌，母亲又再雇两个帮手，也计划再开分店。同业店铺嫉妒母亲生意，无中生有，设计诬陷母亲，说她的店卫生状况不合规，用过期食材，并策划出有人进食中毒的闹剧。即便据理力争，母亲无权无势，终究还是被查封关闭店铺。

她说，这件事情让我得知，人哪怕清白、勤奋、积极、努力，也未必有光明的结局。母亲的面包店即是实证。我们抵不过人生无常以及人性复杂。这场劫难紧跟在家庭祸变之后，我思索过为什么接二连三变故不断。父母诚然感情不睦经常彼此辱骂揪斗，但对朋友、亲戚、外人都极为善待。光说布施，也不知道供养和帮助过多少人，最后却落得这等悲惨下场。没有任何人同情或帮助我们，只有恶意与幸灾乐祸。

你的思索后来有答案了吗。

没有。我想生活中没有任何一件事情是意外或偶然，倒像是圈套或陷阱，兜转一圈最终把人驱赶到命定的路途。这不是今生的果实，有可能是无数世的业力结出来的果实。所有发生都是必然。只是在人下坠的时候，速度之快，手边抓不住任何拯救。为安慰自己后来我开始写作。

你写的是什么。

我写故事，大多关于父母。大概出于补偿心理，我在小说中幻想父亲没有出事，他平安而有尊严地活到白发苍苍，独自躲在一座孤岛上生活，开始做他以前从来不做的事情。他阅读，写自传，经常在湖中划一叶孤舟，带着他收养的一双白鹤。他有个大花园，饲养四只孔雀，种大量郁金香。他深爱我的母亲，他们形影不离仿佛是前世的母子，但我的母亲后来爱上他人，为了热烈的爱情而离家远去。我幻想自己在少女时就已死去。承担他们身上所有的孤独与障碍而死去。

都没有发表吗。

没有。只是写在网上的日志空间，但对别人开放。很多人过来阅读，越来越多，他们给我写信，告诉我他们的生活中那些黑暗而隐秘的记忆，无法对他人轻易开口的记忆，带着羞耻感和罪恶感的记忆。我成为他们心中安全的黑洞。我治愈他们，同时他们也治愈我。

通过别人的故事，我知道在这个世上并非我独自受苦，我不是独自一个。相比炫耀肤浅而一厢情愿的幸福，这些原始而痛楚的记忆，混杂着妄想、自私、无助和暴戾的情绪，它们强烈，鲜活，带给我巨大的加持。让我知道人的痛苦是因无知与欲望而生起。

这些负面信息会摧毁你对生活的动力吗。

不会。它们让我了解到真实而深入的生活，不在于物质的光怪陆离、不在于人的奇思幻想。生活在于我们的心境。

你还在悄悄地继续写作吗。

是的。我持续记录状态和心念，用于自我检查和反思。这些文字通过被阅读具备了流动的生命，但他们不知道我是谁。我不需要试图取悦身边的任何人，取悦这个世界。我也不想这样做。换言之，身边的人、身边的世界如何看待我也不重要。唯一重要的是，我需要知道如何看到自己。看到自己和一切的关系，包括和自我的关系。

你是个很坚强的人。

我小时候性格独立，也很任性。一次和同学老师出门去旅行，这是春游活动，但我不想跟着大队伍去无聊的地方。为了探寻山谷中盛开的杜鹃花，独自脱离队伍在山谷中越走越深。然后我迷路了。等老师们心急火燎地找到我，他们害怕而生气。我被处罚，那时我才七岁。我胆子为什么这么大自己也不知道。好像生命中自有一股愿力。

但我的性格里有强烈的攻击性。所以会回避过于亲密的情感关系。我容易粉碎性地激怒对方、摧毁对方。这种攻击性是怎么来的不太清楚。小时候我就不愿意自己受欺负。大部分人也许都不喜欢面对真实的自己，但我经常会在亲密关系里强迫对方面对真我。我直接而坦率，刺伤他人心中虚假的自我。我懂得与自己相处，不太善于与别人相处。人与人之间需要忍耐、圆滑、客套、虚伪，我却想撕下一切的谄媚与逃避。我的处世之道像个农夫，笨拙而锐利，质朴而暴力。

他说，这的确不太好。男人并不喜欢女人有这样的性格。
是的。所以只有遇见一个比我更真实的男人，才有可能结束单身。
谢谢你告诉我你的往事。如果以后还能遇见听你说话，应该是个好事。
一次次重新见面是个负担，不如不见。我之所以对你说这么多，是因为知道我们以后不会再相见。
我喜欢你。你是个有意思的女人。祝你好运。

她与他告辞，出门时山上暮色苍茫。她打算在索道关门之前的一个小时去山顶的摩天轮。入口空无一人，检票员站在那里百无聊赖。她是他这天交会到的少数几个来客之一，她看出来他渴望聊天。平时她回避不必要的交集，但倾听和语言也是一种布施。生活艰难不妨让彼此好过。

她说，你好。
他说，你还没有离开吗，现在没有什么人来这里。
那你要失业了吗。
孩子们周末也许会过来。今天是星期三。
大人们来吗。
他们陪孩子来。去年有几个人在这里自杀。报纸上说，雾霾加重人的抑郁情绪。现在年轻人不热衷结婚喜欢单身，也会产生心理问题。你会回去家乡吗。
不会。我不害怕住在幻海。人越少，越觉得没有必要离开。

她坐上小车。它在电缆上滑动，一阵颤抖，缓缓滑出操作区。底下是山林，柏树和白皮松的芳香剧烈直扑入嗅觉，远处是山峦和大海的细碎鳞光。冷风萧瑟，隐约有细雪飘落。上升的失重感让心脏顿时猛烈跳动，很快一切平复如常。她远眺大海和山峦，呼出一口气。

4
—

天气预报说即将有一场大雪降落。

她坐地铁去般若寺。若云给她打电话，有位僧人名叫仁美，从边远山区来，是她上师的佛学院朋友，想在幻海小住学习语言。若云说，你读书多有时间，让他每天去你的店里一个小时，教他汉字。如果方便再供养他一顿午餐。在般若寺先找僧人顿珠，他带你去见仁美。

她又说，他之前学过汉语，有基础，可以交流。只是想更好一些。如果不是因为我工作出差要去香港，也不想把这个机会让给你。如真说，我可以帮忙，但别用你那些琐碎的条条框框束缚我。我只会像个朋友般对待他。她对出家人始终保持着一些距离，也许是身边的人与例子不能够带给她振奋，相反却令她感觉消极和反感。她没有被建立信心。事实上她也并不真正了解他们。

般若寺处于城市中心，周边围绕售卖宗教用品的店铺和保持原始风貌的巷子，渐渐被开发成商业区。有茶铺、咖啡店、西餐厅和二手服饰店。她很少去。她尽量避免无事出行。大概因为快下雪的原因，寺院入口处人迹寥寥，空气刺骨寒冷。她用围巾包裹住头，走去经堂。经过一处佛殿，看到左侧不引人注目的偏僻角落，陈设一张年代久远的绿度母唐卡。停下对它凝望。

唐卡中的女神通体深绿色，坐在莲花月轮之上，头戴宝冠，脸如满月，眼如星尘。唇角有一缕略显不羁又平静无畏的微笑。右手绛红色的手掌摊开，拈一朵莲花，作施愿印。左手持一朵蓝莲花，作供养手印。左腿单坐，右腿向下舒展，姿态潇洒。她看着女神深邃而纯洁的眼神，感觉时间静止，空气中有千言万语的交会。下意识垂首合掌，闭上眼睛。一股力量在推动，她需要一次祈祷。

她说，如果你在冥冥中与我连接，请赐予我前行的力量。让我懂得怎么生长，怎么开花。请赐予能够引领我的人。她睁开眼睛，对这幅唐卡郑重行礼，转身离开。

金碧辉煌古色古香的大经堂，隐约传出僧侣们的赞颂歌咏，浑厚低沉，带着震动的频率。今天是燃灯节。她沿着紧闭的门壁绕行，转到后面木门。门微开启，开阔大殿里密密麻麻坐着红袍僧人，齐声诵经。周围坐满信众。中心位置是一尊华美端严的宗喀巴像，围绕着他，无数被点燃的酥油灯汇集成火焰跃动的海洋。大簇鲜花、水果、哈达堆在莲花座下面。空气中有令人安心的香枝燃烧的芳香。

她推门进入，四五个僧人在宗喀巴像底下执事，清理酥油灯，布置供品，来回走动忙碌。一位点酥油灯的僧人抬头看她，对她点头示意她坐下。她在后排角落的位置坐下来，安顿好身心，此时觉得又冷又饿有些疲惫，而场地的温暖与安宁让人得到抚慰。抬头再次看到那个点酥油灯的僧人。他身材高大，手臂上肌肉结实，走路很快。动作娴熟麻利，拣出空的灯座点上新的酥油灯。

半小时过后仪式结束。诵经僧人离场众人退出，天色已黑，留下来几位僧人打扫。她没有走，等他过来跟她说话。他说，你是如真，我是顿珠。她说，为什么找仁美要先找到你。他露出雪白整齐的牙齿微笑，因为这是他第一次离开山谷来到城市，他什么都不知道。我需要照顾他。

走出殿堂，外面飘落薄薄雪花，广场地面微白，空气越发寒冷。如真跟在他身后穿过小门，来到平时外人不允许进入的僧舍。简朴的砖石平房，一位僧人正在屋外锁门。身材壮实，肩膀平整，收敛而优雅的轮廓。剃了头发，头型匀称。这个背影不知为何看起来如此熟悉。他穿僧袍，右边手臂也是裸露的。手里拿着一只旧的暗红色尼龙双肩背包正准备出门。听到声音他转过身来，一张年轻男子的脸，额头饱满，眉毛浓黑。轮廓细长的单眼皮眼睛，眼神清澈。

顿珠上前对他致礼，把他手里的背包拿过来，姿态恭敬。他们开始用自己的语言说话。年轻僧人望向她，含笑点头。

她走上前，说，仁美，你准备去哪里。

他说，你好。他的汉语发音不标准但声音安定。

他说，我准备出门散步，看看下雪，想着应该会遇见你。

她说，如果方便，我请你们吃晚餐。

他说，今天晚上我们不吃东西。可以找个地方坐一会，彼此认识。

大雪纷飞。他们走在前面有时轻声交谈。仁美走路的姿势特别，身姿挺拔，手臂轻轻摆动，头部保持稳定。他过一会回头看她一眼，不动声色的关照。走过胡同，推开咖啡店的木门，里面灯光明亮，暖气舒适，在吃晚餐的客人们纷纷侧目。她找到靠墙角的位置请他们落座，点三杯红茶。她觉得饿，自己点了一份三明治。

她在两位刚刚见面的僧人面前，自顾自吃起食物。不知为何心里觉得安宁而又自然，没有任何局促。仁美平和而清澈的眼神默默落在她的脸上，雪花般坠落、轻撞，在额头、眉毛、眼皮、嘴唇之上融化成水滴。他关注身边任何细微的发生和存在。他凝望她，仿佛在仔细看她。在这样的关注面前，她的身份、标签、过往、历史，全部变得不重要，也被拆解得丝毫不留。

她是谁，来自哪里，做过什么，对他而言无需知晓又仿佛无所不知。在他面前的她是透明的。他连问一下她的名字和职业的兴趣都没有。这种感受是以前任何一个陌生人没有带来过的。他端起桌子上的茶杯，俯首轻轻呼吸，仿佛在享受佛手柑清香气息入鼻的瞬间。说，真好，雪天喝到热茶。

你第一次来到城市吗。她吃完东西，开始发问。

对。之前我住在寺院里。

你喜欢山里还是城市。

来到城市，我感受和体会没有见过的一切。回去寺院，就闭门做应该做的事。我没有比较。对我来说最终没有什么区别，在哪里都是一样。

我想请教一个问题。

请说。我尽量说出自己所知道的。

在以往的盛期，每年大年初一，般若寺据说有几十万的人来祈福。人太多，需要出动警察维持秩序。有时他们还争吵斗殴。我不知道这么多人当中，有多少真正了解佛法的要义，还是仅仅只是烧香祈祷，乞求神灵护佑，想获得世间福利。

他仿佛听见，又仿佛没有理会她这堆话。沉默一会，说，外界与他人如何举措，与我们对信仰的看法没有关系。我们修行自心，是面对自己的问题。有时外境让人内心消极，但让生命寻找到归途是迫切需要。人所拥有的时间并不多，只是人们很少想到这一点。

很多人的修行是功利的，带有偏见，抱有目的。一些人或许读过很多书，吸取很多知识和观念，但怀疑与欲望仍会让他留在障碍之中。对于灵魂具备种子的人来说，这是他本来具有的能力，但仍要慢慢清理过往的污染和伤痛，以便让清净的种子自在伸展。

他低头看着桌上花瓶插着的一枝腊梅。金黄色圆形花苞，有些微微打开，有些绽放晶莹的花瓣，香气扑鼻。他没有见过这样的花，用手指轻轻碰触花朵，说，人的妄念太多，多余的事做很多，无用的话说很多，但最后我们仍是被蒙蔽的。那蒙蔽我们的，是眼耳鼻舌身意，甘于沉沦其中。我们接受教育，学习常识，纳入自认为理性而可靠的轨道，接受各种文化概念、价值信条、人生规则，而这些不过是慢慢织成囚笼。

如果像这株花枝，单纯地存在着，一心一意开放自己，如实地活着，这是很美的。

他抬起眼睛，认真地看着她，说，你知道花开之后怎么样才会不凋谢吗。

5

她比平时早到，收拾打扫，把茶桌擦干净，柴烧小罐插上一枝腊梅，熏小段沉香。从露天花园的水缸里舀水，给植物浇水。佛手、水仙、日本松、南天竹、菩提树，一盆被房东遗弃的芭蕉，本来残枝败叶，经过仔细浇灌现在绿叶翩翩，雨天时会听到美妙的雨水撞击的声音。她对植物平等对待，没有分别更无期望。发酵茶水、鱼腥、鸡蛋壳、牛奶给予施肥，呵护照料而任由它们自由生长。

慢慢她得到一个绿意盎然、四季花草次第更替的庭院。放置一张矮旧木桌，两把竹椅。闲时坐在那里晒太阳、听雨、煮一壶老白茶，看看花草。

仁美每天上午十点到她的店铺。他坐地铁过来，穿藏红花色僧袍，运动鞋，背双肩包。第一次由顿珠把他送过来，他对大城市的操作不甚了解，习惯有人照顾。之后他开始独自行动。

她问，仁美，地铁站人多吗。

很多。他们给我让座，还与我说话。

对你说什么。

他们喜欢问，你从哪里来。如果我说从寺院里来，他们爱问，你能不能结婚。

他们觉得年轻男人不结婚很可惜吧。

我觉得他们也很可惜。如果人在有生之年不曾想过修行，也没有得到过机缘去听闻法教，一生只是吃喝玩乐，追求享乐，在亲友与财物之中从生到死，就会浪费自己的暇满人身。人身本是我们的工具，应为我们服务，而不是我们一直在取悦它、满足它。

他说，暇满人身，并不是指有时间睡觉或无所事事到处游荡，而是说有机会得遇纯净的教法，并进行身口意的实修。对人来说，遇到能了解纯净教法的机会、找到具格的上师以及得到正确的指教，都极不容易。

他们在木桌边坐下，开始读书。她选出一本关于莲花生大师的书。学习书的章节，抄下生词，注音讲解，解释句子。他专注倾听，不时点头赞叹，说，是这样，是这样。生词注上拼音，一笔一划抄写在笔记本里，他低俯下脸，两排长而微卷的漆黑睫毛轻轻闪动，覆盖住明亮的眼眸。他非常聪慧，记忆力和理解力极强。谦卑而认真的学习态度也是成年人很少具有的。

她说，现在知识的来源很多，书店，图书馆，各种讲座，人们随时可以看到、听到各种观点和理论。有时人希望通过听一个讲座、看一本书、遇见一位老师，最好一夜之间转换自己的架构系统，让生命翻天覆地。我想这是不可能的。

他说，在佛陀时代，通过听法而顿时得到证悟的修行人，是因为他们根器上等。他们本身像膨胀到极限的气球，只需轻轻一个针尖就可爆破。现在的人，注重物质与欲望的满足，五蕴炽盛，根器和心力远不及古人，却更急功近利，失去耐心。修行不是一朝一夕，也不是付出少许努力就能够成为心目中的人。道理以文字记载与流动，但道理不能让人成道。人只能以实践去印证与体知道理。

她说，很多人每天一早醒来就开始为生活的衣食住行奔忙。稍有些空闲，只想以手机上的资讯、各种新闻、娱乐、游戏、声色剧目来得到放松与刺激。哪有时间思考这些。

世人习惯以苦为乐，不寻求真理，只相信眼前、手里的事物，并以得到满足和占有的程度来决定悲喜。如果人从来没有产生过对深远事物的向往，不曾体会过求知和修行的渴望，这是一种可惜。只能等待心里的种子慢慢发芽，开花，结果。没有什么他人的建议或训导可以带来改头换面。

如果这个人心里从来没有种子呢。没有种子怎么发芽，开花。

先种下种子，这需要某种福德。而福德无法自动降临，它需要被累积。

一起吃午餐。她点咖喱饭，他吃荞麦面。他对食物有选择，不吃葱姜蒜、甜食、海鲜。吃饭之前先祈祷、念诵，进食时不再说话。她问他念诵的是什么意思，他说是感恩和供养，先把食物在意念中供养给诸神。他说，食物不应该被粗心或麻木地对待，也不能浪费，不能贪吃。克服饮食的习性之后，会发现饥饿感更多是一种心理反应。

你是说我们感到饥饿是不真实的吗。

有时是习惯性的。这并不是说人不需要食物，而是要有克制地适量地摄入。我们并不需要过量的食物，也不需要色香味俱全而只为取悦感官的食物。食物只是提供能量，帮助我们借助肉身工具。感到饿，有时是依赖性的自动反应。把这系统调整过来，减少一顿没有问题。减少食物能让人身心轻盈洁净，妄念减少，睡眠也更深沉。

世俗习惯中充满这类不能自我认知的黑色区域。贪婪的进食与其他欲望一样，都是假想。如果欲望过剩，会成为心的负担和污染源。欲念太多，生活中需要满足的内容太多，这都是障碍。对我们来说，从小受的训练是，什么事物都可以接受。不需要得到更高级更好的事物。能用的就够。

她说，但对大部分人来说，依然有些难。也许人更宁愿花费时间、精力维持种种欲望的享受和满足。其中，食物与性爱对人来说是最本能、最基本的满足与抚慰。

在寺院，我们基本上只吃糌粑。虽然现在是现代生活，食物丰富，但寺院仍保持一部分如同古代的生活传统。过多的选择让心智混乱和虚弱。有所克制是必要的。如果人无法克制欲望，习惯简单的生活，就无法练习三摩地禅修。欲望少的人才能够进入禅定。

他说，让心清明。现在的生活选择与自由太多。交通、通讯、科技的发达，导致实现欲望的方式便利、快捷，心的状态却愈发贪婪、散乱。人类拥有过度的物质是自陷泥潭。应该善用真正的自由。

如何善用。
保持正念。

回到店里他略有困倦。花园旁边的走廊她用玻璃封闭，阳光照射，放置一张房东闲置的长沙发。她让他在沙发上午休一会再回。也许不想他马上离开。他说，好。

她曾在不同场合见过被光环笼罩又善于表演的公众人物，口若悬河、滔滔不绝，对着麦克风和人头攒攒，说出大量激动人心的言语。但这些人从未曾使她折服，她并不信任语言、理论、口号、演说。现在，一位活着的僧侣出现在她的生活里。他不是赫赫有名的法师、圣者，受语言所限，表达的话语都很单纯。他不试图闪烁出修行者和求道者的光芒。

他是活生生的，看起来平常、质朴而又放松自如的男人。虽然年轻但思想深邃。

他午睡时，她在茶桌上用毛笔抄经。房间里安静，阳光寸寸移动。她知道他在那里，觉得心安。写完字收拾好笔墨砚台，洗干净手。推门出去，花园阳光充沛，绿叶微微晃动。他躺在旧沙发上，身上盖着手织羊毛毯。右侧躺，脸对外，右手手心摊开枕在脸下，左手自然伸展放在毯子外面。藏红花色僧袍一角耷拉在沙发上，脱下的鞋并排安放。他在休憩，空气静谧。

突然他机警地醒来，睁开眼睛看到她在旁边。他坐起来，说，我睡着了，睡得很好。阳光暖乎乎照着我的眉心，突然觉得好像睡在故乡的房间里。刚刚做了一个梦。
做了什么梦。
他笑着，没有回答她。整理好僧袍穿上鞋子，把毯子叠得整整齐齐。他脸上的困倦消失，黑色眼睛闪闪发亮。她把热茶递给他，他站起来走动看着花园，说，你的花草各得其所，自由生长。这是很美的一个地方。按照我们山谷里的习俗说法，如果有人善待植物，精心养护它们，这是积累阴德。在来世他会得到很好的衣服。

他微笑着驻足欣赏，一盆一盆仔细打量。有些植物是他没有见过的，他用手触摸，探过头去嗅闻，全心全意感受，带着孩童般充沛的专注与愉悦。这是他的方式。她看着他，觉得心也和这些植物一般满足。没有人这样对待过她与它们，没有比此刻更好的事情。

他回到桌边坐下，喝她沏出来的乌龙茶，嗅闻茶香，说，这茶水里有兰花的香气。据说兰花长在不为人知的幽静山谷，它的芳香是天性。当它开放，不思虑过去、现在或未来，只是宁静地展示这当下的美。他人是否看到也无妨。不取悦，不保留，爱着自己。它知道自己即便凋谢也不会死去。

然后他说，喝完这杯茶我就回转。谢谢你帮助我做的这些。明天我再来。

6

与世隔绝的两周。因为仁美的来访以及为他进行的汉语课，她的生活建立起新的体系。有时他们共同读书，有时休息放松，各自阅读。他带着从寺院携带出来的经论，她问他读到什么，他耐心地一句一句解释。这样也能讨论很长时间。当他们相会，外部世界被推开，只有彼此的世界互成圆圈。自给自足、完整无缺。在完整之中，没有一丝欲望或需求产生。

她看到他对书、纸张极为爱惜与尊重。从不把书随便放在椅子、毯子、常有人走或坐的地方。桌子如果不干净，他先擦干净再放上书。印有字的白纸，从不拿来擦拭或清洁其他东西，不随手乱揉。他说，他们从小被教导要尊重带来文化的书籍，保持封面和内文干净完好。如果看到有经文掉在地上，把它放在无人能够踩踏的洁净的地方。但他发现，在城市里，人并不这样对待书和纸。他们的态度轻率而随意。

她带他去散步，探索这个城市。但并非都去光鲜的地方。他们沿着高架桥下面的河道一直前行，走到荒郊野外。通过长时间步行，她也比以往更为了解这个城市，发现幻海的许多隐蔽和荒诞之处。高楼大厦背后也许就隐藏着某个社区，遍布公厕、垃圾、废墟、贫民窟，尘土泥沼，蚊蝇飞舞。桥洞下面有乞丐居住。

乌烟瘴气的小餐厅里，抽烟喝酒大声喧哗的男人们。老妇推着推车，座位上坐着一条残废的老狗，另有一条年老体弱的狗跟在她的身边。电子游戏厅里，抱着孩童的大人，不知道可以带孩子去哪里玩，只能以机器和强烈的光影噪音来陪伴幼童的童年。一位头发花白的无家可归的老人，坐在修车摊边的椅子上，旁边堆着三四个行李包，带着他所有的家当，却不知道去哪里。只是纹丝不动地坐在那里。闭着眼睛垂着头，不知道是入睡还是死去。

如果在地铁站或路边看到有行乞的人，不管看起来是真的还是假的，他都会默默掏出口袋中零钱。他没有钱，但做这件事从不犹豫。见到就给，不判断，也不分别。

她有时提醒他，现在很多乞丐都是行骗团队的工具。专门有人组织他们上街行乞，晚上带他们回去睡觉。他们的收入都是要被拿走的。媒体报道过许多内容。她以前一般都不给，因为觉得会助长恶性的团队和动机。

他说，即便这是被团体操纵的，作为个体，这些人也很艰难。有些钱至少能让他们本人暂时好受一些。我不分辨他们是否成为被控制的工具。在我心中，这是活生生的人。

一路走到城中心的般若寺，路程六公里。逛书店，坐在露天咖啡座喝杯咖啡。他的心开放，享受一杯咖啡也是高高兴兴的。慢慢雾霾弥漫，像灰色毯子覆盖笼罩整个城市。空气散发出臭味，有粗糙的粒子感。

她说，有一次，我在街上依次看见一对骑自行车的老人，一条死在花园墙角的猫，一个住在桥洞垃圾场中的男人，他捡来床垫，晾晒衣服，赤裸上身戴着一块玉，独居在肮脏与黑暗中，一段被宠物狗咬伤狂犬病发作的女子的视频，一些开在夜色山丘上的白色而芳香的玉簪花。我觉得人类也许天性堕落、热衷下滑与死亡。而试图靠近神性、维持净观太难。也许只能走完一圈毁坏的轮回，才会有新的契机。
对我来说，困难也许是，有时觉得对人世的生活无限厌倦。如何能够把外境视为净土。

他看着灰茫茫的街道，说，我们无需判断或分别事物的呈现。保持净观可以清理内心对外境的投射。真正的净土由自己的心来展现。经书中说，心清净，佛土清净。从这个角度来说，比如现在这种恶劣的气候，并不是弃之不顾一走了之就可以回避。这有可能是我们心的外显，是心里太多的欲望、暴力感、不顾惜他人所体现出来的污染。每个人都负有责任。

他的右边手臂赤裸在冷空气当中，没有半点瑟缩。她问他是否寒冷。他说已经习惯。在寺院里，即便是下雪的寒冬，僧人们早起，照旧需要在露天石板地席地而坐，长时间诵经，或者辩经。他说，寒冷对我们来说不是困难。困难的是其他的事。

那天，他说，寺院打电话来让他回去，需要处理一些事情。后天他立刻要离开。

她问他怎么返程，她想帮他买张机票。他不接受，说顿珠已帮他买好火车卧铺票，并且会陪同他回去山谷。他不喜欢坐飞机，无急事都尽量避免。但他经常有别人在旁边照顾他，也许是遵循某种古老的方式。她对待他也是同样，时时体察他的需要，提供他所需要的照应。他的反应不是骄傲或理所当然，只是坦然顺受，仿佛接受约定俗成的秩序。

她说，你临走前我带你去老城区，一起吃顿饭。然后请你来我家做客。

他说，好的。

最后一次学习书中的章节。书并没有读完，大概还剩下三十多页。她有些遗憾。他说，在告别之前，一本书还没有读完，有好的意义。相信我。

这是他在幻海的最后一天。他换掉僧袍，穿运动鞋，深灰色运动裤，毛衣，一件羽绒服。换上日常衣服的他，看起来是个干干净净、有精神的年轻人。但终究仍和普通人不同。也许他看起来显得优雅持重，有一种与现世失联的落魄与华贵。她觉得他走路的样子好看，问他，这是小时候训练过的吗。他说，是的。手臂不要大摆，眼睛不要四处看。一定要慢慢的，不要着急。着急好像是来自身体里面一股比较强烈的无法平衡的能量。会把自己灵魂拆分。

他说，我们传递出来的身心宁静，是送给他人的最好的礼物。

他们去老巷。刚好是星期日，人来人往。这里被过度开发，临街密密麻麻店铺，售卖各种手工艺品、美食、二手衣服和生活杂物。以前人声鼎沸，现在周末也仍显喧杂。她怕他们在人群中走丢，伸出手轻轻拉住他衣袖一角。他在哪里都没有不适之感，看看两边的老槐树，高大挺拔，阳光透过树枝洒在脸上。他说，看到古树，觉得它们会说话。

她看着他的侧影，瞬间在他的脸上捕捉到一种熟悉的线条和表情。他的眼睛深幽，鼻梁高挺。皮肤微微褐色，骨架轮廓鲜明，头发颜色很黑。这个侧影在什么地方见过，她无法记起。

一起吃午饭，坚果嫩芽沙拉，菠菜三明治，南瓜汤。吃完午餐，他说，我来请你。你是我的老师。她说，这样不可以。你是出家人，我应该供养你饮食。他诚恳道谢。她提议去咖啡店再坐一会。其实是换个环境，还想跟他这样待着。他同意。

找到一家小咖啡店。街边老民居房子改造而成，木地板，传统的雕花推窗，小庭院里放着佛手和松树盆景。离开商业区，世外桃源般的所在。他们走进房间找到墙角的位置。小圆茶几，两把木椅，脱下外套，相对而坐。她点两杯海盐拿铁热咖啡。咖啡香气热腾腾地弥漫，暖气舒适。在人群中挤着走了一段之后，这温暖分外让人愉悦。

窗外爬藤盘旋，是春季开花的紫藤。他看着它，说，喜欢这样的房子、地板、窗，看起来很有时间沉淀的感觉，让人觉得安静。等到以后某个下大雪的夜晚，应该过来再坐一坐。看着窗外的雪，喝一杯热咖啡。她微微愣住，还没有想到在雪天这间木结构房子会具备怎样的氛围，他已确认。他洞悉时间的秘密。他在自然散发本性。

她说，再对我说说你的事情，仁美。说说寺院。

虽然现在我们有电，有网络信号，但夏摩山谷始终保持古老而幽静的气氛。周围有形状像海螺、象群、狮虎的群山，山上有松树和针叶林。春天，滇藏木兰开出白花，高山杜鹃漫山遍野，空气中充满月桂植物的清香。一条奔腾的河流自西往东，水流清澈，源源不断，它的源头是喜马拉雅的雪山。河边种着柳树，在岸边搭起浓密树荫。

金刚顶寺以前僧人有三千多，现在是五六百人，有八十个小僧人，他们还在学习。在幻海也许特殊日子寺院才会人山人海，人们涌入烧香祈福。对居住在山谷的人来说，信仰是他们与生俱来的血液里的种子，一出生这颗种子就萌芽。寺院是他们日常生活的组成部分。

我出生在附近村子里的普通人家，五岁时生场大病，持续发烧，昏迷不醒。母亲去寺院占卜，老活佛对她说，我需要出家，否则很难健康平安地长大，母亲没有答应。她爱我，希望我留在家里。一年以后，我去山上放牧奶牛，因为贪玩从悬崖掉下，刚好被一棵大李子树卡住。他们找了两天把我找到，当时我满脸是血昏迷不醒，他们以为我已死去。母亲害怕，在我康复之后把我送去寺院。当时我出家的寺院是净月寺。是村子边的小寺院。

一年后因为一些原因，我被带去金刚顶寺。这是远近闻名的大寺院，出过许多有名的僧人。我跟教我诵经、学经的师父在一起，是位七十多岁的老格西，饱学而品格高尚。我住在他的屋子里，与他在炕上面对面坐着，他教我念诵、佛理、仪轨，也学习书法和诗歌。醒来学习，晚上躺下睡觉。我不曾离开那个屋子。只有屋外花园里的大黄母猫跟我作伴。唯一的游戏是把吃的食物留出部分，给它喂食。有时抱起它，听到它肚子发出呼噜呼噜的声音。

这样度过三年，日日学习无休，只看到花园里的牡丹，春天开花密密簇簇，引来蝴蝶与蜜蜂，开了又谢，谢了又开。有时下雨，有时下雪，知道春夏秋冬在流转。我慢慢长大，持续学习，参加辩经考试。二十岁受比丘戒。

你曾经想到过生活会是这样的吗。

不用去想，只是接受。业力是以往做过的事情留下的印记。比如我们居住在哪里，通常不是由私己的喜好决定，而是由有捆绑关系的人或事所决定。捆绑在哪里，我们就去哪里。业力是在背后推动我们的动力。

觉得这样活着辛苦吗。

人世所谓的乐，才是一种苦。有些是会变化的苦，比如花会谢，喜欢的物品会损坏，没有什么是坚固不变的。有些是在实际发生的辛苦，比如人会挨饿、贫穷、生病，或者在很寒冷、很炎热的天气当中，这种苦有可能因为时机改变而得到解决。还有一些是因为具备肉身而无法避免的苦，比如逐渐变老、变得失去力量而丑陋，这是与生俱来的苦。而当我们喜欢一个东西，与它共处的时间长久之后会厌倦，是普遍存在的不会被改变的苦。大多数人在生活中意识不到这些苦，并且以苦为乐。

如何去除这些苦。

人的基本无明是我执。我们做的每件事情都受到业力驱动，也被我执推动。印记镌刻在阿赖耶识之中很难消除，但可以通过忏悔、布施、学习、发愿来净化。烧尽我执，也烧尽生命中的障碍与罪责，不留下余物。如果曾在心里种下过嗔恨、贪婪、愚痴的种子，反复浇灌，它会开花结果。种种开端、过程、铺垫、准备，只为最后一击。同样，智慧与慈悲的种子也是如此播下。

他说，轮回也可以说是不曾改变的心念。如果心念改变，循环的模式便可以改变。

7

她与母亲经历过面包店风波之后，关闭店铺，搬去郊外的廉价租住区。一条乏味而荒凉的水泥路，两旁全是一模一样的房子，分上下两层。一层装卷拉门，用来做生意，狭小。二楼可以住人。加起来大概五六十平米。这个街区住的大多是贫民和外来民工。母亲搬到这里，开一家小杂货店赖以谋生，卖些油盐酱醋、蔬菜水果。

二楼房间的北向窗口正对公共墓地。林立的墓碑，长满遮天蔽日的老树，树木吸足土地中的阴气，枝叶格外繁茂，搭起帐篷般的浓密树阴。野猫吃得分外肥胖，时常爬上围墙来回走动。这个窗口阴气森森，没有光照。她们的生活看起来跟窗外墓地一样，已没有机会。母亲被现实碾压成烂泥。

经过劫难之后，母亲认命，迅速成为肥胖而邋遢的中年妇人。穿着有破洞的丝袜，衣服反穿也浑然不知，头发蓬乱，神情迷惘，手间总是夹着一根烟，她不喜欢劣质烟酒，辛苦钱大多花在好的烟酒上面。没有钱给如真买新衣服，把衣服改小给她穿。店铺里的一台小电视机，播放各种连续剧从早到晚不关闭。她常酗酒，喝得人事不省时趴在小店柜台上昏睡，发出鼾声。

曾经母亲也是一个姿容秀丽注重仪表的女人，不俗的审美，清高的性情。到底是什么把母亲毁坏。是父亲，婚姻，还是生活。自己又为何会降生在这样动荡不安的家庭当中。而不是在其他的虽然平凡但安逸温暖的家庭。

原有的生活如同肥皂泡碎裂。新的苦难必须面对。而人对受苦的承担是无底限的。只要能够活着，没有什么不能够忍受。旧日是一场急促而恍惚的梦，如今她们活在现实中，需要默默承担，小心度日。她已知晓世界变动无常的道理，积累与存在不过是海滩上的沙堡，突然之间就被扫荡一空。那么，真正的坚固与永恒又是什么。

她聪慧而努力，在街区一直住到考上大学。终于逃离墓地。在幻海的大学校园，她得到新生。在故乡所有为改变命运而拼命承担的压力全部卸下。此时她体会到内心真正的黑洞，是爱的饥渴。迫不及待地恋爱。

第一次恋情发生，二十岁。

他是来大学开讲座的著名学者，她代表校方社团联络他。他比她大二十六岁，以前居住在澳洲，妻子和三个孩子仍在那里。有时他回国进行演讲、出书、录制节目等公开活动。他对她来说，是代表另一个世界的人。但她记得他下车第一眼看到她，眼中闪烁出光芒。那是人看到美丽事物的本能反应。她在等待的，也许是这样有身份有内容的成熟男性。她之前已拒绝很多同龄人。

活动结束之后，她依然给他发消息，写邮件。寄出一些优美的情感充沛的书信。如果不是写给他，她也会写给生活中遇见的任何一个觉得仰慕和信任的人。在她身体中有被淤积被压抑的热情，她需要释放、倾泻、粉碎自己，渴望被重塑。他也许被她的热烈打动，或许只是因为她年轻，美貌。很快扭成一团。

他们没有日常生活，见面就是聊天、做爱。有时他带她去装饰奢华而高档的咖啡店、餐厅，吃吃喝喝，打发时间。约会大多发生在外地城市。他经常受邀去其他城市开讲座，他帮她订好机票她悄悄跟随，住在他预定的酒店房间里。跟着他游荡于不同的地方，成为隐藏在他背后的影子。

这脱离常规的感情注定没有前途，没有生长与发展的空间。只能依循世俗感情的轨迹，如胶似漆，逐渐走向疏远冷淡。她是他生命里一款无伤大雅的小甜点。而对她说，这是她初次探索情欲与爱的深洞。他比她强大。她也许是喜欢他，也许是渴望得到来自他的可能实现的拯救。但她逐渐意识到，他不太可能为她离婚，或者带她去法国。她的确聪慧、美丽、年轻、好玩，但那又如何。现实由理性而冷酷的通行规则组成。

她的热切与渴求，隐蔽而激烈，让他产生疲惫。再之后心生恐惧。当他决定撤出，她执着的性情暴露无遗。这是自父亲离开以后，再次，有个男人决定放弃她，离开她。她的回应是歇斯底里，不依不饶，绝不同意。在他销声匿影回避她一个月之后，她给他发出信息，说准备服药。请他在下午五点之前来宿舍与她一见。

一如预想，信息发出去之后石沉大海，无丝毫回音。他去意已决对闹剧毫无兴趣。下午五点十分，宿舍里同学陆续出去自修。她在床铺垂下蚊帐，吞下积攒很久的安眠药片，蜷缩起身体，盖上被子。药性发作时，因为痛苦而呻吟颤抖、翻来覆去。室友自修回来，拉开蚊帐摸她的额头，看到手心全是冷汗，被吓坏。问她应该怎么做。她说给他打电话。

十五分钟之后，他赶到。车子停在楼下，进房间立刻抱起她，开车去医院急诊。她在疼痛中紧紧揪住他衬衣，扯下一颗纽扣握在手心里。

当她醒来，发现自己躺在医院走廊的临时床位，已被做过治疗处理，需要挂盐水。做完静脉注射可回返。他坐在床边，两手托住脑袋，低垂着头，一言不发。大概是药物镇静的作用，还是劫后余生，她觉得心里的嗔恨已熄灭，此刻心境清凉、温柔而又平静，对他仍有深刻的情感。她伤害了他。何至于此，让他担惊受怕、来回奔波。难道他们不曾有过紧紧拥抱亲密无间的时刻吗？即便只为肉身，他也曾热烈地喜爱过她。现在彼此之间只剩下一枚褐色木制纽扣仍在她的手心。怎么就没有了些许容纳对方的余地。

她知道耿耿于怀的是这份热烈喜爱的破灭。对孤独和无爱觉得恐惧。如果还能留下一线希望。

她轻声对他说，让我们重新开始吧。我爱你。他的嘴唇微微撇动，唇角抽搐没有说话。护士过来帮她拔掉针头，早上六点多，窗外暗蓝天色逐渐发亮，偶尔传来几声鸟叫。她出门看到的城市白雾茫茫。那是冬天。她仍虚弱，他扶她走出医院大门。她紧紧握住他的手。他没有像以前憎恶地甩开，而是任由她抓住。

这个允许有股暖流贯穿而过，她感觉到复活，生长。是的。她需要爱。只有爱才能让她感觉到是活着的，有希望的。如果他能够继续爱她，能够穿透肉身真正识别她的灵魂。如果他能够接受她的全部，看到她的美，也看到她的黑暗与无助并给予帮助，那么这份爱就是他施与她的最为珍贵的良药。

她未必一定要得到什么结果。只是想要爱。

她说，饿了。他说，现在只有肯德基开着门，有早餐提供，我带你去吃。店里人稀少，她坐在角落位置，看着他买好食物，端着托盘走过来。人群中的他，是其貌不扬并已发胖的中年男子，同时他是一个家庭的丈夫和父亲。在身份上他已失去自由。但此刻却是她唯一的爱人。

人是有多愚痴多软弱，她想。但她此刻没有力量撕开这一切妄想。她陷入内心饥渴的牢狱。

他给她买来豆浆、汉堡包，自己要一杯咖啡。她非常饿，立刻开始吃东西。他坐在对面，默默无言喝完杯子里的咖啡。当她一口气吃完所有食物，脸上焕发出些许血色和活力。他说，如真，看着我。看着我的眼睛，我有话要说。这是她挂完盐水走出医院大概一个小时之后。她默默抬起头，现在她是一个空空荡荡的容器，没有爱恨，他倒进来什么便是什么。他拥有重新塑造她的时间和能力。

显然他无法意识到这一刻他对她的影响。他说，现在我要告诉你，如真，你这样的女人，我不可能爱你，也不喜欢你。你即便自杀一百次，我们也不会在一起。这次见面之后，我绝不会再出现在你的面前。记住，没有任何机会。这是我们的永别。

她后来知道爱的反面不是恨，而是恐惧。在恨之中有可能包括着爱。但在恐惧之中，没有任何的爱。这是她失败的初恋，她爱上的这个男人，心中没有一点点怜悯，只有恐惧和极力自保的自私。他害怕她伤害到他的身份，毁灭他的生活，撕下他的面具。他看不到她的心。或许她的心对他来说本来就是不需要的。

分开后，她独自去海边旅行。在沙滩上久久地看着海天尽头的滚动波涛，让狂暴烈风把自己吹透。把那枚纽扣丢进大海。她有深刻的悲痛，不能对身边任何人说明，只是独自忍耐。这股悲痛，不是因为和他分开，也不是为他。这悲痛是无能为力。她用尽力气，没有得到爱。无爱是至深的恐惧与孤独。

重头再来。越发沉默寡言，偷偷抽烟，读很多书，不善于交朋友但学业成绩很好。毕业后顺利在幻海找到一份工作，在财经杂志做记者。她聪慧，有才华，这本是好的开端。那年她二十三岁。但她又开始恋爱，并重复歧途。

对方仍是年长很多的男人。采访中认识的房地产商人。也有家庭，妻子专职做家庭主妇，抚养不满十岁的一双儿女。她从心里觉得应该比他的妻子强。事实上，不管是在外表还是才华上，她都算夺人眼目。孜孜不倦忍耐五年，尽心尽力。每次她都感觉，彼此的关系似乎在慢慢往前挪动，一步两步三步……她抱有希望。希望他能够离婚，和她结婚。事实远非如此。他从来都是站在原地不动。

男人的反应模式都是一样：初时对她如痴如醉，很快感觉有压力。然后纠缠扯斗，恋恋不舍，藕断丝连，你进我退，你退我进。等到力气用尽，他们便开始迅速撤退。她是那种可以为感情而死的人。他们最后都会看清楚这一点并被逐一吓退。他离开时，对她说，人性有一个共同点是趋利避害。没有得到利益不重要，但必不能是伤害、损害。你是那种带着害的人。

血肉奋战两次，失败告终。她再次意识到，男女之间有时像两个没有根的人。在自己的生命里没有根，在对彼此的爱里面也没有根。一时兴起，接续是分离、隔绝，无法真正地互为一体。彼此喂食的不过是饥饿和恐惧。她遇见的这些男人，轮番给她教训。最终让她知道，

84

所有关于感情的期待和幻想，没有可能得到生长。

俗世的情爱不可能带来永久的喜悦。甚至没有安慰。

她决定离职，放弃幻海，潜心疗伤。任性肆意地虚耗青春，兜转一大圈。回到故乡，已二十八岁。

8

她邀请仁美去家里做客。

她住在十七层楼的单身公寓，天气晴朗时往下眺望，能看到民居屋顶以及远处的旧官殿遗址。她让他洗澡，自己在厨房煮面条。他不吃葱蒜，她把南方小芹菜绿色细梗切出细小碎末。用托盘把盛面的白瓷碗装着，旁边衬上一枝白色铃兰。她知道这些微小美感他会当下感应。他的心安静、敏感，如同水晶。

之前从未这样郑重而殷勤地对待过一个男人，也许是不曾遇见值得的人。他让她看到内心存在同等珍贵的潜力。

她说，你想去看场电影吗。
他说，可以。

她擦干净厨房，穿上大衣，和他一起走到附近电影院看下午场。有关于太空探险的美国科幻片。电影好看，年轻的他也有很多好奇心，自在感受周围的一切。他们并肩坐在放映厅里，和身边普通的男女没有两样。但她知道其实完全不同。这个男人不是凡俗世间的角色，他的身心是为另外一个领域准备并为此服务。他此刻坐在她的身边，完全是因为某种深远的因缘。包括他留给她的这些时间。

看完电影回到家，他有些疲倦需要小睡进去客房。她在客厅里煮热水，泡茶。把他平时穿的僧衣用洗衣机清洗干净，在客厅里铺开来晾晒。暗红色的大布悬挂起来，仿佛幕布般壮观。她在沙发上躺下来也睡着了。等她醒来，看到窗外暮色苍茫，仁美已经出来，背对着她坐在木桌边，看着窗外远景一动不动。她的身上被盖上一条毛毯。

她默默凝望他的背影，一时不知身在何处。仿佛与他共同置身于茫茫无边的时空隧道之中。他们为何相遇，因何相遇。他是从另外的时空穿行而来吗。她意识到他存在的质感使外界发生变化，事物开始显得清净而稳定。有时他如同天真孩童，有时呈现出仿佛历经世事的灵魂。有时如同在泉边饮水姿态优美的麋鹿，有时像华贵的国王。他不露锋芒，没有要求。这是崭新的经验。

这个男人，他在与世隔绝的深山里长大，大部分时间在寺院里度过。他的存在质朴而深不可测。

他转过身，看到她醒来，说，你把我的僧衣洗干净了。他从自己带来的香桶里抽出一支香，点燃。芳香的白烟升起。他说，这是金刚顶寺的僧人做的香，用沉香、松树皮、白檀香、广藿香、琥珀、丁香、冰片、藏红花等近二十种天然材料磨成粉末，加入纯蜂蜜。香气馥郁，去障净秽。这个药方传承一千年，材料简单，但材料之间互相调有很深的学问。能净化磁场，驱除邪灵的能量场。

她呼吸这芬芳，觉得心神安定喜悦升起，呼吸格外深入。

她问，寺院是不是有僧人会给别人看病。

是的。金刚顶寺有这样的传统，给信众看病，提供他们医药。我还在学习，还没有到行医的资格。他停顿一下，说，我很快要回去。感谢这段时间你对我无微不至，全心全意。这是我从来没有感受过的感情。有时我非常感动。现在你有什么问题，还可以当面问我。

她说，我兜转半生，还没有感受过真正的爱是什么。大部分人所谓的爱，只是把对方当做一个工具。不全然的爱会成为对自我和他人的剥削，并最终是虚弱的。我没有一次成功，这是否是求不得之苦。

她打开心扉，抛去自尊的羞耻感。如果坐在对面的不是仁美，恐怕不会这样直接示弱，说出内心深深隐藏的困惑。他们并未交流过她全部的过往、历史，但他仿佛知悉一切。他说，这是你此生要解决的重要问题，如真。但即便你头破血流，面对业力没有逃避。你很勇敢。

她说，后来我几乎失去对爱与被爱的客观认识，或者说开始怀疑这个概念。世间男女所谓的爱，到底是什么。那是占有与被占有的欲望，充满自私自利的需索和自我满足吗。有谁知道什么是爱，有谁爱过。有谁真正品尝过爱的极乐和自由。

他说，爱欲是人世很大的考验。它真实、坚强，如同金子，也经常成为一座牢狱。在它混乱的另一面，是我们澄净自性的显示。在它束缚粘缠的背后，是人试图获得的自由。我们一直沉浸在爱之中，只是自身障碍太重，无法看见它，感受到它。爱是我们的本来属性。但只有两个返璞归真的人，袒露出真诚而具备勇气的灵魂，才有可能真正爱上彼此。最究竟的爱是慈悲。它是唯一能够开花结果的爱。

我该如何开始这一趟的学习。

如果要走一条真正的心灵修行之路，以后我会把所知道的告诉你。但是我很年轻。我也在学习。先把心清空，清除，成为有纯度的容器，否则无法去接应真理。清凉而滚烫的灌注有可能使不干净的心碎裂。没有纯度的心，同样无法承载究竟的智慧，纯粹的爱。

大多数人身心受限，一生都不知道什么是真正的智慧，真正的爱。不相信，也无法得到。容器只有清空，才可能试图承载无限。

对欲望的放弃，就像往一只杯子里灌注热水，水越来越满终于烫着手，忍受不住会自动放手。贪婪、嗔恨、愚痴也是这样，我们在其中受苦甚深，煎熬到一定程度会被释放。有些事情人有困惑，不必强求解释。如果开始修行，持之以恒，不断维持正见和觉知的运行，某天所有困惑会自己解开。

佛陀说，一切都在燃烧。不是物质的燃烧，而是我们内心的情绪、妄念、期待、恐惧所引发的痛苦在燃烧。涅槃代表的是冷却、熄灭。

我们经过人世间，这趟旅程，虽然看起来有很多艰苦的挑战，但它同时也充满机会。不管如何，你已在认真地思考自己的生命。如真，这是好的消息。

夜已深，她起身跟他告别。他们各自回去房间睡觉。她在枕边感觉天色快发亮，终于入睡。即将醒来的凌晨，做了一个梦。

是夏天，与仁美去公园看荷花。烈日炎炎，大湖开满高低起伏的荷花，密密簇簇，风中弥漫强烈的香气。孩子，情侣，老人，来回走动。他们坐在湖畔的亭子里，并肩看着眼前的荷花塘。蝉在鸣叫，天很蓝，白云朵朵。没有比当下更真实的存在。她从随身的布包里取出一把日本折扇，展开后轻轻扇动。一阵凉风在她与他之间穿梭。

他把扇子拿过去，学着她的样子扇动。扇子是棉纸做的，暗红色的，扇面上画着牡丹和鹦鹉。他说，这样的花，这样的鸟。他对所有的事物了然于心。满塘荷花在风中轻轻晃动，红色蜻蜓停停飞飞。粉红色花瓣，翠绿的圆形叶片，露水在上面滚动留不下一丝痕迹。旁边有母亲在对她的孩子说，这种花，夏天才开，一年只开一次。

他在她身边，与她一起，观赏她最喜爱的花朵。她知道他满心欢喜。这是真正意义上的心神合一。此刻他正在对她示现，即便当下完满也不能起贪执之心。但是她仍然生起畏惧，突然之间他从她身边消失奔向虚空。她的身体扑空猛烈颤抖一下，从梦中醒来。

此时早晨六点，她听到从他房间里传出熟悉的诵经声音。她穿好衣服，打开房门，在厨房做早餐。煮奶茶，用印度红茶与牛奶混合，法式面包，黄油。等他完成，叩门把早餐用托盘端进他的房间。他已收拾好行李箱子，主要是经书，一包袈裟。这包袈裟不能离身，去远处尤其要带在身边，这样是为提醒自己的身份。

他没有多余物品。已把房间里的床铺、桌面、角落收拾得一尘不染，一如刚刚走进的时候。此刻他换好整套完整的僧衣，严肃，沉稳，如同一个从古代的维度凸显而出的人。

他不再是那个穿T恤和布裤的年轻人，陪伴在她身边走过大街小巷。他最终只是他自己，一位需要经历漫长的学习与成长的修行者。他在她身边的这些天，虽然不是经常相见但彼此内心接近。读书、走路、吃饭、喝茶、做功课、祈祷，只是两个人的世界也未曾感觉厌倦或匮乏。这种充盈而漫溢的感受源自他的存在。他将离开，她再次成为独自。她心里一阵锐痛。

他迅速感应到，说，即便告别，如果心相续我仍在你的身边。他宁静的眼神停在她的脸上。再次重复，是的，每天我都在你的身边。这段时间他一直对她循循善诱，告诉她要把痛苦转化成土壤获得新生的必要。现在考验的时候已到。

他说，吃完早餐我们就出发。

出租车上他有些累，也许是昨晚聊天睡得很晚，又也许是心里某种复杂的感受，他闭着眼睛在休息，没有再说话。到火车站，她送他到进站口。她给他买了一件暗红色的羽绒服，轻便而保暖，一盒黑茶，一个信封里装着一万块钱，是出门之前提前准备好的，她说，这些钱给寺院里的小僧人们，替我买些学习用品和文具。

他接过去其他，把钱推给她，说，钱我不会收。你的心意我知道。请你收下。给他们买些本子、笔或者衣服。

他很为难，看着她的脸。她十分坚持。最后他收下，说，很感谢你。但这样我仍然觉得心里不安。这个钱数目很大，工作挣来的钱都辛苦。

她说，这是我想好的事情，不觉得辛苦。她的确从看到他的第一眼，对他有深深的相信。不知道这种相信从何生起，这个人肩膀上有重任、压力。她需要帮助他。

他说，快到春节，给他们买新的僧衣和鞋子。

她拿出一封信，说，我给你写了信。上次写信是二十岁的时候，后来再没有写过。

我在火车上读这封信。我现在进去，你回去好好休息。他说，告别之前，我想赠你一段话。古人说过，那些黑白善恶的种子，即使现在秘密地播撒，也掩不住果实的显形，各自成熟后类别分明。所以记得观察自己的起心动念，时时刻刻，尽力保持正念与觉知。有一年冬天你会来到夏摩山谷。我等你。

他背着双肩包转身走进大厅，随电梯缓缓下沉，转身，没有对她挥手，只是深深凝望她。他的眼神穿透空间照进她的心底。她一直盯着他，直到他的身影消失在人群中。

她重新坐上出租车。摇下窗玻璃看到外面灰雾茫茫的城市，即刻要回复以往的生活模式，沉沦于浑浊空气的都市，生存在只留得自保的方寸之地，一间公寓，一个店铺，独睡，独醒，独活。此刻她强烈意识到，飘零于生死流浪的世间如此艰辛。长久以来，在内心深深压抑的孤独与困惑，被这短短一段时间的完满唤醒。

深切的悲伤从身体深处涌出。她泪流满面，无法自制。同时，这哭泣带来一种空寂与清明的感受。他已启动力量帮她清理积存在灵魂深处的阴影与创痛，每一寸过往。这种清理终将完成。

净湖

<u>1</u>

　　走进旅馆房间，放置好行李，远音推开木窗，看到覆盖青瓦的旧居屋顶。中间庭院伸出一株粗壮硕大的泡桐，五月花期，大簇紫色桐花摇摇欲坠，空气中弥漫酸辛的芳香。她喜欢这种形体强壮的花朵，即便枯萎也是整朵落下，没有苟延残喘的意思。是南方城市常见的花。

　　在鹿港旧宅的后院有株同样的老树，她记得踩着满地落花站在树下抽烟的场景。年岁渐长，人离过去的记忆越近，仿佛浸泡在水中的卵石花纹更为清晰。近些年来常常想起往事，这是因为在老去的原因吧。

　　决定出去吃碗面条。走到一家传统老店面馆。青石砖地，木桌木椅，点一碗鳝虾面。有人在窄小的舞台上表演昆曲折子戏，旦角裙装破损，彩妆渗出汗水，唱到高音处气声无法接续。台下的人自顾自进食、看报纸、看手机、打电话。吃完面条，她想，自与他重逢，几乎每月奔赴千里匆匆一见，这种相会的意义又在哪里。

城中乱糟糟。Z城已沦落成为一座落魄不堪的城市。城区规划中的大量旧建筑正被拆除，准备开发大型商业区建起高楼，到处是丑陋的新兴建筑。蚁群般行人聚集在商业中心，商铺挂着传统名号，兜售各式物品，但用料和质量今非昔比。她订了旅馆的老城区还保留着一些小巷旧街，依然充斥廉价店铺和物品。人群看起来茫然失色。

现在的人不购物不与物质进行频繁和紧密的交换，仿佛就无法快乐地生活。喜欢成群结队，喧嚣吵闹。也许觉得喜悦与愉快无法由自己的内在提供。

回到旅馆，上楼梯之前，从楼上突然被用力扔下一堆污脏的床单被褥，散发强烈气味的脏物差点砸中她的身体。她回避到旁边，听到楼上传来服务员的声音，对不起，没看到。在扔东西下楼之前，对方没有想过先查看是否有人经过，或者说这些脏东西原本就不应该被粗重地直接扔下去。净湖之前对她说过，可以去其他的城市，住好的酒店。但她光鲜的场面见过太多，对境外旅行也毫无兴趣。仍偏爱带有古老意味的城市，住在当地民宿。

回到房间脱掉外套，躺在床上靠着枕头准备小睡。发出短信，你到哪里。他很快回复，刚下飞机，还需要一个小时。你先小睡。等我到，去吃晚饭。他成熟很多，懂得关心别人。似睡未睡之际，某个瞬间她感觉到被他抱紧。仿佛他紧贴在她身后，从背后抱住她，用手臂环绕住她的肩膀，下巴摩擦着她头顶的发丝。整个身体把她包裹起来。

是在孟买。凌晨时分空气依然炎热，打开窗可以眺望街道与树影的露台，晾晒着她的细麻衬裙，男人的白色 T 恤。地上的啤酒罐，烟灰缸里的烟头,一本被翻阅得陈旧的《薄伽梵歌》放在床头柜上。她对他说,这本印度梵文经典讲述最根本的宇宙演化哲学与人心的锤炼,很多观点与其他宗教都相通。所有的根本真理应该是殊途同归,同源合一。

她把《薄伽梵歌》当作诗集,在睡前读上几段。天色微亮,在各自的单人床躺下。她为他阅读几个小节。他们结伴旅行已度过十日,分别在即。

众生身体中永恒的个体灵魂,的确是我的组成部分,它居于原质或身体中,激活六个感官,包括第六感官即心意。(15.07)

当主(或个体灵魂)离开一个粗身并获得一个新的粗身时,也带走了那个粗身的精身和因果身,就像风吹走了花朵的花香一样。(15.08)

生命体用眼、耳、鼻、舌、身和意这六种感官去享受各种感官对象。无知者不能觉知生命体离开身体或居于身体里,不能觉知生命体通过与粗身的联结而享受感官快乐。但拥有自我知识之眼的人能看见。(15.09—10)

追求圆满的瑜伽士能看见生命体作为意识居于他们内心深处,但无知者心地不纯,即便他们努力,也不能觉知它。(15.11)

你要知道:遍漫躯体者不会毁灭——谁也无法毁灭不朽的灵魂。灵魂永恒,不生不灭;坏灭的只是物质躯壳……灵魂永无生死,既非过去形成,也非现在形成,更非将来形成。灵魂不朽常在,源于无始。仿佛除去旧衣,换上新装,灵魂离开衰老无用的旧身,进入新的躯体。灵魂刀剑不能戮碎,烈火不能焚毁,水不能浸腐,风不能侵蚀。个体灵魂无法分割,不能溶解,烧不掉,干不了。灵魂永在,遍入万有,不变不动,始终如一。据说,灵魂目不得视,心不得思,不变恒常。了解这点,你便不该为躯体悲伤……

她阅读的声音轻柔而清晰，脸上带着肃穆的表情。他默默听着，说，你为我读书，这个场景不知为何好像极为熟悉。一些字句印证我以往思考过的想法，总结精确。感觉听这些文字好像是喝水，无声无色迅速融入意识。

她说，书不能随便读，需要互相感应、分辨、体会。文字的力量很大，好的书，文字能量像水，清澈、流动、清凉、甘醇，有淡淡药苦香。邪的书，能量是粗陋、坚硬、有臭味的。人读到书，能消化、吸收，就成为药与粮食。不能分辨，堵塞堆积，也没有去理性地思考与分辨，也许会引人发疯。这是危险的。

他说，如果与你告别，其实我不知道应该去哪里，该做些什么，如何生活。好像只有在你身边的时候，生活才是真实可凭靠的。我们从北到南地旅行，睡之前，知道你在。醒来之后，知道你还在。日日夜夜不曾分离。这使我觉得内心安全。

经常我仍会觉得作为肉身来到这个世界，世界是个毫无意义的场所。不可能变好，只会更糟。作为人的生活，仔细观察，充满荒诞，除非故意麻木不仁。从自身意愿上来说，我厌倦生死。厌倦被出生，厌倦死去，厌倦这两者之间的过程。有时候觉得，被赶到这个世界里的人，要么负有任务，要么被处罚。大部分人对真实的自我一无所知。

她说，你是哪一种。

我是被处罚的吧。我们大部分人也许都是在被处罚的。因为人习惯违背自己的天性而活。

他背对着她把身体蜷缩起来，脊椎微微拱起。她在他的背影中读到无助和彷徨。于是从床上下来，躺在他的身边，抱住他的背，肚腹贴在他的腰上，两个人的身体贴合成两柄勺子。她抚摸他前几天刚剃过的短发，他的耳廓、脸颊、下巴，把手放在他的小腹上。脸贴着他的后背靠近肩头的肌肤。他的身体像长在悬崖边的树。她握住他的手，手指与他相交。

天色渐渐发亮。闷热的房间偶尔有一缕黎明来临之前的清凉微风吹过。他说，我们还会再见面吗。我想与你做爱。

他要求拥抱她，把脸埋在她的颈窝里，嗅闻她头发的气味，吻她。很多男人不喜欢接吻，但他如同孩童般痴迷。他的口腔里有一股清新的气味，仿佛刚刚吃过橘子有洁净感。即便出汗，皮肤上的味道也很好闻。与其说是对他的欲望，不如说是一种怜悯和安慰。她敞开自己，承容他的存在。

当他们回到国内再次相见，这个仪式再次被启动。

那次见面也是在 Z 城。他们去庭院看荷花，夏日酷暑，浑身汗水湿透。回到有空调的酒店房间，拉上窗帘，彼此共处。他一如以往地赞美她，你的身体是女人里面我唯一喜欢的。他低声咕哝，用温热的手心感受她的皮肤，仿佛永远是在第一次碰触她。他说，我思念和你做爱。我很长时间没有做爱。不做爱让我觉得身体在腐烂发出臭气。只有这件事情才能让我感觉自己活着。

他终究再次成为她的情人。

每个月一到两次，她坐高铁，他搭乘飞机，先会合一处，然后挑选幽静的小城、小镇、村庄，一起度过两三天。他们仿佛只是变化场地，重心是彼此共处。吃饭，做爱，共眠，聊天，默默看会风景，有时疲惫只是坐着，绵绵密密说很多话。话语在空气中点燃，熄灭。这是重复模式，和在印度时完全相同。

当他们在一起，彼此是关系存在的唯一核心。这是本能和直接的关系。蜜蜂天性喜爱芳香浓烈的花心，花每年都开，蜜蜂一直再来。这股能量的源头是活的，不是容易死去的关系。死去的关系她经历过多次，这活着的关系让她意识到女性部分的存在。净湖与她分享一切，他的情感对她开放。大部分男人更在意控制与服从。曾经以为相爱的人，起初再怎样激情蓬勃，经过时间冲洗，冲撞碰击，种种较量与妥协之后，如果没有共同的目标，在角斗背后也只是人性的戏现。

男女之间的大秩序是生育繁衍、维持家庭。她与这个男子，只是用身心点燃一簇微小的火花照耀对方。

自印度回来之后再次相见已时隔三年，他成为成熟的男人。也许是回国之后接手父亲的生意，在深圳管理着日渐扩大的业务，蒸蒸日上。他重新出现，是衣着讲究，健壮而洁净的成年人。而她记忆中的他，仍是坐在皮丘拉湖边的年轻男子。粼粼发亮的湖水光影晃动在他俊美而疏离的面容上，照亮脖子左侧靠近下颌位置的大颗红痣，照亮清澈而郁郁寡欢的眼神。

她很少想起他。生活太过沉重并正在腐烂。她本来以为他们作为旅途过客的一切已终结。在他预订的酒店大堂里，当他略有些羞涩地重新出现在她的面前，她忍不住后退一步。告别时她没有留下任何讯息，他搜索她的资料，找到她的电子邮件。如果不是他被强烈的思念驱动，他们本可以到此为止。但他重新找到她。

他说，远音，我们之间的缘分尚未终结。我仍被你捆缚。

他说，母亲怀孕时经常梦见在漆黑夜色中穿过一片不见边际的密林，在树丛中央看见一面湖水。湖水闪闪发亮，静止不动。每次她看见光芒，试图走过去靠近，梦就醒了。我出生后，她给我取名净湖。她觉得我长得太美，不太像家里的孩子。老人们说，如果在众人长相庸常的家族出现美貌的孩子，一般是仙人给的。她说我一定是做过什么错事才会来到人世。

在独自生活三年的新德里，异国他乡的嘈杂之地。街上的车流和人潮，汇聚成发出喧哗声响的河流，炙热空气被满街的汽车、三轮车、摩托车排出来的废气喷染得发黑。他住在老城区，离红堡很近。他被派来这里与国内的生意互相照应，寻找货源。穿和当地男子一样的喇叭裤，格子衬衣，抽廉价但芳香的叶子烟。吃咖喱，戴太阳眼镜，骑摩托车，每天早出晚归。在一幢年代久远的哈维利租借房间。工作之余，看电影，做饭，读几页书。

黄昏略凉快些，去皇宫边的广场闲坐。那里有些无所事事坐在石阶上的人，如他般并不知道未来是什么。他喝一瓶啤酒，看着暮色中绵延壮观的城堡和围墙。鸽群在脚边悠然觅食，把随身带着的干面饼掰成碎片扔给它们。鸟群聚集进食，发出嘀嘀咕咕的声响。忽然之间惊飞盘旋刮起一阵风暴。

他并不厌烦在陌生之地独自生活。这能忘记很多过去的事情。

一年后认识年轻男子杰伊。杰伊在附近集市摆摊售卖来自中国温州的廉价皮鞋。每周见面几次。他去见爱人，需要穿过一条商铺密集的街道，坡道尽头坐落着贾玛清真寺，远远可见红色砂岩的拱廊、塔楼、大圆顶。大型集会人数极多，祈祷结束后人影如洪水流走。在大门楼梯口外有卖电池和电话卡的小店，电线杆边拴着一只山羊。他上楼之前站在路边抽根烟，看着壮观的礼拜结束场景。山羊把脑袋拱到他的口袋里找糖果，他伸手抚摸它毛茸茸的脑袋和两只角。

有时在杰伊的卧室里留宿。清晨天色未亮，雾霭弥漫中先听到清真寺的大喇叭开始唱诵祈祷文。他听不懂，但觉得这虔诚而悲怆的男声，悠长而优美的曲调，仿佛是来自天边的召唤。那一刻他心里有异常的清醒，仿佛灵魂被惊到。现世的爱人在身边裸身躺着，微黑油润的肌肤，微卷的头发，黑白分明的眼睛，轻轻触动肌肤的浓密睫毛。两情相悦的肉身是注定腐烂的花木。

杰伊的目标，在新德里做小生意赚到一些钱，然后回去南部家乡娶家人安排的女人。开个店，生儿育女，装模作样地活下去。两年之后他如愿以偿，完成设想中的事。分离之后，他重新成为孤身一人。有时他会思念印度恋人的肉身，有时觉得可以忘记。他相信杰伊在南部家乡做的那些事情，不会比看到在他身边醒来更为快乐。但这是世间规则。杰伊选择离他而去没有半分迟疑。

他平日不积存钱，有所得立即挥霍殆尽。也许是心中常有消极，觉得现世种种储备毫无意义。隐约感觉到如果这样游荡下去，以后不一定能有家庭，也未必能够走上常规而安全的路线。他在浴室里剃须，看着镜子中的脸生出软弱。这具年轻健壮的肉身隐藏着匮乏的饥饿、深不可测的孤独以及蓬勃的欲望。

三月，他渴望一段旅途，去泰姬陵。父亲同意两周假期，对他说，准备让他回去国内扩展业务。他收拾背囊塞进几件换洗衣服，坐上火车。这是真正意义上第一次出门旅行，躺在卧铺睡觉，醒来起身看着窗外发呆。沿途景色以前没有见过，车厢里热闹，孩子、男女、全家老少，印度人出行喜欢朋友或家人聚成一堆，不愿意孤单。他们互相分享食物也递给他一份。他接过来吃，没什么话说。除了泰姬陵他没有路线，没有计划，只是决定走在路上。

黄昏抵达阿格拉，在旅馆放下行李，即刻出门先奔赴泰姬陵。买票排队，沿着漫长的走道，巍然耸立的白色大建筑物出现在前方。每日有全世界的人源源不绝来看它。在向它靠近的过程中，他感觉这是一个没有什么关系的物体。甚至也不是他的想象。旧日宫殿即便荒废，里面有人活动和生存的痕迹，泰姬陵究其本质是一座陵墓，凝固，死寂，不是爱人之间活生生的连接。

它适合在光线清凉暗淡时看，不适合在正午看。适合远看，不适合近看。适合出现在大视野里整体去看，不适合单独隔离出来看。适合用肉眼看，不适合在相机镜头里看。这是他在泰姬陵周边游荡数个小时之后得出的结论。觉得足够。在阿格拉，再多加一天也是多余，依靠泰姬陵吸引大量游客，到处弥漫商业的暴戾之气。夜色中走在街上不甚安全，总有陌生男子鬼鬼祟祟跟在身后。

继续。沿着地图上的路线前行，坐车抵达斋蒲尔。城门之后的旧城区，由矩形组合而成的街道，充斥密密匝匝的商铺，售卖茶叶、香料、铜器、织物各式物品。店门口点燃短枝仿佛黑泥搓出的熏香，散发出浓烈白雾。珠宝店里陈列拉贾斯坦地区的精美宝石、首饰、纺织品。鸽群在廊道里飞动盘旋。地上躺着全身赤裸昏睡中的乞丐。站在十字街头暮色四起，包头巾的赶象人缓缓赶过来一头彩绘大象。牛在大街上与汽车、人力三轮车、人流一起移动。大树底下是卖新鲜万寿菊的小摊，那些花朵用于供奉。

他在这座迷宫一般的古城里行走，无所事事。住在旧日宫殿改成的老旅馆，睡醒出门去买冰冻的可乐，抽叶子烟。不知道下一个目的地。在旅馆花园里遇见一个法国人，头发花白，眼目清净，是个老嬉皮士。他介绍小镇布什格尔，说在那里有一面圣湖。他认为这是至今在印度待过的最舒服的地方，住了整整半月。布什格尔让他享受到宁静。他相信这个法国老头的感受。在他的孤旅之中，这是第一个热心与他聊天的陌生人。他乘车经过漫漫长途抵达布什格尔。

他觉得疲惫。渴望住下来休息。旅馆由旧式哈维利改建，围绕中心庭院楼梯窄小，栏杆上缠绕旺盛的爬藤。十二个房间，幸运地订到最后一间空房，也是最便宜的一间。门上的黄铜锁分量十足，推开木门，整洁的房间有一张单人床，浴室搁架上撒着新鲜玫瑰花瓣。他很满意，拉上窗帘整个下午都在睡觉。临近黄昏穿上衣服决定出门。

在纵横交错的集市巷子中找到一家餐厅，光线昏暗的简陋房子，售卖烂乎乎的咖喱，薄麦饼，酸奶饮料。街上阳光刺眼，成群结队的嬉皮士男女混杂，梳着毛茸茸的长辫，穿各式布质长裙或袍子，赤脚穿夹趾拖鞋，带着乐器与啤酒瓶，拖拖拉拉，丁零当啷。他们在此地应已停留很长时间。

小镇遍布神庙，有一座闻名的梵天神庙。他没有进入任何一座观看。走到湖边，坐在石阶上抽烟。大群白色鸽子在水面来回盘旋，湖边石阶遍洒鸟粪。他注意到湖水以及边侧围绕的白色建筑被一种独特的光线和气氛围绕，静谧柔和。尤其在清晨和黄昏。据说大湖由梵天遗失的一朵莲花化成，很多信众远道而来，只为赤身裸体浸泡在水中洗浴。这是他们的一生中渴望实现的事情。

他观察这些家庭，女人从湖中出来之后会铺开纱丽，让阳光和风把它们晒干。男人疼爱幼小的孩子，抱着他们，孩子不吵闹。他们享受悠闲而长久的聊天，有时神情诙谐。也有头发花白的老年夫妇互相搀扶地抵达，洗浴结束后，坐在岸边轻松地喝马萨拉茶。

晚上，一簇盛装教徒在湖边举行仪式，长时间唱诵，点燃火把往四方挥动。过程复杂，歌吟优美，大量闲人围绕在周围旁观，然后各自散去。有位金发碧眼的女孩向他靠近，试图搭讪。她穿着当地人五彩斑斓的薄丝灯笼裤，棉长衫，头发扎着粗长的毛茸茸的辫子，身上有股淡淡腥气。她主动发问和他聊天，不外是天气，旅途，邀请他去她住的旅馆。他后退两步，离她稍远。他已积累很长时间的情欲，希望拥抱一具肉身，但对她毫无兴趣甚至有莫名的厌恶。他直接拒绝。

她耸耸肩表示无所谓，说，你看起来像一个在腐烂的人。你在浪费你所有的一切。他转身离开。第二天，他发现她在跟踪他，他走到哪里，她跟到哪里。有时他在咖啡店，她坐在对面店铺门口的木凳上，若无其事喝着饮料，不断出现在他的视线里。她很有耐心等他回心转意，也有可能在此地时间过长，她无所事事，需要消遣。但他失去休憩停顿的心情，只想快速离开。

继续坐车。到乌代布尔。

他想花很多钱住湖之宫酒店，没有订到房间。找一间湖边小旅馆租下楼顶房间，面积不大，坐在露台可以看到皮丘拉湖闪闪发亮的湖水、远处的山峦和宫殿。发呆，看风景，喝茶，抽叶子，吃永不会厌倦的咖喱和麦饼，蒙头大睡。有时出去走走。他一路上做的也就是这些。他已很久没有恋爱，没有可以做爱的伴侣，身体和心都很干涸，仿佛是生病的感觉。他觉得自己已病了。心在生病。

那天从湖边回来，在楼梯口迎面遇见新住进来的一对欧洲女孩，白肤长腿，金发碧眼，也许来自北欧。她们见到他有些吃惊。在餐厅吃早餐，她们也在，躺在墙角一侧的炕床上阅读，身边还放着一把西塔尔琴，在这里上音乐课打发时间。在乌代布尔打发时间的方式很多，烹饪、学习画细密画、演奏横笛或手鼓、阿育吠陀按摩训练……不住湖之宫，他的钱足够维持在这里像烂泥般活着。她们对他投以关注的眼神。

来自女性的欣赏爱慕，他心知肚明，习以为常，但并无喜悦。他的欲望和她们并列而行，无需交汇。他吸吮着拉西饮料的吸管，看着窗外。其中一位稍胖的女孩较有胆量，走过来，手指里夹着烟，说，你有打火机吗。在他点燃打火机为她点烟的时候，她的脸贴着他的手，嘴唇碰触他的手指。太阳很热，光线烧灼他的眼皮。他闻到她满头发辫之间散发出浓烈的汗味，直冲鼻端。他觉得自己的坚持并不必要。每个人的时间都并不算多。

跟她们回去房间，面积很小。一张床铺凌乱还未整理的大双人床，周围散乱书籍、乐器、酒瓶、各种衣服鞋子。他意识到她们在邀请他加入。狼藉中卸下衣衫开始分享身体。他并不觉得欢愉，但令她们满意。这也许也是一种善意，也是一种爱。他想。在人类的天性中有给予的倾向和需求，渴望与他人互换。他们来自不同的文明，但一样的单纯而无情。

他起身离开她们睡意蒙胧中的身体，赤裸走到窗边，俯趴在窗沿上看着大河，点燃一支烟。

在那里我看见一只孔雀。他说，前方湖边是无人居住的旧日宫殿，齐整的草地，低矮树林。雕镂精细的灰白色围墙边上，探出一只成年雄孔雀，沿着屋顶边缘慢慢向我走来。它左脚略跛，姿态冷淡而骄傲，小心翼翼持续向我靠近。稍走几步，停顿长久。逐渐它离我非常近，与我对视，眼神平静而空洞无物。然后它轻轻鸣叫一声，展开翅膀从窗边飞过去。一直往下俯冲，隐没于花园草地的尽头。消失在花簇树影湖光山色。

她静静地听着，然后呢。他说，没有然后。就是看见一只孔雀。

3

她醒来，看见他坐在窗边木摇椅上，穿白色衬衣，卡其色长裤，头发很短。已不是在印度剃的那种复古风格，这里的理发师剃不出那样的短发。他看起来因为随着年长成熟而更加俊美，青涩褪去生长刚毅之气。他走过来坐在她的床边，俯身握住她的手，放在自己的额头上，说，远音。我们又见面了。真好。

走出酒店准备找餐厅吃饭，夜色弥漫的老街灯笼逐渐亮起。路过布置清雅的茶具店，橱窗的大白瓷花瓶插着樱花树枝，早春樱已萎干。墙壁上挂一幅缂丝，临摹宋图的清雅之意，两只桃，一双燕子，丝线细致讲究。她久久观赏，他嘱咐店里伙计把这幅画包扎起来。又选两只白色小瓷杯，一只描梅花，一只描竹子，让伙计也用白纸包裹起来。他说，这对杯子我收起来留着。下次我们出门，在旅馆房间或者路上自己煮茶喝。

他说，我去上海出差，路过绣花鞋店，给你订做了六双软底缎面鞋，鞋面上分别是孔雀、蝴蝶、鸳鸯、芍药、菊花、梅花的刺绣，想你应该会喜欢。绣花鞋现在涨价，工期需要两个月，店主说做鞋的老工人只剩下两三个，而且年龄也都很老。我想你应该存着一些绣花鞋，以后恐怕很难买到这样舒服的鞋子。

她说，是的。谢谢你。

走过石拱廊桥，餐厅露天摆放的五六张木桌木椅人已坐满。走进室内，房间狭小但摆设洁净。厨房关起木门，正热火朝天地油锅翻炒。一只鱼缸前面，服务生坐在板凳上，一边剥豆一边听电视播放的新闻。天花板上的电风扇呼啦啦转动。木窗敞开，河面光影簌簌，岸边摆放松树盆景和月季花。两个人在边角位置坐下，各自看菜单。他喜欢吃茄子、土豆，每次都想吃到它们。她要应季的螺蛳，西红柿扁尖汤，豆腐。一壶茉莉花茶，两碗米饭。等菜的时候慢慢说话。

她说，净湖，你有些消瘦。
他说，最近我没有去健身房。生意越做越大，有很多压力。孩子开始上幼儿园，事情琐碎。他端起杯子喝口茶水，说，当初不应该结婚。
当初结婚，你对我说，是因为她已怀孕。
后来我知道她是故意的。她怕维系不住我。
但你当时也想结婚，不过是顺水推舟。
因为你从来没有给过我任何希望。远音。我坚持三年，有太多压力。当我问你，我是不是可以结婚，你说，可以。我是难过而赌气的，我的确希望结束游荡的生活，用一种仪式得到内心安定。我以为这样做可以让我不再那么渴望你。

她爱你吗。

在内心深处她对我没有什么兴趣，也没有需求。她更热衷打扮、玩乐、去美容院做按摩、看韩剧、打麻将。打扮成上流社会的模样，和一些女友争奇斗艳好吃懒做。或者说，她无法感知到自己的内心和情感，也无法去理解和探索他人的内心和情感。在她光鲜年轻的躯体之内，空无一物。她跟我在一起，因为我是个男人，可以跟她生孩子，保护和照顾她的生活。

她唯一的作用是作为妻子存在，让这个家以形式维持。但是我已失去耐心。我之前并不知道，与不合适不匹配的对手的结盟，会让生命的能量减损。这决定始终会被对方带来的负面能量逼近。

分床起先是她提的，说怕小孩半夜哭闹影响我休息，试图让我屈服对她俯首听命。但这恰恰不是可以要挟我的方式。分床之后再没有同住，她开始脾气变得很坏。我们之前努力想成为让对方喜欢的人，结婚后却丝毫不避忌成为让对方厌恶的人。人性具备一种边建造边推翻的陋习。

她对情感的需求可能只是一克的标准，只是需要一个家、一个男人、一个孩子存在于身边。唯一的困扰大概是我不和她做爱，但她本身欲望就淡，此事也就可有可无。我的需求是十克。多出来的九克需要去解决。我知道自己没有被满足，也无法得到平息。我总是在寻找。这种寻找并不是贪婪，只是想身心安宁……也许如我这般的男人，不适合与女人结婚。这不是我的方式。

你的方式应该是什么。

我觉得自己不贪婪，但对他人无法生出真切的感情。在天性中，我本能地觉得对感情的嫉妒和占有之心是一种罪恶。我并不喜欢世俗生活。根本上我喜欢男人，喜欢自由自在的关系，也喜欢和你在一起时的宁静与深度。我不必隐藏，你总是敞开地接受我的所有，不管是好的还是坏的，你从不判断，没有分别。没有比这更让人舒适的相处。

我深深思念你。

……

在婚姻中，我真正体认到与世间的女人相处的不易，也因此懂得你的珍贵。我无法割舍，但现在也许弄坏全部……我关心的并不是婚姻，而是生命被卡住。前些日子，又开始在网络上寻找伙伴，这种失败的感觉仿佛倒退回原路。这意味着我这几年所做的一切尝试和改变，都是虚妄。我并没有进步，只是做了一个梦。梦很短暂，醒来后发现自己呆在原地半步都未曾移动。

他的脸上带着一丝失望与惭愧。她伸出手，轻轻抚摸他的手背。

她说，我也许比你更了解你所置身的困境和无奈。但在现实的层面我无法帮助你。如果我还没有能力做到帮助自己，我也无法去帮助你。

他问，你现在过得好吗。

我去印度时已与家庭分居，他们移民去加拿大。我们曾经是复杂的合作机构，现在已正式分开。无爱、有爱，都是自然发生的状态。人要接受。

这个话题我们在印度时就已聊过。

如果我们总是在企图改变、强迫对方，或者改变、强迫自己，这是困难的。生活不是想象或是理想。想象、理想，究其本质几乎全都是人的妄想。对关系的前途来说，不是相爱就可以结婚，也不是结婚了就会相爱，更不是相爱了就会永久。也不是不爱了就可以离婚。它们之间没有条件关系。爱与婚姻，是两套迥然不同的系统和体制。

我已知从外界不可能得到真正的满足。同时意识到与怀玉之间的强烈连接，即便彼此已无男女情爱，却被业力牢牢紧缚。这种互相给予的自由含有慈悲。也许与肉身独占、炽热情爱毫无关系。是责任与照顾，也是一种更为深远的承诺。

现在反而对怀玉与孩子们生起感激之心。虽然家庭与亲人大多是出于业缘而相聚，在今生成为这样的关系，固然是有缺陷的不完美的关系，但这是它应该成为的样子。如果解决不了，只能放下这所有问题，直到它变成没有问题。重要的是尽到责任。

我对怀玉说，如果他有遇见合适的女人，要跟这个人在一起。因为一生很短，必须为快乐与喜悦而活。

那个黄昏，他离开旅馆去湖边咖啡店。店里东西并不好吃，上菜速度很慢，有时多次催促也不来。她坐在靠近墙角的一张小桌子边上，在他的斜对面。黑色头发盘起，肩上包裹薄薄的手织绢丝围巾，背影线条呈现出浑厚已不再是年轻窈窕。他觉得这轮廓在发出讯号，盯着她。她转过脸，眼睛定定看住他，然后起身离开。他担心遗失她的踪迹，等不及咖啡上来，立即跟着走开。

她在前，他在后。他们走上长桥，她的速度并不迅疾，意识到他跟在身后。走过曲折街巷，各种当地细密画店铺、古董店，她在烟摊买当地烟草，卷在干燥的硬叶子当中用细棉线捆绑，不清楚是不是夹裹其他草药。一路走到湖边小广场，孩子们骑自行车嬉戏，金发男子在弹琴唱歌，很多当地人围观。

湖水冲击石阶，远处是湖之宫酒店充满戏剧感的建筑，对岸密密层层累叠民居与旅馆。天空呈现出大雨欲来之前的壮观与阴沉，浓云密布，云团翻滚。周围的人逐渐散去，只剩下他们两个在湖边石阶。她坐下来，拿出一只小型定焦相机快速拍摄几张照片。如果暴雨即刻倾泻，该如何行动，是快速跑到附近小店铺里去躲雨，还是坐着不动干脆淋个湿透。她仿佛知道他心中思虑，侧过脸来对他说，不一定发生你脑袋里盘算的事情。

果然大约十分钟浓云密布之后，云朵退后。太阳露出，灼热光柱倾泻而下，照射在山顶和宫殿。黄昏绚烂的云霞重新涌现，一切回复风平浪静。

他们到加尔各答。走过车水马龙的大街，又走过曲折居民小巷，去看泰戈尔故居。大诗人住在一处清幽华贵的园林大宅之中。脱去鞋子，踩上露台上的青石板，卷起遮阳帘，房间中央放一张空床，诗人晚年在这张床上去世。他在这个居所写下许多充满哲思和神性的诗句。

站在阳台上看着烈日暑气之下绿树成荫、种满奇花异草的花园，马路外面是喧嚣杂乱的城市。他说，即便身处乐园，人仍在走向不可避免的衰老和死亡。她说，这有什么可怕。至少这一刻你还在闻着风中的花香，享受这个奇幻而美妙的花园。

他说，我在这趟旅途出发之前，觉得不知道如何继续走下去。父亲希望我能健康地生活，但我不知道健康是什么样的标准。是应该有一个爱人，有孩子，有婚姻，有家庭吗，还是能够认知到神认知到真理，能够熄灭自己的欲望和迷惘。

有时我渴望孤身一人去荒芜无人的大森林里居住，不说话，不与任何机器和陌生人打交道，晚上入睡之前给你写封信，记下心里发生过的感受与心念。我不想活得很久，六十岁大概已足够。不想白发稀少，年老色衰，成为一堆干枯的皮囊坐吃等死。老去是无聊而乏味的事，我害怕。怕来不及。

她说，生命怎么可能自主把握，疾病都不能够，哪个不是说倒就倒。现在很多人的活法，好像是觉得永远不会死去。他们囤积、建造、挥霍，处心积虑谋求永恒的权力、声名、享受和财富。他们觉得自己不会死。

我看对死亡态度比较清醒的人大概有两种活法，一种是今朝有酒今朝醉，彻底地放纵，好像明天就要死去，总是高高兴兴，稀里糊涂。一种是认认真真做事，对人很好，什么都收拾干净，尽量不留后悔，放下所谓的骄傲。一个知道要走的人，最重要的事情肯定是收拾与打包行李。他所有目的都是为了再出发，而不是一直忙着装修旅馆房间，添置家具。

她说，那天我在街头看到路边小摊收摊，一对男女带着他们的孩子，皮肤很黑，穿塑胶拖鞋，男人手里拿一把蔬菜，孩子在女人的怀里入睡。三个人都很瘦弱，看起来不太健康。但他们之间的对答相处与所有地方的夫妇一样，结束生意，准备回家做饭。底层的人们没有讲究的食物、舒适的住房。但不管富人还是穷人，这种模式是人在土地上最安心的肉身归宿。

我因此意识到，各个地区的文明再有差异，贫富再如何悬殊，人最终由相同的质地组成，以相同的模式在生活。我们所有人都被限制在物质的囚笼里面。期待与恐惧，需索与依赖，占有与贪婪，心的运作与循环模式都是一样。

4

回到房间他去卫生间冲澡，全身赤裸地走出来，并不避讳在她面前暴露出身体。一贯如此，睡觉也不爱穿衣服。大概只有觉得自己身材完美的人，才会肆无忌惮地在别人面前如此暴露。他知道自己长得美。仿佛只是借用父母不相关的身体，独立创造出自从前携带而来的脸和身体。

太过俊美的人，总是会有些其他的不如意。他不算脚踏实地的人，只是努力维持家族生意，性格里终有一种孤傲和凉薄。又钟情男子，即便也可以接受女人。无法在这个世间找到身心安定的一块踏实地方，只是随波逐流。难以与他人建立起稳定与持久的关系。他没有归宿。

他从背后抱住她，把脸埋在她的颈窝里，轻轻嗅闻她头发的气味。把她转过来亲吻她，一如既往地赞美她。你的身体是女人里面我唯一喜欢的。他低声嘀咕用手心感受她的皮肤，仿佛永远在第一次碰触她。我喜欢跟你做爱。这么多年还没有厌倦，为什么，你是不是下了魔咒给我。

他的脸贴在她的耳朵边，她听到他潮水退却之后的呼吸。欢爱稍纵即逝。他起身去卫生间冲洗，里面传来水声。房间里流荡一股挟带花香的夜风。江南的夜晚，湿润，温软，令人心生颓唐。身体余留的喜悦还在震荡，是他留下的热量。身体轻盈通透好像被洗刷过一遍。她穿上他的白色 T 恤，身高一米八二净湖的衣服，套在她身上，下摆拖到大腿位置。走到窗边，推开木窗，点燃一根烟。

不远处隐约传来昆曲的唱腔，是昆曲剧社里晚上的正式演出。明天他们会一起去看演出，午后开场。她仔细分辨，听出唱的是《牡丹亭》的"寻梦"，"睡荼蘼抓住裙钗线……"丝竹的声音和宛转的低吟，低低幽幽一路蜿蜒而来。夜色中的泡桐树此刻被灯光照亮，枝叶伸展有致，一串串淡紫色壮硕花朵垂坠。仿佛是此刻最繁盛的一个幻梦。

只得到欢愉的性行为不符合人类宏观的秩序，在某种意义上会被归类于空虚。觉得伤感的是，他们之间的所有只是互相赠予，不曾互相属于和一起创造。是两条不离不弃的平行线。这一刻，现实和物质的世界似乎被推开显得遥远。而曾经交换过生命力的身体在死去之时，还能留住对彼此的记忆吗。

半夜她醒来，发现他按照原有的习惯背过身去蜷成一团。他睡眠安静，没有声息。她靠过去抱住他健硕暖热的背，肚腹裹住他的臀部，两个人的身体贴成两柄勺子。他在模糊中意识到她的贴近，把身体后倾与她贴合得更紧密。她抚摸他的耳朵，略有些粗硬的短发。他喜欢与她同床共眠，先彼此拥抱然后各自分开，有一只手拉在一起，或者把一只脚与对方相触。

他说，以前我觉得对做爱灵敏和控制有度，仿佛是一种天性。如同一台机器，精确的情感总带有抽离。即便在最欢愉的时刻，依然停留在隔绝之中。只有我们彼此的身体交换律动和喜悦，也交换至深的软弱和羞耻。我在你面前彻底打开自己，有时几近忘记自己。

人生不免看起来荒诞，充满敷衍了事和勉强的屈就。荒诞还在于我们从来不曾想过撕破谎言和虚伪，而总是试图暗示自己一切正常。真实有时并非生活的常态，也不归属秩序或道德的行列。甚至不是一种合理化的可以让人接受的存在。但这是真实。

她说，现在抱住我，让我们入睡，让心和脑袋都停息下来。你闻到空气中的花香吗，知道这是什么花吗。

也许是紫藤花。

不是。

栀子或者茉莉吗……闻起来不像。

是我喜欢的泡桐花。等天亮，我们吃完早餐带你去看。现在睡吧。

晚安，净湖。

晚安，远音。

5

净湖。她轻轻唤他，抚摸他的眉间、眼皮、鼻梁、嘴唇，顺延到下巴。他睡在她身边，侧向她的脸俊美洁净，微微皱着眉心，唇角略噘起，像个童年期的男孩。半睡半醒，睁开眼睛，看到她俯向他的面容。外面天色已亮。她说，来，起床，让我们出去晒晒太阳，随便走走。

泡桐树从白墙之内探出身来，地上铺满整朵落花。她微微跳跃向前走去，小心捡起一朵新鲜的落花，对他说，你闻一下，这是我喜欢的味道。他把她递过来的花朵放在鼻端嗅闻，放进衣服口袋，说，我替你留着它。她说，好。

她比他年长，但在他身边像一个同龄的人。也许是身上没有烟火气，言行举止正直单纯。她是那种随着年岁会越来越有滋味的女人。如果仔细看，面容固然镌刻下岁月的印痕，但一双眼睛仍然清澈闪亮。是谁说的，一个人的衰老是从眼睛开始。她的眼睛还如同少女。她的面容有时候看起来很美，仿佛会发出光来，有时候显得非常普通，丢进人堆里没有人会注意。她脸部的轮廓和神态会变化。

她无法看到自己走路、说话、微笑、沉静时候的样子。她不知道自己在他心里是什么样的存在。

他们去狮子林。他渴望像普通恋人一样拉起她的手，这样的时刻他意识到隐秘而强烈的挣扎。这里是旅游地，也许会遇见熟人。有家庭的他与比自己大很多的女子在一起，这恋情不能被人知道，也会伤害其他人。走在路上她有时与他并肩，有时故意一前一后，保持半米左右若离若即的距离。她不表示介意，她接受现实。

走进正门，厅堂前院摆放四盆大型杜鹃盆景，花色蓬勃艳丽衬托古老的银杏。青石板地，木结构建筑，她看东西仔细，慢慢流连。走过长而曲折的回廊，来到花园边角一间小小的石头建筑。注解写着，这是以前庄园主人用来参禅的房间。走到里面静寂无人，她突然凑近他轻声说，我的胸罩后背钩子松了。你帮我重新扣紧。

花园洞门已进来一组美国旅行团，聚集在院子里听导游解说石林。他们两个在小禅房里，他把手伸进她的衬衣，撩起后背衣服，雪白的背部赤裸出来。他寻找细小的暗扣，手心有汗，摸索很久才把扣子对上。这个过程中，近在咫尺的窗外是大堆人群和他们的声响。这间荒冷的屋子里似乎仍聚集禅定的能量。对比如此紧迫，让他有浑身汗毛凛然竖起的感觉。

她轻声安抚他，不要慌张，没有事。他的双手退出来，重新把她衬衣背面整理好。他意识到他们并不隐蔽，外面的人看到屋内的情况非常清楚。也许有人看见屋子里面他们的举动，一个男人撩起女人的衬衣后背，给她系胸罩扣子。她不慌不乱，面色镇定。

他们互相捆绑，逼近爱欲的边缘，临着一面悬崖，底下空无不可测量。他轻声问她，远音，我们是有罪孽的吗，我们的感情是错误的吗。这是他发自内心的惶惑。她看着他，眼睛黑白分明，凛凛发光。转过身去默默走到前面，当作没有听到。

她走到湖边假山旁边，站在一棵低垂的大樱花树下。烂漫白色的垂枝樱差不多已到尾声，地上全是细碎花瓣。她说，看到花期的尾声也不错。这是它的一部分。它已尽力过了。他们在树下的座椅坐下来，看着从花枝缝隙中渗透进来的阳光。地面上花影舞动。

他说，我好像并不是很喜欢孩子。有时会觉得缺乏耐心，渴望独处。一些时候对他产生怜悯，他来到这个家庭，我与他的母亲不是统一的人，也不能和谐共处。但有时我想，还有更多的孩子出生于贫穷的家庭，动乱的国家，死于战争、传染病、灾难、饥饿，能身体健康而顺利长大的孩子都已算是幸运。人类的社会并没有完美的处境与设定。

她说，孩子幼小时我也精心照顾他们，为此牺牲个人生活。他们长大以后我并不牵挂。他们带着种子来到人世，有注定的轨道和因缘，能自在生长就好，不需要总是与父母捆绑在一起。这是父母的自私。虽然我也想陪伴他们长大，但这个家庭缘分如此，父母无法相爱，只能接受这样的安排。每个人都需要独立地生长。孩子需要，成人也需要。

如果换到现在还没有孩子，我就不会再要。选择不生养孩子也是一种清净。人因为各种各样的原因，主动或被动地与新的生命联上关系，是被轮回挟制。成年人把孩子当成对自己僵化生命的拯救、对生活的希望或改善关系的工具，这是可耻的。人负有对自己的责任，哪怕是在困难的状况下，而不是习惯性地采用逃避自己、期望他人的方式。

我们以为爱他们，希望不让孩子重复过往经历，但往往最后的结果是，他们会遗传我们的模式。成人曾经背负的，孩子原封不动再背负一次，遭受同样的业力。人与人之间传递的力量十分强大。

他说，这也是我害怕的，孩子有一个看起来貌美但痴迷于吃喝玩乐、性格肤浅而幼稚的母亲，一个把所有精力都投注在工作上、表面成功但内心总在潜逃的父亲。我不敢要第二个孩子。

她说，成年人自己需要完成的功课已经很多。

她说，我们跟别人的关系，是心的投射。心还未降服，很有力气自相对立，没有学会真正的和解。你妻子是你的一面镜子，而我是你心中的一个幻想。我们无法解脱人我关系，总是需要对方，需要来自他人的印证。就好像这么多年，我和你，和其他人的关系，以及他们给予我们的影响。我们成为怎样的人，是在别人的生命里得到回音。

但是我们留在原地在耽搁什么，奢望什么。远音，也许我们早该停止所有，开始新的生活。

新的生活是什么样的生活，净湖。到处旅行吗，去非洲或者南美洲，去一切有异域风情和新奇感受的地方，还是搭建我们的居所，在一起朝朝暮暮重新开始生儿育女。像所有所谓幸福的模式，在好的餐厅吃饭，去海外购物，送孩子去私立学校，开派对招待朋友，遵循所谓的中产阶级沾沾自喜画地为牢的生活模式。还是两个人浪迹天涯。如果我们没有信念。我对俗世的一切没有丝毫兴趣。

有时我会产生一种心慌或惶恐的预感。不知道要发生什么。这么多年我总在你身边，你对我太有把握。你认为我会一直在。

不要担心未来。记得不要去想未来的事情。

她说，我是个执着的人。即便在成功的时候，也不知道如何敏锐灵巧地讨好别人，协调好外部世界的种种力量，懂得什么时候说什么样的话，知道什么对自己有利，或者如何故意去示弱或进攻……有些人天生就有办法。但我没有用这样的方式对待过世界，对待过别人。这不是我与生俱有的。直接的力量也许成就我的事业，也让我在情感关系中失败。

最致命的一点是，我对感情的认知是缺乏的。但我生性乐观，总觉得某些时刻看起来很艰难，但最终的结果应该是正确的，是好的。

是这样吗。
希望是这样。

他们边走路边说话，已穿过所有的曲径通幽，走出狮子林。洞门之外是被改造的新世界，商铺的劣质喇叭播放流行歌曲、电子音乐，灰尘飞舞的空气弥漫着焦躁和贫瘠。一个气定神闲、古雅静谧的时代在园子里已终结。必须置身前往的是未知。

6

在东京。她为慈善机构做项目，洽谈处理事务停留三个月。住在赤坂的酒店。楼下是树荫浓密的花园，一条有坡度的青石小路，两侧枫树的经霜红叶覆盖台阶。这个国度的人做什么事都小心翼翼，尽善尽美，保持着微微警惕。也许是孤岛在大海中受到的限制和无常，意识到变故不可测算。只能努力在活着时尽享其中生机。

哪怕只是一份简单的午餐便食，洁净的食物细心点缀清雅应季的花草。一杯绿色芳香的茶汤，蕴含无尽的敬意和洞明。她喜欢这种认真活着的气氛。认真活着代表无惧生死，这也许和禅宗、武士道的传统有关系。

走出酒店是主干大马路，两侧密密麻麻的药品店，服装店。经过巨大的游戏机游乐场，抵达地铁。游戏机厅灯火通明，声音嘈杂，并不骚扰街边行人。外面空地有一处抽烟聚集地，一些西装革履提着公文包的男人，以及穿黑丝袜高跟鞋黑裙的长发披肩的女子，挎着奢侈牌子皮包，涂红唇，站在一侧面带疲色地吸烟。

不管走到哪里，她知道所见的都是众生平淡而坎坷的生涯。一些人平顺，未曾被大风大浪席卷，不过是普通人和普通人，维持普通感情，过完普通的一生。那些不断被冲击被摧毁着的人，他们埋藏着自己所遭受的命运。很多人的故事未尝不是惊心动魄的戏剧，只是习惯守口如瓶。

她已掌握东京的地下铁，路线从地图上看如同蜘蛛网复杂交错，其实相当便利。可以倒换线路，去往地图上任一地方。没有人多看她一眼。没有人知道她来自哪里，去往何方。她在人群中微渺而安全。所有的历史、过往消失，被遗忘以及销声匿迹是一种自由。从浅草地铁车站走上街道，这一带没有中心区域的摩登，却保留浓厚旧日气氛。房屋多为传统式样，路上空寂。御前町的店铺大部分没有开，米酒铺早早营业，出售大木桶装的加热甜酒酿。她要一纸杯热米酒，与过路的行人站在寒意凛冽的初冬早晨的街头，喝完之后走进寺院。

直奔大殿。几枚硬币洒在大木箱子木隔条上，发出清脆的滚动声音，人们过来占卜问卦。透过木头窗棂，看到陈设洁净华丽的佛堂，四位僧人在做仪式，两位诵经，一位年龄大的在前面主持仪式，年轻僧人在旁边跪坐着击鼓。十几位神情专注的信众跪坐在榻榻米上参与。她绕到进口，看到门边有牌子写着，"游客不许进入"。是怕游客出于爱热闹的心态，进去之后喧杂吵闹。她对看护的老人致意，用眼神询问。老人看她一眼，以为她是本地人，点点头允许她进去。

脱掉鞋子，踩过空旷的榻榻米，经过击鼓的僧人，走入当地人的队伍，与他们一起静静聆听。香炉里点燃着白檀香。诵经持续四十分钟，敲击的鼓声带来安宁。仪式结束之后僧人们起身先离开。信众轮流走到前面，把香灰捻到香炉里，合掌祈祷。她故意留在最后。等轮到她上前，周围已空无一人。她刚好可以独自在这个佛殿里静心。

相会。所有的相会都不是孤立的，是由无法计量和数算的时间和空间所交叠和推动。

比如两个人之间的相遇，之前他们经历各自漫长而不相知的旅途，但在没有任何预知的节点，看见对方，眼神碰触。各自隐藏在躯体之中的灵魂发出光波，识别出对方的频率。为这个等待他们也许已轮回转世无数个世代。

有时，这种相会也发生在荒诞的时刻。男人心烦意乱，在超市门口突然兴起偷走一辆汽车，汽车里刚好有被父母遗漏的一个孩子，他们本来想带着男孩走，但想着进去买包尿不湿不过十分钟，轻省些也无妨。区区十分钟，改变很多人的命运。男人被孩子的哭叫刺激得惶恐无比，于是扼杀孩子。孩子失去生命。男人将被处决。

决定买一张登上热气球的票不过两三分钟，但热气球升上空中，突然失火爆炸，所有买票进入的乘客就此丧命。而在那个两三分钟里决定放弃登上热气球，只在原地休息的人，余生是否为这个随机决定得到当头棒喝般的顿悟。

生命里充满如此之多无法归类和想象的节点。这些节点穿越深邃的时空而来，不是一时兴起。即便是再唯物和理性的人，在某些瞬间也会感觉到对一些现象与发生的不可把握，及无法控制。

亚瑟曾经对她说，人所遭遇的、发生的、得到的，这所谓的命运，是自己无数世无数次所选择的身口意的汇总。

最后一次见到亚瑟。她大学即将毕业，决定与恋人回归东方，准备去香港。亚瑟住在中央车站附近的酒店。她去找他，电梯到十二层，走到尽头，左侧一间房门半开。他在卫生间里冲澡，她走进去坐在他的床上，看到玻璃窗对着外面摩天大楼，光线阴暗。床上放着深灰色帆布包，一本波斯诗人鲁米的诗集，安眠药，黑色丝绒面的笔记本和钢笔。

他穿着白色浴衣走出来。他剃了头，面色苍白，眼神平和，整个人仿佛被剥掉一层硬壳。曾经他是有天赋的艺术家，有力而复杂，散发与天分互相纠缠的戾气。现在有人在他的心上打开一扇门，放掉里面重重堆积的障碍和困难。同时，也放掉了那股猛烈的力量。

他如释重负，坦然明朗，但也显出软弱。这个曾经一早起来需要先给自己倒上一大杯威士忌的男人变了。他当着她的面脱下浴衣，穿上白色细麻衬衣，卡其长裤，仍光着脚，有些笨拙地亲吻一下她的头顶。她看到他的深蓝色眼珠颜色变浅，那是因为他变老的原因吗。自从艾伦不告而别，他再没有得到过情人。

他感应到她在想起艾伦，说，艾伦已死。他有抑郁症，反复发病，治不好。去年冬天，大概在凌晨四五点，他在浴室里用一根睡衣带子把自己吊死。

她说，如果早知道这样的结局，你们会不会对彼此好一些。

不可能。每个人都有各自的问题，性格、心理、认知上的，我们用惯性的模式对待彼此。如果自己有问题，即便遇见再好的人也扛不住这份感情。好的感情需要身心干净的容器。

你们有什么问题。

我们是两个病人，都很自私，却苛求自己和彼此的完美，这不是很奇怪吗。像两个残疾人却认为应该在一起飞奔。结局本该如此。在艰难的时刻，大部分人会选择为逃避内心折磨而后退。

与对方无法相爱时，人们互相隔离，把对方看成有侵略性的，危险的，无法掌控的，需要控制和征服的。同时也会孜孜以求地谋取物质、权力、金钱、声名。这些是无爱的替代品。没有它们，内心更加孤独。

他说，我最近读很多书，东方的《易经》、儒释道，萨满、吠檀多哲学，佛教上座部、禅宗、金刚乘……都有涉猎。我像海绵一般地吸收，试图让心饱满、充足，但并没有什么企图或目标。只是想用纯粹的学习与自己交流。我在花园里种植大麻、无花果、睡莲，禅坐，散步，做好吃的食物。有时躺在浴缸里昏睡。戒掉酗酒但觉得了无生趣。

这一切还不能满足那颗心吗。

不知道哪里出了问题。也许我的头脑曾经被沾染太多经验与智识。如果我是个什么也不懂的空白而单纯的人反而更好。以前我太有想法被头脑控制，现在要努力清除不是那么容易。最重要的是，我始终没有学会如何去爱。

艺术对你来说已完全没有帮助吗。

在世俗环境中，大部分的教育、规劝、告诫、暗示、宣告，都是意图让人忘记自己的本性，成为自动化机器般的存在。有时想想，这种存在太困难。物质世界是个囚笼，粗重而限制，灵魂不能突破。人留下来的都是灵魂挣扎的痕迹。我曾经以为艺术可以解决人的精神问题，后来发现它止于一步之遥。它是不究竟的。也许它包含人试图触及神性的动力和欲望，但即便触及也是昙花一现，稍纵即逝。艺术呈现在性、死亡、各种妄想和幻想之中，有时不过是充分展现人类的无知和傲慢。这些灵魂挣扎的痕迹没有什么希望。人需要直接的启示。

如何得到这些启示。

不回避痛苦，不欺骗别人也不自欺。在一切行经过的痛苦中获得转化。就像里尔克的诗写道：什么是你最痛苦的经验，若尝得饮之苦，就化为酒。

他说已联系到一家禅修中心，想去学习三个月。

她说，我现在不能接受宗教哲学的任何观点。我只想在现实中以生活去解决问题。

那是因为你年轻。你以后会发现，现实与生活本身无法解决我们在心灵上的任何问题。它们只是一种检验工具，不具备突破的力量。更不是目标。

那你准备如何生活，亚瑟。你的前半生已过。

我应该已经晚了。他冷静地看着她，我已没有时间，根本上是缺乏勇气。人生虽然是一场梦，但每个人都还是在郑重其事地演出。我并没有勇气把假戏当作真，所以我失败了。

他拿起一串旧的项链，说，这是小时候发现在家里一直都有的，母亲后来把它送给我。我觉得这串项链应该来自喜马拉雅地区某个被吞并的古老王国，以前是皇族用品。这颗古老的乌兰花松石看起来十分珍贵。我送给你，当作你的成年礼物。

那天她穿着一条白色绢丝连衣裙，试着戴上项链。他说，太美了。它适合你。它是你前生的信物。他脱下手腕上那只羽毛银镯，说，这只手镯也可以送给你。这位印第安酋长已去世，他曾经说，在活着每一天，我们都应该感谢地球母亲，感谢大地，感谢万物。感谢自己从其他生命中所获取的一切。人类如果能够懂得知足，这是至高的美德。有智慧的老人们正在纷纷离开这个世间。

她说，你继续戴着它吧。让它跟你走。

晚上，他们去街上看国庆烟花表演。夜色降临，城中大桥上人山人海。烟花此起彼伏，腾空时发出璀璨光亮。大风猛烈，她的长发被吹得盖住脸颊。即便挤在人群之中，她仍闻到他肩膀上的衬衣散发出一股气息，那是她小时候所熟悉的无花果与海盐气味的古龙水，混合着他的热汗、皮肤的气味。现在他五十岁，耳鬓边生出白发。

他们即将要告别。虽然她爱他。

他说，你从来没有问起过你的父母和来处。我现在应该告诉你。你已成人，可以自主选择生活。你的血统来自喜马拉雅山麓。她说，我不想知道。事实上我一点都不关心我从哪里来、属于哪里。我只想做地球上的一个人类。我不需要故乡。我没有这些限制。

他说，你能做得比我更彻底。

他说，灵魂深受肉身的局限。有时这是消极的感受。早晨醒来，觉得沮丧，有失败感。在盥洗室里，闻到肉身在逐渐衰败的气味。有时晚上不敢入睡，觉得时间过得太快，时间一刻不停。如同半夜听到没有彻底关上的水龙头，发出滴滴答答的声响，提醒时间在流逝着。

人分成两类，有些人为了身体而活，相信身体一旦死亡就一无所有。有些人为了以身体为容器的心性而活，知道死亡并不是终止，而是开启又一次的轮回。这种区别，使每个人对待过去、当下、未来的看法不同。计划和准备不同，心中的目标也不同。

但是直到现在，我仍不知道如何面对生老病死，在这个不确定的世界面前，得到可凭靠的信念。我尝试过真实而努力地活，虽然对自己的挑战不是那么容易。不一定绝对会获得成功。现在是你应该要出发的时候。

我想赠送你一段诗句：假设自己已经死去，生命已经结束，此后的岁月都是神额外恩赐给你的。那么好好地活下去吧。让生活合乎你的本性。

亚瑟回去西海岸。一个冬天的早晨，他躺在卧室里去世。

也许是心脏疾病突发，他穿着睡衣，手腕上戴着银镯，床上摊开阅读到一半的鲁米的诗集。墙壁上那台庞大的液晶电视机在播出当地频道，两位主持人持续不断地播报新闻、天气预报、球赛信息。电视机的声音很轻，蓝光照在他的脸上。他看起来像是睡着了。

7

有时她会想起一万公里之外，地球的某端，某个小镇，想起清晨冷的空气，树木的香气，碗里的樱桃，洗衣机的声音，走上楼梯时一盏一盏摁掉的灯。这些记忆的碎片，仿佛是前生与亚瑟一起度过的日子。大多数时候她不回忆这一切。未来不需要去想。过去同样也是如此。她成为这样的一个女人，不害怕黑，不害怕告别，不害怕难过。也不害怕破碎的事物。

年轻时，情欲炽烈，叛逆不羁，喜欢口红、香水、刺青、美丽衣衫，沉沦于与不同异性的饱足情爱。眼耳鼻舌身意期待极限的开发和感受，恨不得身心投注于欲望，像火焰熊熊燃烧，被烧灼得遍体鳞伤在所不惜。心甘情愿、放任不羁，领会世界的幻梦颠倒。

她对感情有过的强烈执念，也许是亚瑟对她产生过的影响。她总觉得人不能最终被困惑击垮，并且产生真正的绝望。当人受苦必须置身其中，而不试图逃避。如同反复敲打一块黯淡失色的金片，锤炼它，令它闪烁和提纯。她通过自己的脚步一点一点确认，这其中的代价巨大。想起曾经为此痛苦得夜不能寐，如今看来也是荒诞。但这是艰难的成长。

是何时才能够拥有体会和理解无常的能力。或许是在很多年之后，在威尼斯的孤岛上探出窗外吹到狂风，在鹿港的龙山寺看到偈子，在孟买的旅馆房间里与净湖相对。不知不觉一路穿过崇山峻岭，这些不同时地出现的男人给予她深刻的认知，在关系中，她对男女情爱的幻觉和欲求被捣烂，清除得非常干净。

净湖给她发信息，远音，明天上午我要回去一次老家。这次我坐高铁去，刚开通的直达路线。老家回来之后我商议离婚。你可以保持原地不动，但我的人生需要纠错。人的时间不多，犹豫不决令我痛苦。

那年秋天，他们开车去古老的村庄。净湖开车技术好，有体力，他们开着一辆越野车去旅行。有时她在副驾驶座上睡着，知道醒来的时候他仍在她的身边。有时他觉得疲惫，她给他点一根烟，自己也点一根。他们在车里抽烟，打开窗，听着风哗哗吹过的声音。车子在高速公路上疾驶，经过山岭、田野、村庄，经过长长的山洞隧道。空空荡荡的隧道，只有一辆车。某种迷幻的情绪，时间像大海涌动。他们浸泡在无常中，不知道已走到哪里。

途中吃饭，在山间村庄的小饭馆，她要一杯农家自泡的杨梅酒，点当季的野菜，河虾，清蒸白鱼。鱼刺很多，他把鱼肉里的刺耐心拔取干净，用筷子夹到她的碗里。她剥花生壳，小口喝酒，看起来怡然自得的喜悦。在旅途中她是无可替代的旅伴，不挑三拣四，不嫌弃拣择，微小的乐趣与美感全都感知。没有抱怨，没有分别。

抵达村庄，村口有一条长长的石桥，尽头是一株千年银杏，枝叶像金黄色大伞撑开。天突然下起暴雨，他撑伞举在她的身上，自己半边身子被打湿。订的旅馆有人出来接，拿着他们两个人的行李背包，把他们往村子里面带。走在泥泞的石板路上，滂沱大雨。走到一处老宅，打开门只见庭院深深。

房间在三层顶楼的角落，明清时代的老宅改造。房间里有一张红木架子床，纯木屋顶，纯木地板，看起来幽暗而古旧。他们先热水冲澡，换上干净衣服。暂时也不能出门，停留在这间宅邸，不清楚这房间里面住过谁，死过谁，也许变迁过无数生离死别的故事。现在，他们被缘分牵引来到这里，共住一晚。她坐在床上，他开始抚摸她，脱掉她的衣服与她相连。

雨声潺潺，白色床幔晃动。那一次做爱时间格外长久，她的高潮来得与往日不同，钝重有力，在身体内部爆开，一股暖融能量直接涌上顶门。她在这强烈的震动中，接近昏睡般失去知觉。等她醒来，发现他们依旧拥抱在一起。窗外雨声渐停，阳光透过纸窗洒在地板上，已是黄昏。她用手指抚摸他的下巴、脖子，他醒来，睁开眼睛，看着她如丝的漆黑长发披散在枕头上的样子。

此刻失去语言只有无尽的静默。仿佛死亡的神圣与宁静在彼此之间降临。他用手捧住她的脸，深切地凝望她，看着她已显露出沧桑之色的面容。他说，我看到你年少时候的模样。你光着脚从楼梯跑下来，穿过厨房，推开木门，跑到花园。阳光打在你洁白的额头上、闪闪发光宝石般的眼睛上。那个时刻我还没有出生。

好像为了隐藏内心某种无法克制的悲伤。他从床上起来，走向窗边。他说，你闻到空气中的花香吗。你知道这是什么花吗。她说，也许是桂花。南方秋天，这是最常见的花。他推开纸窗，站在那里点一支烟。他在她面前习惯全身赤裸。他知道自己长得美。高大匀称的身材，一对浓黑的剑眉，眼睫毛长而密实，鼻唇俊秀。这样美的躯壳他并不曾利用它谋生，只是携带这具皮囊漫不经心游荡世间。

此刻他肌肉饱满的健壮的身体，在暮色中显得如此完美。臀部曲线，长而结实的双腿，光滑的栗色皮肤。她觉得应该用相机拍摄，为他留下一幅永久定格时光的黑白照片。但他站在那里已是完整的永恒。她无法移动半步，只是默默看着他。

然后他说，远音，过来看，那边有一道彩虹。

有一年圣诞节，她去深圳看他。她第一次来到这个南方城市，对它陌生并且毫无感触。但是他在这里生活与工作，他渴望她离他的现实近一些，再近一些。他给她预定的五星级豪华酒店，房间宽敞而华美，站在露台阳台能够远眺山影和大海。她在那里住了四天。

他去公司的时候，她独自在房间里读书，在露台默默坐着看天空云团变幻。有时走到附近的购物中心，去地下超市买水果、矿泉水、酸奶和浴盐。街上是强壮而常青的热带植物，所有的一切看起来都很新，但是没有历史。这让她不习惯。她喜欢古老的地方。哪怕古老的事物总是带着损伤和落魄。

他带她去海鲜餐厅吃昂贵的食物，开车带她去山上游玩。以前他们去旅行，住在县城，酒店条件差，房间面积很大，但家具简陋设施陈旧。她走进去，先参观一下，说，啊，有一个露台改造的卫生间，朝南的，透过玻璃窗可以看着风景淋浴。对她来说，豪华酒店能住，廉价旅馆也能住，在哪里都是气定神闲。这也是她身上让他觉得舒适的特质。她不执着自我，什么样的处境都可以接受。

那时他孩子出生，刚满周岁，她仍独自生活。她看出他很忙碌，说，你不用总是陪着我。我一个人在这里也很好。有空你过来，我们说说话。他也许是对婚姻已感觉极不适应，还有孩子出生带来的种种烦扰，反而觉得在她身边是最舒服的状态。或许是疲惫，或许是放松，他常在她身边沉睡。

醒来时已是深夜。他们下楼，走过黑黝黝的树荫浓密的人行道，在潮湿而暑热的天气中，去街边的粥店吃虾蟹粥。粥上来之后先喝功夫茶，小盏乌龙，有盐水煮花生和酸豇豆。然后大砂锅的生滚粥端上来。她盛出两碗，要一瓶冰啤酒。坐在露天木桌子边上，两边是菠萝蜜树，电风扇哗啦啦吹起来。她穿着白色短袖衬衣，绿色长裙，中分黑发在背后扎成一束露出前额。她的眼角有细细的皱纹并柔和地下垂，脸上呈现出松弛的轮廓，有时显出疲色老态。但眼神明洁仍如同湖波秋水。

他说，远音，想到你在慢慢老去，我觉得难受。

她说，我已经老了。但我很少去记年龄。跟你在一起的时候，觉得我们是一样大的。我意识不到比你大十三岁。

你为什么一直到现在，仍出现在我的身边。

也许因为你需要我。

我总觉得你出现在我身边，有一种深远的含义。

也许我们都已忘却，需要慢慢回忆起这个含义。

她说，我们希望给身边的事物做下界定，是恐惧无法去把握它们。时间有概念，但本质上可能并不存在。地球上不同时区的人，有不同的时间计算方法，比如东京比北京快一个小时。时间的速度有时以我们的心做标准。喜悦的时候它很快，焦虑的时候它很慢。当我们看到喜马拉雅山上的雪峰与月亮互相映照的一瞬间，时间也许是永恒的。

最近我在阅读一本书，好像是没有发表过的文字，但并不隐藏。有人打印出来阅读，我在咖啡店里捡到它。它以这样的方式漂流人世，有人读完把它传给下一位。它已经很旧。

写了什么。

一个人的生活，看起来是完全虚拟的。只有一处地点清晰，我想去趟不丹。

小说和故事怎么能够当真。

她看着夜色中的灯火阑珊，喝一口茶水。说，我在变化的肉身之中，慢慢认知到有些事物是永恒不变的。比如，五岁时的我曾怎样观察过这个世界，被一只在花园中飞旋的蝴蝶吸引视线，现在也是一样。曾如何俯身去嗅闻一朵玫瑰的芳香，离开肉身的我，也会以同样的纯洁的爱慕之心观望它。心识不变，只是不停转换居所。当我想到这些，觉得时间好像停住。阅读这本书，常有这样的感受。

亚瑟叫我过符合本性的生活，也许我在其中看到自己的本性。我们每一个人都渴望符合本性地生活，却又经常会发现，正在做的是与它相悖的事情。

他说，在印度，跟你如影相形，片刻的分离都让我觉得无法适应。这是我们两个人在一起时才有的感觉。在我们的世界中没有任何大事。之前那些年，我们有时相聚，我害怕离开你的时刻，只能坐上飞机回去原有的生活，这场景与我们在印度孟买机场分别时一模一样。这种无奈一直在轮回。我们不能长久共同生活。

每次在车站或机场告别，我必须再次回归到孤独之中，切换情绪的频道。我被你训练成一个有弹性的人。你想让我感觉情绪并不真实。

有一次，你先离开去车站，让我在旅馆里再休息一会。我记得你关上门之后，房间里突然一片沉寂。这沉寂让我心慌。阳光斑驳晒到枕边，晃耀我的眼睛。床单上有你留下的四五根细细的发丝，很长，你的头发已长到腰际。我把这漆黑的发丝缠在手指上，它纤细而坚韧，掐紧我的肌肤。我体会到心如刀绞的悲哀。这种悲哀难道也是不真实的吗。

在深圳，我工作、应酬、交际、会议，尽量扎根在现实中获得慰藉，但我清楚，扎根的现实没有提供任何养分，除了让我貌似成功富裕地活着。我并没有生长。

我想离婚，和你在一起。我已无法忍受这种分裂的不统一的生活。我难道不能过符合本性的生活吗。

这不能是为我而发生的决定。净湖。这只能是为你自己而发生的决定。你明白我的意思吗。

明白。你要我为自己的生命负责。而不是为逃避寻找借口。有时候你看起来这样独立，仿佛不需要他人。男人的角色可有可无。他们也许觉得情感对你来说不重要。

我需要你，也需要怀玉和孩子们。但这不意味着我们必须彼此依赖和捆绑。我想我们更应该依傍自己。没有人可以为他人而活着。

你真的从来没有想过和我一起生活吗。

我没有想过一定要这样。我们相爱，这已足够。

她说，我对你感觉内疚。我经历过婚姻、家庭、孩子，知道这是怎么一回事情，却仍允许你这样去做。我不想对你说这不值得尝试。因为阻止你去尝试是不公平的。我甚至侥幸地想，或许你就能够得到幸福。但事实证明这些的确是一个圈套。目前这样，或许是生活给予的它认为合理的安排。我不能长久在你身边。我不想在深圳生活，不想成为你的妻子，不想成为新的孩子的母亲。我老了，净湖。我想自由自在、单纯而安静地生活。我想只为自己的独立而活着。

那你仍愿意来见我的原因是什么。

我在意你的本性，在意我的本性。我们两个，能够用各自的本性相爱。这并不是所有的人都可以做到。也和未来或者迷恋没有关系。也许在别的女人的心目中，你是一个英俊而富有的男人，充满吸引力、性感、出手阔绰，你被向往。而我在别人的心目中，只是年华老去青春逝灭的女人，不事雕琢，已不再活泼美貌。但在我们彼此心中，一切没有变化。不管处境与身份如何，我们仍是孟买旅馆中的一对爱人。我为你阅读《薄伽梵歌》，而你用全部的生命与热情拥抱着我。

她说，即便你认为这些不过是我的借口也没有关系。这些的确是我的真实想法。我觉得爱和自私、占有欲、虚伪的忠诚、限制、道德感没有关系。爱与我们的本性密切相关。它是善的，美的，真实的。只是我们活在人的世界之中。我们面对人世所创造的道德与禁忌。

那个夜晚，他喝很多啤酒，有些喝醉。两个人走回酒店。她帮他洗脸，脱衣，让他在床上躺下。在他入睡之后，她站起来走到露台上，看到寂静的山与海，一轮皎洁圆月悬挂在山岗之上。她点燃一支烟，心想，今天是十五吗。他突然醒来，起身坐在床上，轻声四处叫唤她，远音，远音，你在哪里。他不安的声音仿佛迷路的少年。

她回过头去应他，净湖，我在这里。

他的眼神忧伤，轻声说，这一刻感觉我们好像天长地久就要走到世界的尽头了。远音，你真的认为我会一直在吗。我们只是普通的凡人，我们有限期。

第二部

燕子归巢

远处传来神庙夜间祈祷的歌咏与音乐，一轮金黄色硕大圆月在高耸山岗顶上跃出，刚刚出生，并以无法分辨的速度移动，逐渐升到空中。此刻朗照如水，烟火世间显得一尘不染。澄莹的银白光泽震慑她的心神。

　　他说，如真，我刚刚做一个梦，看到你在净月寺绕行古塔。塔身周围生长出颜色艳丽的鲜花，一簇簇，迎着风和阳光摇曳起舞。这景象清净而吉祥。我为你高兴。

仁美

<u>1</u>

很多记忆她从不曾对他人提起。这不重要。人的记忆，从始到终逐渐累积和架构，成为一座盘旋复杂的迷宫，只有自己停留其中。即便与人分享，他人的听闻也不过是空茫的回音。但她知道，如果某一天，有机会把记忆托付给他人，那么这并不仅仅只是一种清空，而是得到重新开始的机会。

新生需要死亡。至少需要在心里、意识里，彻底地死去一次。说出记忆好像一种死去。

仁美已归去寺院。她在幻海的生活继续。她把心绪写在书信上，交付于一个远方的人。

父亲离家出走之后消息全无。我们都知道他山穷水尽，没有机会再回来。人在为自己的因果付出代价，不管迟早。我思念他，但已没有任何回到过去的幻想。人对处境的适应力是无限的,在死亡来临之前,所有人都会苟且偷生。以前无可想象的、不能接受的,在无从选择的时候就成为眼前的生活。

那年他在马来西亚发来消息想要相见,母亲让我与哥哥分别从两地登上去往吉隆坡的飞机。机票是父亲买的。这是我第一次出远门,十三岁。父亲在机场接到我们。他很瘦,脸颊和眼睛凹陷。衣着洁净,仍展现幽默与沉着。以前他发着亮光,走到哪里带着一身热量,吸引围绕他身边的人。现在他的火焰即将燃尽,我闻到他身上散发软弱的残存气息。他照顾我们,一切都好。唯独对这几年的经历绝口不提,也无怨悔之色。

也许他以此教导我们,要接受一切发生,好的坏的,全部接纳。

夜晚他带我们去游河,当地人划着木船慢慢驶入夜色中的河道。茂密丛林,潮湿幽深,大榕树爬满藤蔓,气根又再成林。船头小灯点燃,由这光亮的吸引,引来栖息在岸边树林里的萤火虫,一群群亮光飞舞,像雪花洒落在水面。不时有雷电划过间或发出阵阵闷响。萤火虫停在我们的头发上,手指上。一只萤火虫飞过眼前,我用手轻轻握住它小而微热的身体,感受它扇动翅膀在手心里扑动蠕动,尾部闪动发出呼吸般的光亮。

我对它吹气,它再次飞起来,亮光闪烁渐行渐远。我想它们的生命也许很短暂。

父亲此刻在背后抱住我,说,如真,你长得越来越像我,眼神,性格,都与我相似。我这样爱你。但今生我们的缘分便是如此。我说,为什么你不能回家,为什么我们不能再在一起生活。他说,这是我们的生活，接受它。我感到哀恸，说，可我想成为正常家庭的孩子，父母亲人在身边，彼此互爱，陪伴照顾，永不分离。我不想过现在这样的生活。

他说，我曾经希望帮助你长大，让你过幸福的生活。但很多事人们并没有自由，幻想毫无帮助。生活的存在都是合理，是我们应得的。

深夜他在卫生间里不停呕吐，他身患重病但无法去治疗。我意识到不能带给他安慰，更不能帮助他脱离苦海。当下是我们在一起度过的有限日子。如果欢愉会成为过去，那么这黑洞般的苦难也应是如此。这种想法后来成为我的唯一希望。

一周倏忽而过，在机场与父亲告别，此后生死茫茫再不知何时相见。他站在玻璃门外，看着我与哥哥过安检，我转过头去寻找他，却看到他突然变成孩子模样，上身赤裸，光着脚，眼睛神采奕奕如同重生的少年。他爬上一棵大梨子树，躺在侧树干上面啃着一枚青色的梨。梨树在开满芥菜花的田野中，远处是青山。这是父亲从来没有提起过的地方。我意识到此生也许不再能见到他。

父亲转身离开，没有露出依依不舍的表情。他瘦弱憔悴，满脸病态，迅速消失在人潮中。半年之后，他流落到香港九龙一间廉价旅馆，重病不治，在仅有十平米的房间里去世。当时他身无分文，欠下旅馆半年房租。尸体三天后才被人发现。没有遗书。

母亲独自去香港处理他的后事。她在海边把大部分骨灰洒在海洋中，借钱还清欠下的房费。回来时从行李箱里取出一个白色小瓷罐，是父亲的一小部分骨灰。母亲深爱父亲，但彼此一场孽缘两败俱伤。之后，她酗酒，发起酒疯时会试图打开罐子吞咽骨灰。我阻拦她，手臂被她掐紫划出血痕。她力气之大，孤独之深。

我知道，对境遇的无法把控、对爱的求之不得、无常以及生离死别，这是苦痛。

给仁美写信，大多在关闭店门回到公寓之后的夜晚。她沐浴更衣，坐在厨房小木桌上，开一盏小台灯，凝神屏气，认认真真手写于白纸。这些文字目前他未必能全部看懂，但她相信他能够用心去接应心声。他知悉一切。曾经她写信给初恋，也是一字一句从心里流出。专心写信，封口贴上邮票，隔日交给他。她喜欢这种逐渐被遗忘的方式，但郑重做的事情少被珍惜。即便是收到她的信的人，目标不过是肉身愉悦。他们不需要她的感情。感情太重且有悲哀。

现在。她和一个古老的人在一起，再次得到写信的机会。

仁美晚上睡得迟，忙完寺院事物，做完当天功课，会记得给她发晚安的消息。通常已是凌晨一两点。他很清楚目前她需要沟通，以便能够清理和治愈旧日创伤。为了和他保持联络，她适应晚睡，只为等待与他有个简短的交流。听他说一下今天做过些什么，有过的感受。

他有时叮嘱她，如真，控制情绪，简化日常生活，修正身上曾习以为常的思维方式和言行举止。保持警觉，在行住坐卧，进食，说话，观察，思考，任何时候尽量保持警觉，这是觉知。如果人有觉知，可以检查到情绪和动机，不至于沦陷在某种麻木的催眠状态中，行不知行，停不知停。人有智慧，处理情绪才能够具备力量，有快刀切下的直接和决然。而不是拖延或纠缠。不要沉溺于过去或未来、沉溺于依赖与期望。

有时他只是发几张照片：在寺院里，山顶俯瞰拍下的山谷，盘山公路，浮动的云海，去村庄给人念经的途中，村民的家里，食物，孩童，花草树木……应她的要求，也发过小时候的照片。十二岁的他与讲经师在一起，面容俊美，饱满壮实，像个印度男孩。穿着藏红花色的僧袍，在草原上骑着白色小马。

他们之间逐渐建立起一种真诚而深刻的连接。对他来说，她是一个来自外部城市的朋友，他探索，他分享。对她来说，他是成长于幽秘山谷特殊环境中的朋友，她探索，她分享。他们把自己打开，开放给对方。

他的出现带给她转化。即便他出现之后远去，填补在她心上的养分仍在发挥效用。他把那些坑洞逐一清理和填补。当心中对被尊重与接纳的需索满足，产生平衡，她已被修补。躁动与匮乏感的欲望在消失，不再需要陌生男人的约定。虽然找到爱人的希望依旧渺茫。

在他的面前，她的存在是赤裸的、完整的。他有能力重新拼接她。

2

回到故乡，回到母亲身边，回到在墓地旁边的家。二十八岁的女人，事业没有起色，情感生活溃败。她已明确命运残酷的限制与不可捉摸。她知道只要绝口不提，没有人可以探到她创伤的沟壑。背后的指点嘲笑更是无谓，她与母亲早就习惯这些。这是她独自的苦难不值得对谁哭诉，更无须试图获得怜悯。

母亲接受她的归来，没有过问，也许知道承受不住答案。母亲老去，并把她生命中下坠与堕落的重力反弹到她的身上。

小城市全凭背景关系过活。以她这样的学历和资格，家境败落，也无法在当地小报获得一席之地。只能进入一家个体广告公司做文案，拿着微薄薪水，与母亲相依为命。没有波澜的生活，日夜如流水般划过。有时她想这已是全部吗，已沦落到最谷底了吗，还会不会有更差的事情发生。不管前途如何云山雾罩，只有往前没有什么退路。

闲来无事参加高中同学聚会。他们高谈阔论，她在旁边闷头喝酒。穿红色裙子，抹红色唇膏，没有洗干净的长发被汗水粘湿。有时放纵大笑眼神却很漠然。他在角落里看她很久，她注意到，举起杯子敬他，说，你好啊。他说，你从幻海回来了。她说，是的。回来的时候到了。

他在往日曾追求过她。当时她一心向学，渴望考上大学远走高飞，对他没有正眼看待。现在，今非昔比。他的家世在当地有凭靠，大学毕业回到本地，在政府部门任职，仕途顺畅，晋升很快。而她出去晃荡一圈，被打落原形孤身返乡。小城寡淡无味，她带来远处的气息，野性的意愿，即便此刻虚弱而落魄。

他靠近她。纯真暗恋或许还在心里留着余烬，背后还有自己也无法洞察的细微情绪。要寻求自我证明完成对她的征服。她曾经骄傲而冷淡地对待他，刺痛他少年心高气傲的心。现在他需要她的屈服与补偿。已无彼此试探的矜持与刻意的必要。他要去南方一个港口城市出差，开会五天，问她是否愿意同去。她知道这邀请意味着什么，但即刻答应。

她很久没有出去旅行。没有钱，没有机会。世俗生活的机械、匮乏，让她觉得浑身发臭。她想住在陌生的城市，到处走走。而且还有他此刻的殷勤与爱慕。五天也好。

她请假，他帮她买的往返机票。初夏舞洲天气闷热如火炉，湿气浓重，阴雾苍茫。他们住在城中奢华酒店，三十七层客房的落地玻璃窗前，可以俯瞰蜿蜒曲折通过城区的浑浊江流，两岸此起彼伏的奇突高楼，以及隐藏在高楼夹缝中的废墟、垃圾场、工地和贫民窟。整座城市像一堆荒诞的积木临时匆匆堆积，仿佛知道末日迟早来临只为准备着各奔东西。

他们在酒店房间里做爱，他痴迷热烈，孜孜不倦。她用手抚摸他的头，摸到男子硬硬的短发，脖子后面的光滑肌肤。他的下巴抵着她的前额，她听到他喉咙里发出迷恋的颤栗。在彼此拥抱时暂时可忘却世间的秩序与规则。房间漂浮在黑暗的大海中没有丝毫光亮，令她有去往远方的错觉。她用两臂抱住他的脖子，看到天花板上跳跃一块白光。是从窗帘缝中投射进来的一束月光。

她在他的肉身冲撞中看到世间的梦幻属性，看到人置身于肉体感官中的不自由。她仿佛超离身体，站在床边，冷眼旁观自己与另外一具躯体纠葛缠斗。

窗外逐渐盛放闪烁霓虹，光影流动。他们拉开窗帘，赤裸并肩躺在一起，看着墙壁上反射的变幻彩光，彼此点一根烟。他说，我没有看错你。虽然你不爱说话，显得很骄傲，但你骨子里都是野蛮的力气。她说，不害怕我会咬你吗。他说，不害怕你咬我。但害怕我们在某天被对方激发出内心的恶。

此时平心静气，她知道通常做爱结束之后，如果两情相悦，男子会情不自禁说些往事，说点家常的心里话。他也说了。说妻子是大学同学，大学毕业之后结婚，生下一儿一女。他喜欢孩子，重视这个家庭。妻子唯一不足是有些娇生惯养，不爱做家务。为了保护时常修理的漂亮指甲，不愿意去厨房做饭洗碗。

那你们怎么吃饭。

她保持体形，不吃晚饭，只吃几个水果。我们家里是雇佣的小时工做饭。

嗯。

她长得漂亮，身材好。我们年轻时候热衷做爱，她经常忘形大叫。在家里次数多了邻居生气，过来敲门，有一次还报警。我迷恋和她之间身体的关系。除此之外，她喜欢做美容、打麻将、跳舞，没有什么爱好也从不读书。她没有真正关心的事情。

嗯。

经常偷偷查看我的短信、电邮，不能忍受我和其他女性多说一些话。如果有谁多联系我几次，她会打电话过去辱骂对方，哪怕对方只是同事……这种嫉妒心貌似是深爱，不过我想更多是一种控制与依赖。她需要我的忠实。

这是通常女人对男人最基本的需求吧。

只有自发的忠实，没有被管束的忠实。他说，现在跟她做爱的兴趣转淡。大概在一起时间久长完全无感。我们很久没有上床，她好像也忘记这件事情。

这件事情重要吗。

对我来说重要。有时我觉得这好像是生活中唯一能有真实感的时候。其他的时间，那些工作、应酬、酒席、会议的时刻，我是一个假人。跟你在一起我很真实。

希望你能享受这种真实感而不是对它产生恐惧。

他起身去卫生间洗澡，说一会出门去吃晚饭，散步，或许看个电影，有刚上映的美国大片。她听到他打开花洒，吹着口哨愉快地淋浴。她是他的新玩具，他很满足。床头柜上放着他掏出来的钱包，她伸出手默默取过来，打开，隔层贴着一张他和妻子儿女合影的大头贴。四个人头挨头，看起来随意而亲密的家庭合照。他的妻子长发披肩，皮肤很白，相貌平平。

他对家庭早已习惯并充满责任感，这是任何一个已婚男人的本来属性。妻子孩子是亲人，他们不会随便伤害亲人。外面的女人，如果没有远超过以往的利益收获，始终是外面的女人。他的话有些是真，有些是假，但哪些是真哪些是假不是那么重要。她不想分辨，何需分辨。大家不过是装作糊里糊涂谈一场恋爱。

他对此地熟稔，美食或娱乐场所的信息了如指掌，大概以前经常来这里出公差，需要取乐打发时间。深夜带她去一家隐匿而闻名的本地海鲜餐厅吃饭，落座时已晚上十点。他给她拿粥，剥螃蟹，倒啤酒，体贴周到。餐厅里仍有不少人在吃饭，男男女女，推杯换盏，热热闹闹。也有人独自闷坐着喝酒，喝醉躺倒在桌子上。即便是在看起来正享受当下欢好的男女当中，并不知道有几对是名正言顺。又有几对是像他们这样属于无法见光的不伦恋。

这是普遍的世间内容。他与她并不是特殊而唯一的一对情人，只是隶属这个边缘范畴。午夜梦醒，枕边的他把手臂放在她的脖子下面，紧紧抓着她的手，脸贴在她的肩头上，缠绵悱恻。但她知道这是别人的丈夫，别人的父亲，他只是她借用一时的男人。

舞洲灰雾蒙蒙，湿热难当，不见晴日。他开会时她独自从酒店出门，游览城中景象。路上有形形色色的众生百态，乞丐、小摊贩、拿着鞭子耍猴的、戴着墨镜测字的、架起木笼卖猫狗的……灰雾中的喧器热气腾腾。人潮与长时间步行让她疲倦。她路过一座被高楼和工地夹击的寺院，它被乌烟瘴气的巨大工地包围，旁边是被摧毁的旧建筑残骸。她围着它绕转一圈，找到仍保留古式的正门。

用力挣脱掉突然窜出来的妇人。妇人抓住她衣服要求给她算命。走进去，庭院假山嶙峋，绿意森森，古风盎然，仿佛时光倒流，但大量燃烧着的廉价粗糙的香枝散发着团团白雾，空气中充溢刺激性化学气味，乌烟瘴气。进出来往的人，大多为俗世的烦恼和欲望祈求护佑。可曾有人真正看到一座寺院的内在含义。倒更像是一个进行世俗与神灵交易买卖的商业场所。

她长时间流连于一段石刻长廊。这座寺院存在于北宋前，被毁坏多次，最终被日本飞机彻底炸毁。只剩下这段岩洞佛像却神奇地没有被炸掉。她在幽暗过道里站立，细细观摩这些古佛，发现时间此刻如同凝固，想不起内心的悲喜。得到深刻的宁静却不知道来源何处。

她决定离开，坐地铁去城北郊外的古民居。古民居已被改造得面目全非，空留建筑外壳。俨然成为一座露天购物中心，人潮拥挤。过度的开发与人们的物质欲望互相推进与激发，粗暴，盲目，急功近利。她准备回酒店休息，环境芜杂，消耗她很多精神。

在飞驰的地铁车厢，她看到对面玻璃窗映现出单身女子的身影，黑色连身裙，斜挎一只黑色复古皮包，是他执意要买给她的名牌包，对她来说毫无必要。但她知道他需要某种心理平衡。一张白粉如雪的脸庞，唇膏艳若桃李。她依然很美，充满沦落的风尘。如今这种模样，激发男人的欲念与怜悯，必然多于引起他们出自爱慕的真情实感。但在内心她却期待一段干净体面的关系，得到一个淳朴稳当的男人。这怎么可能呢。

她阻挡不住内心的虚弱和渴求往外发散，像腐烂的水果无法停止它的气味。她所处的这个外部世界也是混乱的、腐烂的，在发出臭味。身边的人看起来麻木不仁并且贪婪饥渴。

　　晚上照例他陪她出去吃晚饭，辣而浓烈的火锅，喝很多啤酒。两个人都有些醉意，互相搂抱摇摇晃晃走上大桥。江水两边是林立的摩天大楼和变幻不定的霓虹。桥下有一艘被弃置的大客轮被改装成餐厅，甲板上放着一些塑料圆桌与椅子，只有两三座客人。生意惨淡。黑黢黢的江面上，破落的废船，即便如此卖家也雇用专人唱歌跳舞，音响扩散器发出强烈噪音。

　　一位黑色皮肤的男子刚刚出场，赤裸壮硕的上身，穿金色灯笼裤。他表演喷火，把火束塞入口中，仰起头张大嘴巴从里面喷出红光火焰，直冲天空。刺耳而庸俗的流行歌曲当作伴奏，鼓点正在轰炸。麦克风里传出主持的男子声嘶力竭的捧场声音。客人们漠然地吃着饭，几乎没有人去注意这场表演。

　　这个世界真像一场梦。但是此刻她没有力量，醒不过来。唯一可以依靠的是他仍在她身边。茫茫无着的世俗世界她不是独自，有他与她一起沉堕。

　　此刻，他在猛烈江风中转身拥抱住她，嘴唇落在她的额头上，炙热温度和浑浊酒气把她包裹，他低声说，如真，我爱你。仿佛更像是醉酒之后的肆意妄为，此时分辨这句话是真是假或是否恒久，都没有必要。火焰的光亮直射在眉目之间，眼睛里火光闪耀。她想起与父亲夜游萤河的那个夏天，萤火虫的光亮团团包围。她闭上眼睛宁愿不睁开。

她如同少年时，依然不怎么喜爱他，但此刻依赖于和他共存。他的肉身存在带来安全感，让她知道不会独自孤独致死。世界暂时不令人畏惧，只要身边有这个男人。最后一个晚上，依旧热烈做爱。他醒来又做，做了入睡，醒来又做，仿佛企图以此延续到死一般。终于结束。她起来喝水，赤脚走到落地窗边。

三十七层高楼之外，是即便已近凌晨仍沉浸在醉生梦死的幻影中的世界。但今天夜色干净，天边有一轮明月高悬，白晃晃的光芒照亮她的额头。她听到他在背后半梦半醒地说，如真，如果你需要，我可以为你离婚⋯⋯

她说，嗯。

他说，这几年也不是没有考虑过离婚，去年我们闹得很凶。她沉迷于看韩剧，家里的事从来不管，女儿的头发都不梳，孩子的头发最后都梳不直。我当时很生气，觉得生活没有希望，愤怒之中拿起剪刀把孩子打结的头发全剪了⋯⋯孩子大哭。她回去娘家住了半月。然后，她又回来。我无法独自照顾两个孩子。

之后，他决定更多时间用在工作上，早出晚归。她隐约觉得他应该还找过其他的情人，但都是短期而不固定的角色。他有官位，毕竟要考虑权衡。她对于他来说，在大城市待过受过高等教育，有敏锐心性。她是他在这个无趣而世俗的小城里，虚假而感情匮乏的生活里，出现的一个特别的人。他在征服她，并因此而征服内心的某种失落。并且认为她是安全的。他对她畅所欲言并不隐藏自己。

此刻这个话题触及敏感的核心，她没有搭腔，他也及时停止。都没有再往下说。

次日下午，一起坐飞机回到小城。他先打车把她送到家里。两个人都感觉疲惫，身体空洞，眼神无力，仿佛泄了气。刚出发时的激情已被收割完毕，妄念荡然无存。她下车，对他摆摆手。他说，你住在这里吗。她平静地说，是的，家里变故之后我与母亲只能住在廉价租住区。房间后窗是墓园。欢迎你来做客。

他的嘴角微微抽搐一下，对她这些年所遭受的无常他岂会无闻，但他装作不知。他道再见，车子绝尘而去。

回到家里，她看到母亲在一楼店铺的躺椅上入睡，指间夹着烟头，乱发遮挡着眼睛，看起来已是个老人，苍老憔悴。母亲嘴巴微开发出间断的鼾声，她拿掉母亲手上的烟头，把她的头发整理到耳后，上楼回到床铺。内心迷惘，无边的空虚，大概在这份关系里她没有感受到任何踏实而充足的真情。欲望退却之后，心里的空洞像退潮之后的沙滩，荒凉至极。

她躺在枕头上持续昏睡。在舞洲他们每天做爱，强度太大。在剧烈冲撞中仿佛暂时失去对自我的感受，以此获得平静。但这平静是短暂的。现在，她体会到深渊般强烈的孤独反扑，把她包裹，并活生生大口吞噬。

她想，人所受到的自我的折磨实在太沉重。"我"在饥饿，"我"在孤独，"我"在失望，"我"在期待，"我"在要求，"我"在愤怒……人的肉身是负担、禁锢、牢笼。除非死亡，否则离不开这具可以承载无尽欲望与孤独的肉身。她不是第一次有想让肉身灭亡的念头，只是没有勇气做到。隐隐中她意识到这念头必然不是正道，但无人指引。

她的心现在是一艘船，保持蛮横的力气试图穿越苦海，但并没有方向。眼前黑暗茫茫。

在床上从黄昏睡到次日凌晨，晚饭没有吃。大概睡了十个小时。天色未亮，她醒来，看到手机里显示他深夜发来的一条短信，说，回到家里，妻子对我很好，很体贴。我很内疚。她主动要求做爱，我们做了。我想我不能轻易离开这个家庭。

3

仁美，曾经我有过的最深的恐惧，是在死去时还没有真正了知什么是爱。

我们不知道什么时候会死，不知道会以什么样的方式去死。有的人刚走出家门就死，有的在床上睡着一会死去，有的人在站起来的瞬间死去，有的人在狂欢之后死去。也有些是在漫长的病痛折磨与煎熬之后死去……死亡是猜不到答案的谜题，它令人恐惧。大部分人选择不思考不想起这个问题，仿佛回避可以让他们长生、不死。这是否是愚痴。

怕死的人宁可蒙起眼睛像瞎了一般地活着。我们关心的、寄托希望的、相信的，只是眼前的这一小块现实，贪求快乐，忙忙碌碌，试图占有更多得到永久，却不过是徒劳无功。我的父母也曾是不折不扣的现实主义享乐者，努力争取财富与保障。但最后的结果都是相反，他们领受欲望带来的挫败和伤害。世事无可预料。

而我所见的大部分世间的男女关系，只是贪婪而机械性地取悦他人，同时期待他人取悦自己，处于需索和失望的循环之中。自私的男女情爱以对方为工具，没有慈悲。我害怕自己如果没有真正爱过、被爱过，会再次回到这个世界，试图完成还未曾通过的测试。如果一些心愿没有圆满，是否会成为一再轮回的执念。我想得到答案。

生活最终由心中的价值观决定，它决定我们采取何种方式生活。我变成现在这样的一个人，有其漫长的形成过程。与任何人一样，我们有自己的故事与历史。遇见你之后，我想把这些告诉你，仿佛是一种自我整理。也许我认为你有权利了知我的前半生。这令我觉得清洁。

我想去寺院看你。顺便把父亲的骨灰洒在山上。

她在书信里对他倾诉一切，并无强烈情绪，只是不知为何常有眼泪无法自制地流下。满脸泪水。这些写信时流下来的眼泪，仿佛超过前半生不如意的总和。之前即便在极为困难的时候她也很少为自己哭泣。她未曾得到过这样的机会，忏悔、回忆、祈祷、清洗自己。她活着，心灰意冷，苟且偷生，仿佛大船沉没之后毫无讯息的海底，陷入一种无助而长久的停顿。流泪带来的感受正在打捞她的觉知。在坦白、真诚、无保留、无掩饰之中，得到比封闭与压抑更为安全的体会。

那些遇见他之前经历的漫长无边的游荡、悲伤、横冲直撞的愤怒，深海般的孤独。人不缺乏激发出恶的对手，却难遇能够把内心的光亮挖掘出来的对象。这需要更为强大的力量。她有幸对一个人说出自己内心的语言。赤裸裸的，真诚的，没有任何保留和掩饰。

她因他而起掉下的眼泪，如泉水从全身每一处汇聚、涌出，带着无尽积累和压抑的悲伤。有一瞬间，她觉得自己被这强烈的释放和清空所粉碎。她在碎裂，融化于虚空。

他给她回复，说，我知道你经受很多事，以后你会因此而成为很美的一个人。我等你来。最近山谷气候极寒冷，记得带够御寒保暖的衣服。把你父亲的骨灰带上。

4
—

她觉得时间已到。

从幻海去往夏摩山谷方向，只有早班飞机。天未亮抵达机场，候机厅空空荡荡。长久未曾旅行，她收拾简单行装，随身背包里装着父亲的骨灰。用丝缎手缝袋包裹，隔着布面能摸到肉身颗粒的形状与质地。人的肉身生前被百般珍爱与看重，一旦心识迁出就是无用杂物。但是因为对父亲的执念她执着于这残留的物质，直到遇见仁美，才觉得可以放下心念。

在飞机上读一会书。最近在阅读《大智度论》，里面有优美的故事与譬喻。

这一页读到摩诃男释王来询问佛陀：迦比罗城人口众多而且富裕，我有时碰上车马横冲直撞，发狂的大象与人相斗，心便散乱，忘却念佛。这时候，自己心里在想，我现在如果死了，应该在什么地方。佛告诉摩诃男：你不要恐惧害怕。好比树木常常向东边弯曲，如果有砍伐，一定向东边倒去。行善的人也是这样，如果身坏灭而死，这时候善心意识流转，以平时的信心、持戒、声闻、布施、智慧熏染了心，所以一定能得到利益，上生天上。

这些话，仁美之前对她说过类似的意思，即对心流与意识的观察与照管。不放任散漫，不沉沦于习气，日常行住坐卧，时时刻刻，保持觉照。这是持戒。

他们分开不过一年，却仿佛已有半生般漫长。

在机场，取出箱子走到接机出口。仁美嘱咐过会安排一个朋友接她去寺院，有人拨她的手机，她刚听到打开手机，一位年轻男人走到她的面前，说，如真，我是慈诚。我来接你。欢迎你来夏摩山谷做客。他穿着一件暗紫红色的羽绒服，短短的头发，眼神明亮，笑起来时露出雪白整齐的牙齿。

他风尘仆仆，开一辆现代越野车，说前段时间这里下起大雪，冰雪封路，前天才刚刚通路。陡直山口开车仍有危险，他开得比平时慢，今天凌晨就出发，预留出比平时多一倍的时间。车离开郊外很快进入高速公路。他也许经常长途开车，技术娴熟，几次多重拐弯的复杂地段都能沉稳应对。车速保持平稳节奏。她在后排车位上不由慢慢入睡。

来到一座美轮美奂的暗黑色大神庙面前。这是似乎发生过地震的广场，年代久远的建筑和塑像大多已被损坏。她站在由庞大青石堆置而起的廊道上，仰头观赏雕琢精细繁复的窗框木门。女神、吉祥物、花鸟等纹案栩栩如生，层层叠叠，人们也许在此中放置无数世的虔诚与膜拜之心。往四面八方呈现出辐射状排列的檐柱，每一根圆木上面雕刻以不同姿势交抱的男女，正在进行肉体之欢。仿佛把性爱当作对神灵的供奉或是对邪恶的抵挡。

鸽子咕咕低声鸣叫，廊柱角落有它们栖息的巢穴。忽然一阵风刮过轰然有声，鸟群受惊起飞。羽翼碰撞到铜铃发出清幽悠长的音韵。

她身边站着的女子，穿白色生丝上衣，刺绣及踝长裙，脖子上戴一条项链，古老的松耳石围一圈海水珍珠，点缀两颗同样经历过沧海桑田的红珊瑚。她说，如果我们来迟，就见不到这些等待上千年的神庙。事物无法稳固不变，一旦变化过去的不会回来。人不知道何时是一种及时。远处传来神庙夜间祈祷的歌咏与音乐，一轮金黄色硕大圆月在高耸山岗顶上跃出，刚刚出生，并以无法分辨的速度移动，逐渐升到空中。此刻朗照如水，烟火世间显得一尘不染。澄莹的银白光泽震慑她的心神。

她突然惊醒，发现仍在慈诚的车上。梦中这个女人是怎么出现的。她从来没有见过这个人，却又好像跟她极为熟悉。窗外是冰雪茫茫的山道，群山愈发高挺险峻，气势雄壮。太阳西沉，山峦浸没于红紫色清冷霞光。她用手心擦干净车窗玻璃上的雾气，凝望窗外景象。此刻她的生活已被切换频道。慈诚正带她去往夏摩山谷。那仿佛是另一个世界。

他在前面轻声说，你睡得很好。你累了。他温和而言行得体，懂得如何适宜而开放地交谈。汉语说得比仁美更流利。他说，右边有个山峰，看见没有，这是卓玛拉钦山口。翻过山口就意味着进入夏摩山谷地界。通常人们会在卓玛拉钦山口煨桑，洒隆达，堆玛尼石，这是向山神祈福的方式。一会我们下车来做仪式。这是仁美特意嘱咐要带你去做的事情。

山顶狂风呼啸，密密麻麻的经幡在风中激烈飞舞。她跟随他下车，一阵冰冷刺骨的烈风几乎让她窒息。他示意她照顾好自己，背着双肩包飞快爬上左侧陡坡。煨桑台在高处。她艰难地攀爬到那里，他已取出事先准备好的柏枝、青稞、小麦，把它们堆积起来用火点燃。火焰噼啪跃动，喷出白色芳香烟雾。他说，我们相信神灵可以享受到这种气味。纯洁而芳香的气味会清除各种有形及无形的障碍。

他合掌虔诚念诵祈请文，拿出隆达交给她一叠，说，和我一起洒。印着马与经文的白色纸片洒向白雪覆盖的山野，仿佛把至深的祈祷挥洒到世间每一处角落。他扬起手臂用力挥洒，一边大声呼喊，拉加罗，拉加罗。男人身上有一股矫健、强壮、野性、率真的气息，同时温柔而放松。仁美身上也有这种品质。这大概是夏摩山谷男人们的特性。和城市里的男人毕竟有些区别。

他说，现在赶紧回去车里。该做的事情已做完，辛苦你了。
拉加罗是什么意思。
神会取得胜利。

离开山口，来到山谷边缘的小镇，也是离夏摩山谷最近的商业区。再往深处就是高山、草原、原始森林、封闭的修行地。他说，我们去吃碗面。从早上出发，还没有吃过一口饭。你也应该饿了，已到中午。之前他没有任何疲惫或饥肠辘辘的状态，看起来总是精神奕奕。对劳累与寒冷他们有坚韧的态度。她穿着很多仍冻得浑身颤抖。他穿得不多，若无其事。

停车，走进路边一家他熟悉的小饭馆。他点两碗面条，一壶甜茶。甜茶用红茶熬汁，混合牛奶和糖，他说，按照山谷的传统，我们喜欢用硬币一杯一杯买茶、饮茶，好像这样才是乐趣。甜茶馆是男女老少都喜欢的聊天聚会的场合。山谷的人喜欢群体共同生活，以后你会知道。
等面的时候他替她倒上热茶。她问，你一直住在山谷里面吗。
以前是。后来我去犀地，在作坊里画唐卡。与五六个人一起工作。
你去过幻海吗。

听说过。据说现在城市空气很肮脏，雾霾成灾。人住在那样的地方容易生病和不高兴吧。应该在空气清洁的地方生活。

很多人已经离开，幻海现在只有最后一部分人留在最后。它快成为一座空城。

我对大城市没有兴趣。走过一大圈之后，觉得在哪里都可以生活，但空气、水、食物清洁是重要的。通常我们住在哪里，还跟与他人的关系有关。现在我只在犀地与夏摩山谷两处穿梭。

滚烫的汤面端上来，他说，这种面条是用小麦粉压制，煮熟晾干，吃的时候，把面条下到牦牛肉汤锅中。汤是牦牛骨熬制的。煮好的面捞到碗里，盛上热汤，撒上牛肉片、盐巴、葱花，配一小碟酸萝卜，加上一点辣酱就是完美。我们经常吃这个。

还吃些什么。

日常不吃海鲜、家禽、零食、糕点和饮料，食物基本上以糌粑、奶茶、酸奶、面食、红土豆、萝卜等为主。一般也偏爱在山上放养的牧区羊的肉，这是节日或待客的最隆重佳肴。寺院里因为传统的原因也吃肉。

他也许是饿了，吃得很快。她说，那么烫，不能吃得太快。

他说，这是小时候在寺院里养成的习惯。在大殿我们匆匆忙忙吃完东西，要跟上别人的节奏。还没有告诉过你，我八岁时出家，二十岁离开寺院四处旅行，去过很多城市和一些陌生的地方。二十五岁的时候，我还俗了。

她有些吃惊。他看到，说，以前的夏摩山谷，每户人家把家里最漂亮最聪明的孩子送去出家，这是荣耀的事情，也是一种习俗。但现在孩子生得少，有一些地区的人不这样做，他们把不太健康的孩子送去寺院。或者孩子到了寺院，十几岁想让他们还俗再回家来。这都是不正确的动机和发心。在夏摩山谷，僧人还俗仍会有很大的心理压力。

我离开的时候寺院并不愿意。但我坚持。

为何。

因为我不想在寺院里养尊处优，受人供养，骄傲自满。我想在世间检验自己学到的一切，哪怕经历艰难与动荡，这正是去实践的机会。众生是佛土。我不畏惧被从一个备受尊敬和保护的位置上拉下来，成为普通的人。生命的真实对我来说重要于其他。

继续上路。路上出现磕长头的当地人，戴着手套、护膝，系着皮质自制围裙，风尘仆仆，满身灰泥，大约四五个一行在山路上磕头前行。他说，在冬天没有太多田地里的劳动，人们有空闲，愿意一心一意磕长头礼佛。这些行动是由深切的虔敬心所驱动，发心并不仅为自己。通常我们会发愿，为众生的解脱和给予这个世界的善意而进行朝拜。前段时间我去犀地的神山磕长头完成第七遍转山。

刚回到夏摩山谷吗。

是的。因为母亲前段时间牙齿坏了几颗，需要陪伴她去县城补牙。她思念我。我去转山祈福，然后回家带她去县城治疗。

你还在工作吗。

我把之前在犀地画唐卡所得的报酬，捐助给寺院里的孤儿学校，让他们买粮食、衣服、文具等生活所需。现在我只有一千块钱，是村子里一个家庭希望我画一张千手千眼观音像的定金。如果是其他商业性的预定我就不再接受，因为没有时间。我不是为金钱去工作，我可以很简单地存活。如果用技能去交换生存基本条件，再能带给他人帮助和温暖，让他们受益，就再好不过。

平时你做些什么。

我的生活很规律。早上与晚上有一段时间属于自己，在佛堂修习，这是以前在寺院里养成的习惯。基本上凌晨四点起床，晚上九点就睡觉。最近要完成那张千手千眼观音画像，同时帮助村里八十多岁的多吉老人，修葺他的屋顶，给他接上水管。寺院很快要开法会，要过去给他们帮忙。大概一年左右，我可能会再次离开夏摩山谷。

为什么。

可能会有新的生活和方向。谁知道呢。他微笑，我们活着的日子总会有各种发生，不管好坏，总是有无常的余地。

然后他说，看到吗，金刚顶寺已在前面。

她打开玻璃车窗，看到山峦深处露出高耸的金光闪耀的佛殿檐顶，云雾缭绕，白烟袅袅，号角的声音低沉回荡。四周耸立蔓延山岭，山顶冰雪覆盖。山坡浓荫密布，长满枞树、杉树和落叶松树林，谷地里大片杜松和高山杜鹃灌木。一条大河奔腾而来，水流壮阔。收割之后荒芜而开阔的麦田，过路的鸟群呈对称队形飞过田野上空。发出响亮鸣叫。

他说，我们已抵达夏摩山谷。

5
—

从舞洲回来之后，他发出一条直接和坦然的短信，告诉她，分开的当晚他就与妻子做爱了。也许他认为她是不一样的女人，可以理解男人的任何行为，根本无需考虑她的感受。他们不回避把自己最差最真实的一面暴露出来，总是有勇气当着她的面撕开最后一轮温情脉脉的面具。是觉得她足够勇敢吗。

不管他发这个短信的目的是什么，她不打算退出。他仍对她恋恋不舍。平时见面不算勤，一般是他妻子出门去香港购物或哪里旅行，孩子也被爷爷奶奶抱走。她去他的家里，在他的卧室大床，他与妻子的婚纱照就挂在床头。年轻新人许下誓约企图白头到老，但这种期望最终漏洞百出而成为讽刺。在照片中的合法婚姻爱侣的注视之下，他们做爱。然后她离开回家。

父亲去世，在美国读书的哥哥燕来学习成绩优异，本来是家里的希望，但在她决定去舞洲之前，哥哥在从实验室回去租住的公寓的路上遇见抢劫的黑人。他被击中胸部。艰难地回到宿舍，倒在电梯门口死去。母亲接到消息，痛不欲生，一夜白头。母亲在超市遇见传教的陌生人，后来开始每周去教堂做礼拜。

所有的一切都在破碎。

他着迷于跟她做爱，也有情感连接和物质给予。这个男人，在现实中还有一定范围的权力及社会活动能力，她维系这个关系，因为在汪洋大海中再找不到一块浮木。一个月后，她的例假没有来。她独自去医院做检查，拿到报告单，阳性。这是一个新的生命开始发动的信息。这个孩子选择在她最糟糕最艰难的时候来临，也许是在舞洲的时候选择进入她的肉身，不应该来。

她带着检查报告搭公车回家。漫长路途公车停停开开，车门打开关上，乘客上车下车，阳光时隐时现。她觉得生活充满荒诞感，却又是绝对的冷酷无情，根本无法把它当做一个幻梦处置。人需要穿过黑暗炼狱。她头靠在玻璃窗上，疲惫空洞，又昏昏欲睡。睡睡醒醒，一路经过满目疮痍的城市街道，到处在拆迁，到处在重建。这庸庸碌碌的人世，人们工作、赚钱、吃喝玩乐、男欢女爱、浪费生命、逐渐死去、或者说活着和死去的状态也没有两样。

她的母亲，他，他的妻子，包括她自己，陷入在世俗的沼泽地里不能动弹。她闻到每一个成年人的臭味，包括闻到自己的臭味。她有极深切的厌恶，却无力挣脱既定的生活。

那段时间彼此见面已很少。曾经他对她爱慕、暗恋，现在她回到他身边价值已不同。那趟舞洲旅行，是爬上高山巅峰之后的一个标界。她也许希望这是第一道美景，之后应该有更长远的高峰。但事实上很快他们就开始下坡，持续下滑。短短五日的纵情之后，对她来说是开启，对他来说是终结。

她熟悉这样的套路。刻骨铭心的失败已经历两次，这次来得更快。她默默旁观他的冷淡，没有追问，没有黏缠。这是以往的教训，一旦开始追究，这关系会死得更快。她陪他冷战，看他最终是否会给她一个表态。只是现在她没有时间，肚子里的受精卵细胞每天都在飞速分裂，无法回避的现实。只能背水一战。

她打电话约他出来见面。

在一家咖啡连锁店相见，他消瘦很多，频繁抽烟，对她的态度很冷漠。之前的殷勤热烈，到现在的漫不经心、躲闪和警惕，他们最终识别出她身上可以为感情而死的强烈，而这蕴藏着巨大威胁。同时，在这段时间对她的无情对待让他内心不安。这使他感觉不好，仿佛背信弃义。最好是不见，相见只是尴尬。

他点两份简餐，各自埋头吃。她已有反应，吃不下套餐中油腻的猪肉，拨在旁边。他看见，说，什么时候你开始不能吃肉。他用筷子把这些肉夹到自己的盘子里吃干净。她看着他的手，那双修长而骨骼分明的手，在酒店房间里，爱抚过她的头发、肌肤，也含情脉脉捧住过她的脸颊。那一刻的激情，他们仿佛要把彼此融入骨血一般的热烈和投入。这人间脆弱的美景转眼成空。

她幻想过如果能够遇见一个正直而清洁的爱人，可以共同生活。愿意一生的动荡就此平息，洗手作羹汤，洗衣做饭，生儿育女，白头到老。晚上相拥而睡，早晨醒来，看见初升太阳的光亮照在枕边爱人的头发上，又是新的日子。这样幸福而糊涂地活着直到死去也可以。不需要清醒，不需要壮大理想，碌碌无为平淡无奇过完一生。她愿意。

但现实告诉她，这构想的蓝图不会实现。愿望只会一再落空，并已脱离她自身可控的力量。一定是有更高的视角在为她做出决定。这次她想孤注一掷地报复。命运实在不公。

她说，我怀孕了。你说过，如果我需要，你可以为我离婚。现在我很想生下孩子。

他并不显得吃惊，仿佛预料到她会有这样一出，他说，这很突然，我需要考虑。

现在主动权在你手里了吗。请你给我一个家。

但是，如真，我有我的问题。

你有什么问题。你们以前就分居过，讨论过离婚。如果恩爱，也不会有我这个插曲发生。如果你们之间感情笃深，彼此忠诚，我们不会去舞洲。我也不会怀上孩子。

世间的事情，不是你想的那么非黑即白。不是那么简单和容易做出取舍。

我还需要你来教我世间的真理吗。这个世间有无法离开的婚姻吗。

我愿意，但我有其他的因素……他用手抱住头，遮挡住自己的眼睛。他不想看到她。

如真，我本来不想现在就告诉你。半个月前，她告诉我，她怀孕了，决定生下来。她想要一个男孩。

她和一个从来没有见过面的女人，分享着共同的男人。对方有可能至今都不知道她的存在。她们之间唯一相同的是，为同一个普通而世俗的男人怀孕了。她知道他今年年末面临再次升职，有可能得到更高的权力。他小心谨慎，已开始回避她，更不会在这个节点离婚。

家里的妻子，即便不做饭不关心孩子只看韩剧只喜欢购物和涂指甲油，又怎样呢。作为聪慧美貌如她，和他一起出门旅行，做爱彼此沉迷，讲话日夜不倦，又能如何。甜蜜爱意比不上现实的种种考量。她注定要被牺牲。他早已做出决定，只是不想告诉她。

从舞洲刚回来，他应该就知道妻子怀孕，开始冷淡和疏远。一切都有因由。上天设置不同的困境和考验给她，此刻她被激起深刻的不甘，以及这不甘所带来的恨意。不尽然是对他，也是对她自己，对她背后的那股力量。偏不。你是想让我放下吗，我不放下，要逆道而行。

她查到他家里的电话号码，先给他的妻子打电话。这样做的前提是，她已确定与他之间没有一丝希望。不必再为两个人的长远而躲藏于黑暗之中。把这个破损的罐子直接摔碎吧。她在电话中对从未曾谋面的女人说出所有事情，告诉对方，她不会去流产。她需要他们拿出一百万赔偿。如果没有，她就一路上告。他有可能连工作都保不住。

她的妻子先是愕然，然后愤怒，痛骂，又伤心地哭泣。好了，这个火药库已点燃，他回到家会不得安宁。她知道他一定又会来找她。果然，他来了。

他试图和解。如真，我现在无法离开家庭。请你先处理掉孩子。如果目前经济困难，我先给你五万，你渡过难关。给我一些时间，以后我会跟你在一起。我十分爱你，相信我。我们还会再有孩子，你要几个都可以。我会弥补你。

以后是什么时候。

……给我三年。三年时间。

三年，你知道自己在说什么吗。三年，你有可能死去，我也可能死去。现在能做的决定，你要放在三年之后。三年对你来说不过是个托词。

你不相信我吗。

对。比起相信三年，我更相信一百万。

他怒火蹿升，眼睛浮出血丝。我尽力想帮助你，没有想到你是这样的女人。这样做到底是为什么。

在我们的关系中，你自省，可有曾经为我考虑一丝一毫。

我考虑过，你不适合和别人结婚。你的性格如此激烈、固执，你会伤害所有的人。

所以，为了保全你自己，保全你的家庭、利益，你需要我悄无声息地消失。为何不雇人来杀了我。如果我活着，我就会记录下我们之间所有的一切。短信，电话记录，还有录音，都在我这里。我还有视频。

最后一段威胁其实是她的谎言，她并不是那种天性有恶意有心机的人。再困难，她也许会软弱，会沉沦，但从来没有失去过纯粹本性。但他已无法具备理性的判断，或者在他心中，她的本性如何他从来不关心也无法看见。他只意识到在被逼迫。气急败坏，一股怒气蹿升，起身扑到她身上，狠狠掐住她的脖子。

他太用力。有十几秒她觉得失去呼吸。但她不害怕，只是默默看着他，默默忍耐这也许会陷入死亡的窒息。她无言忍受的样子，让他从极度愤怒的失控中清醒过来。她看起来对死亡没有恐惧。她脸上无情而冷漠的表情击溃了他。

他放松手，抱住脑袋。说，你到底要怎样。他的声音开始发颤。他害怕，浑身颤抖并流下眼泪。

她的喉咙受伤，此刻产生剧烈疼痛，声音沙哑但依然坚定，说，给我一百万。我离开这里。离开你的生活。

我没有这么多钱。

那你想办法，你必须得有。我有期限。如果一个月之内，你不筹钱，不做处理，我去见你们的上级。我要写个长的举报。

你不能这样做。

这决定于你会怎样做。

慈诚帮她在寺院边上订好旅馆。旅馆在当地有百年历史。老板娘能说流利英语，据说以前很多来山谷观摩或探索的西方人在这里住宿。大厅地面铺水磨石，这种复杂工艺现在很少有人做，用灰泥拌匀小石子压碾，打磨得温润光滑仿佛可以在上面滑冰。木楼梯造型古朴，通向廊道两边的客房。墙壁上有手工彩绘，画着吉祥八宝。

她在柜台边办手续。老板娘说，你又回来了。她一时愣住，不知道这个妇人在说什么。但这个身材结实、戴着阔气的红珊瑚长项链的妇人并不在意，她一边做登记一边说，你是不是要住一段时间。

是的。

要小心。来到夏摩山谷的人最后都舍不得走。

她笑，与老板娘闲聊几句，问，这家旅馆开了很久吗。

夏摩山谷没有游客，它不是旅游地。但我们是家传的店，以前主要是接待新年从远地过来参加晒佛节、灌顶法会的当地人，还有过来看病、问卦的。现在西方人来得少了。我的旅馆里还住过一些看起来很普通的修行人。

她指着楼上，说，你住的房间对面角落，以前有一位女子长住。她是我祖辈开店时的房客，那时也叫日玛旅馆。听家里老人说，她住了二十年。这个女人老的时候就跟夏摩山谷的本地人一模一样。后来她在房间里去世，被发现时穿戴整齐，在床上禅坐跟平时一样。他们之后把那个房间布置起来，不再住客人，摆放经书当作小佛堂。

她孤身一人在这里吗。

她去世之后，寺院给她做了火葬。她的骨灰被带到她女儿那里，据说要洒在恒河。夏摩山谷有魔力，与它有缘的人会被召唤。最后他们愿意死在这里，把山谷当作此生终结的归宿。

她走进三楼房间之前，先看一眼对面的房间。褐色老木门上绘有彩色图案，一只右旋白海螺立在芍药花之上，门紧紧关闭。她打开门走进自己的房间，里面整洁，有热水，有卫生间，这就足够。拉开窗帘，楼下是一条东西贯通的长街，两边有各种杂货店铺，男女老少穿着当地袍子，说着她听不懂的话。间或经过马匹、狗、山羊，远处是连绵起伏的山岗。仿佛与世隔绝。

黄昏温度降低，在长裙下面她再穿上一条贴身羊毛长裤，用热水洗脸，抹上厚厚一层保湿霜。短发已变长，漆黑茂密，生长极快。她穿上黑色羊毛大衣，走下楼去。慈诚在大堂正与老板娘闲聊，神情轻松。他等着接她去见仁美。看到她下楼，他的眼睛认认真真地注视着她。他看到她的耳环。她在古董市场买的小颗老松石和红珊瑚，用银线串起缠绕在耳针上。

他说，我的奶奶、妈妈，她们都有这样的耳环。这是很古老的山谷里的耳环款式。女人常戴这种样子的耳环。她说，这是我随便用手做的。

他们出发，沿着寺院曲折蜿蜒的土巷走去僧舍。北边是形状如同狮子和大象的高山，南边山坡上遍布绿色柏树，东西走向的清澈大河，发出淙淙流淌的水波声音。沿着土路走到靠近山下的一个小院，从围墙来看建筑面积很大，造型古朴的木雕大门上悬挂黄铜门环。门边有棵老松，枝干苍劲，形状清奇。

慈诚说，这棵松树，是很久之前一位寺院里尊贵的老仁波切栽下的。当他圆寂，肉身被火化，剩下的骨头上出现自然成行的白色经文，舌头与心脏没有烧毁。仁美是这位仁波切的后几代转世。他六岁的时候被认定。

6

她第一次知道仁美的身份。之前他对她提起过一些关于自己童年、少年的往事，对身份却只字不提。当他来到城市从不显露任何特殊之处，从不计较别人对他的言行态度。他让自己看起来只是一个默默无闻的普通人。现在她知道他身上那种特别气质的原因所在。

慈诚扣响铜环，很快里面传出有人热热闹闹地叫嚷着跑过来开门的声音。两个七八岁左右的小僧人探出脑袋，壮实活泼，晒得红红的脸蛋，穿着合身的小僧袍，眼睛闪闪发光。他们走进花园，此刻是冬天，花草凋萎，生机暗藏。慈诚对她介绍，这花园里有些花是他过来种的，有波斯菊、万寿菊、牡丹花、大丽花、杜鹃。这都是山谷中的人喜爱的花朵。后来又种上一些石竹、鸡冠花，仁美也都喜欢。

他们走到最高处的木结构房子，门窗边框雕刻精美，颜色暗沉。

看起来是很老的房子。推开门，仁美在客厅里等她。他穿着整洁的藏红花色僧衣，高底黑色传统僧靴。头发短短的黑而浓密。皮肤好像更黑一些，人却敦实。她跟随着慈诚的动作，屈身向前对他顶礼。他站在那里轻声诵经文，接受他们的见面顶礼。

等她站起来，他看着她微笑，说，你终于来到我这里。

房间里有铸铁火炉，烧着炭火很暖和，铺着厚厚手工地毯的炕床，很少但是精美雕刻的彩绘家具。黄铜鎏金的佛像整洁地摆在神龛，边上有用丝布盖住的唐卡。书柜里摆满各种手抄的或印制的经文与书。墙壁上挂一幅书法，是一位故去的圣人的手迹。桌上摆满水果、点心、饮料，累叠成丰富缤纷的样子。这是招待远方宾客的礼貌和热情。

她献给他一条洁白的哈达，他把它又挂回到她的脖子上。他见到她并不遮掩喜悦的心情，眼神闪亮看着她微笑。他的面容、眼神和微笑丝毫不陌生，仿佛昨天才刚刚一起在桌子边读完一章书。她带给他的礼物，是一匹有如意祥云花纹的黄色缎子。偶然看到这匹缎子，直觉这是与仁美相称而匹配的礼物，现在看来她是对的。

仁美说，寺院在十五即将举办新年法会。附近的村民过来参加七天的新年祈福。你一起过完法会，然后我帮助你安顿父亲的骨灰。
她说，我打算在寺院附近住一个月，调整身心。并不着急回去。
他说，很好。我们会照顾你。

六个小僧人寄住在这里，一位二十岁左右的年轻僧人和一位年老的僧人，与仁美同住，也是在身边照顾他的人。他们对他的态度恭敬尊重。慈诚在旁边给铁炉添柴，烧热水倒茶，又去厨房帮忙做饭，晚上准备吃西红柿羊肉汤面片。慈诚把衣服袖子卷起来，洗干净手，在搪瓷盆里揉面团。他们干活的样子熟练而有秩序,不慌不忙,一边彼此轻松地聊天。时常因为开着幽默的玩笑发出笑声。

外面已夜色漆黑,一轮皎洁的月亮爬上西边山顶。热气腾腾的面片出锅,大家围坐吃饭,其乐融融。有人端出来一盆煮熟的红皮土豆,剥土豆皮,吃热乎乎的盐水煮熟的土豆。慈诚在炭炉里塞入一把高山杜鹃干树枝,芬芳的枞叶点燃起火焰,再增添干杜松和柏枝,房间里充满植物辛辣而清新的芳香。喝完茶之后,慈诚说把她送去旅馆,他也要回家。与仁美告辞,约定第二天她再过去他的院子。

明天开始由仁美身边的侍者,那个年轻僧人智花来照应她。智花是皮肤白皙面容清秀的男孩,话语不多心思细密,经常微微笑着。她跟随慈诚走出僧舍准备返回旅馆。他们今天相处一整天,从机场开车,冰雪公路上的两百多公里,在卓玛拉钦山口煨桑,并且说了很多话。他并不令人觉得疲倦,时间过得平缓而安宁。不知为何,与他没有丝毫陌生。这个初相识的男人,他一直在照顾她,热心给她介绍,充满善待的热诚。

他们慢慢在夜色中走路,经过寺院东侧白色佛塔。很多人在寒风月色中聚集绕塔,年迈长者,有男有女,顺时针绕行,手里持念珠脚步迅疾,一边不停持咒。有些则在外围磕大头绕塔。他说,经书中曾说:凡是任何塔庙巡礼者、正在漫游者有净信心,将来死亡,于身体败坏死后,将再生于善趣的天界。不管如何,在夏摩山谷有强大的能量频率,这是无数世修行者们留下来的境界和清净心愿。在这里,信仰是人的日常生活的组成部分。人们不是有求于神,而是与神共存。

他说,这是寺院最古老的佛塔。在塔的基部刻有一首古老的梵文偈子,翻译过来大意是说:不追回过去,不期待未来,凡过去已舍,而未来未到。但若现在法，处处观察之。不惑不动摇，智者当增进。

他说，这种塔的建造结构，象征构成自然世界的四大要素，最底层代表大地，中层供奉着舍利、照片、珍贵佛像等圣物，代表水。再往上是圆柱形塔颈，象征火。顶部安放新月围绕着的太阳，象征太空和空气。塔的底部和中部大多刷成白色，顶部镀金。佛塔有重要意义，它代表佛陀的灵魂。

在山谷中据说生病的人如果不断绕塔会得到神秘的祝福。有些身患重病的人，放弃在医院治疗的希望之后，在寺院边上长住。他们放下一切的事情，每天只是绕塔转经，虔诚祈祷。据说有些人过一年半载之后，身体开始逐渐好转。这样的事情常有。去年我母亲心脏觉得不舒服，她每天来这里绕塔，在佛殿做大礼拜。现在她的心脏很健康，没有什么问题。

在旅馆门口他跟她告别。空气冷冽，一轮明月挂在边上即将圆满。他说，过几天我也来参加仁美的法会。如果你愿意，我想在合适的时间邀请你去我家里吃饭。我家就在附近的村子里，离这里大概二十公里。村子边有一座不知如何形成的佛塔，比这个寺院的历史还要长久。也许你会对它有兴趣。她说，好。我想去。

她又说，今天没有见到顿珠。他是我在幻海认识的第一位僧人，后来认识仁美。他陪着仁美回来夏摩山谷。

他说，顿珠回来三个月后还俗了。在法会中认识牧区来的年轻女孩，突如其来的爱情。他喜欢这个女孩，决定与她结婚。现在他们在县城文化广场附近开一家佛具店，生意不错，生下一个男孩。他依然虔诚做很多供养。对仁美也很照顾。

现在还俗的僧人并不少。

是的。发心也不一样。

顿珠想体验他以前没有感受过的世俗生活。你是为了检验自己的功力。

我也一样在体验。但可能他认为人间的苦是一种乐，而我认为人间的乐实质上是一种苦。他想体验乐，我想体验苦。我们的感受不一样。

他看着她的眼睛，说，其实你长得很像这里的人，头发漆黑，眼睛很亮，牙齿白，额头宽，眉毛粗浓。等你的头发能够编成长长的辫子，就和夏摩山谷的女人们一模一样。

他搔了搔头发，略有些害羞，对她说，现在可以告诉你，其实我昨天早上发生过一起车祸。我下山，搭载一位抱着婴儿的妇人，一位老人。山路遍布冰雪，通常这难不倒我。可是不知道为什么，车子突然失去控制，慢慢往山崖滑去。当时我努力告诉自己不能惊慌。妇人抱着孩子哭起来，老人数着佛珠闭着眼睛一直默默持咒。我向绿度母专注而全力地祈祷。在最后一刻，车子扭转方向直接冲向山坡，车头撞瘪，但人都没事。实在万幸。今天我借用别人的车子。

很多年没有经历过这样危急的惊吓，不知因何而起。后来仁美叫我去接你，我知道一定是缘分强烈的人要来到夏摩山谷。我或许已把某种巨大的障碍去除，这样你会顺利地抵达这里。而且会有很好的事情发生。

他说，再会，如真。很高兴见到你。

冬天的山谷，早上七点天色仍一团漆黑不见手指。八点微微发亮，她穿上长裙、大衣，包上羊毛大围巾，戴上手套，走出旅馆房间去寺院绕行转经筒。当地人走过空旷长街陆续向寺院中心汇聚。他们每天都会开始这个仪式。她加入众生的队伍仿佛一颗水滴汇入大海。

背着幼小婴儿的年轻少妇，步履蹒跚的老人，走路矫健的青壮男人，牵着孩童的中年妇人，也有行走不便腿有疾患的人。有些走得快，纷纷越过她。他们一边念祈祷文一边用力拨动经筒底部的木制推把，让它们呼啦啦转动起来。转动的频率让心变得宁静。彩色涂绘的大经筒漆面斑驳留下岁月的痕迹，经筒里装藏经文，表面镂刻六字真言。每一次转动代表无尽的祈祷，把虔诚的身口意供养给神灵。

围绕金刚顶寺顺时针转一圈，需要一个小时。转经道是沿着山脚开辟出来的一条步行土路。两边的巨大山岩的表面雕刻、绘画佛像和六字真言。小路边到处堆着玛尼石，也雕刻着彩色佛像和梵文。一块小岩石被众人的手抚摸得油光润滑。在路边，两位男子拿着口袋对每个经过的人分发糖果。他们在做布施。她接过两颗水果硬糖。想回去仁美的房子之后把糖果供养在佛陀像前。

转到山腰上时，太阳破晓，灰白色云层穿透而出的金光万丈，洒落在苍茫山谷之上。寺院庄严的重楼亭阁从晨雾中凸显，金色殿顶闪闪发亮。寺院开始传来响亮的祈祷鼓、铃鼓和海螺声音。僧人在清晨把杜松、柏枝、野蒿等芳香的植物堆放在一起，洒上红花和酥油，放在长柄小勺里或去屋外的铜盆里烧掉，用纯净的烟雾净化供养神灵。净化环境与人的各种无形污秽，去病免灾。

群山高耸起伏，人们安然生息。空气里弥漫着咒音和煨桑的芳香烟雾。崭新的一天开始。

在佛塔旁边的空地，聚集众多做大礼拜的人。他们带着垫子、水杯、食物，不断起身和匍匐，做几百个大礼拜。最后热汗湿透头发、背脊，是放下我执与骄傲的过程。然后坐在一起喝茶、休息，逐渐成为一个安静而愉快的聚会。之后各自回家开始进食和劳作。

当地人大多穿传统羊毛袍子，男人戴毛呢帽子，耳朵上戴着绿松石。女人则在袍子上缠一条红色绸布腰带，梳着满头细细发辫。她们通常晒得黝黑，脸上总是微微含笑，习惯把婴儿背在背上，整天忙忙碌碌。这些人举止缓慢，很少急躁，有轻松而温柔的性情。在这里，每个人知道他们的身心重心所在。信念降服物质世界的急躁、混乱、嘈杂与空虚。

她的生活也因此变得简单而充实。早起晚睡，过午不食，劳作，绕塔转经，做功课，祈祷。去小僧人学校给他们教语言，并照顾他们的日常事务。去仁美的厨房帮忙。寺院即将开始新年法会，僧侣们忙忙碌碌开始准备，各种法器、道具、乐器、衣服、食物要事先安排。仁美的僧舍人来人往，很多人过来商量、拜访。从牧区过来朝圣与希望见面的信众，带来新鲜的羊肉、牛奶、酥油或酸奶。

这时的确需要有人帮忙。她是女人，在当地习俗里更应做这些事情。煮茶，做饭，打扫院子，清理厨房，购买东西。铁炉上放着大茶壶，把水烧开，一次次倒茶，续茶。有时煮着开水或面条，把身体靠近火源，把手贴在锅盖上取暖。没有水管，每次做饭，需要去院子里的水龙头下面接水，拎水桶上阶梯运进厨房。水龙头若不及时埋在棉被下面，很快就被冻住。

早餐通常是奶茶和糌粑。仁美起来之后洗干净双手，用一根孔雀翎或一种吉祥草，在房间和庭院里洒净水，口念咒语，然后供水，供香，供花和灯，诵经一两个小时。他在用餐时不说话，学习时保持静默。认真研读经典著述，需要跟随老僧医学习医学知识。有时练习写书法。经常有人来拜访他，寻求卜卦、开示或商量事宜。他的生活不讲究排场，房间里只有简单的必需品。从不囤积多余的东西。自己所有的，总是慷慨大方地赠送给遇见的需要帮助的人。

有时仁美与智花有事外出，不回来吃午饭。她独自留在僧舍，把地扫干净，擦灰，拎水，清洗枕巾、床单、被套。把早上剩下来的面片煮热，放一些西红柿和青菜，盛出来端到院子。中午阳光热烈，照在额头上似乎要把人晒得融化。搬一把小凳子，在露台上看着远山慢慢吃饭。不时有红嘴的黑色飞鸟咔咔鸣叫着飞过。四五只野猫经常出现在屋顶上，在杂草丛中蹓跶。跑过来喵喵叫着讨要食物。有时也有野鸽子飞过来，乌鸦用嘴衔着短树枝飞来飞去筑巢。她拿剩余的糌粑和肉喂它们。

并不是总有这样的空闲。临近法会，需要和僧人一起做大量的酥油灯。准备几百盏小铜灯，插上棉捻灯芯，挨个倒上融化后的酥油。清洁和擦洗被使用过的酥油灯空盏，以及跟随他们学习做朵玛。朵玛是用酥油和米粉或面粉做成的供品，涂上颜色，雕刻成复杂而漂亮的形状，用以供奉在祭坛上。也要用大铁锅煮大量奶茶提供给来自四面八方的众多信众。这些活儿不但劳累而且要付出大量的细心和专注，否则容易做得不够好。

仁美这几天有些咳嗽。他不太懂得照顾身体，仿佛离肉身总有一些距离，还没有真正熟悉身体。自法会开始他每天要去大殿主持，在经堂为大众诵经、讲法。早出晚归，进入高强度的竭尽全力的状态。

她能够见到他的机会不多。

黄昏如果有时间，她也去大殿听法会诵经。佛堂大门有镀金铜式花纹，推开门，里面密密麻麻坐满当地人。她挤进去找到一个角落，坐在带着孩童的妇人中间，男人在另外的位置。殿堂里气氛肃穆，窗户是封闭的百叶窗，光束由高处的墙壁窗子射进大殿，照亮一排排黄色坐垫。花瓶里插着孔雀羽毛，盛满酥油的大黄铜灯盏，灯芯燃烧火焰簇簇。木柱上挂满色彩绚烂的窄条绸带和织品，天花板垂下来各色丝绸镶拼起来的圆柱形装饰。在后壁和侧壁的佛龛里有许多镀金小佛像。

有人拎着茶壶倒甘露水，众人纷纷伸出手心迎接，喝几口，剩下的抹在额头和头顶。她在他们当中，不觉得隔膜，生疏。不觉得与他们相隔过于遥远的文明。

仁美和众多僧人交替的诵经声音在传送。她第一次见到他穿上锦缎华丽法衣，戴上高高黄色法帽，坐在法台上，接受礼敬和供养。附近的村民全都围聚过来参加新年祈福，排着队，挨个给他献上哈达、苹果、礼物，等待接受他的摩顶和祝福。仁美笃定、稳重、有威仪。这是另一个他，也是他的组成部分。他从小被严格训练，为了日后成为这样的一个人。这个人属于很多人。

他内心清醒，没有任何狂妄与骄傲。在日常生活之中，言行举止显得得体、谦逊，从不显露自己身份的优越。但到底哪一个才是真正的仁美。法会持续到晚上九点，以仁美在最后长时间的一段诵经结束。他用孔雀羽毛和吉祥草把碗里的红花水往台下轻洒，持诵经咒。大家纷纷走过去，顶礼他的法座。仁美在其他僧人的簇拥之中离开佛殿。

等仁美叫僧人唤她进他的房间，他已脱下华贵精致法衣，换上平时的普通僧袍。他面色疲倦，但眼睛仍然炯炯有神。他微笑着对她表示歉意，因为很少有时间能照顾到她。

他说，在这里，你觉得冷吗，孤独吗。

没有。在经堂里和大家一起坐着，听到你在法座上诵经觉得很熟悉。在我家里，有一天早上我醒来，也听到你在房间里诵经。

是的。时间过得很快。

他认真地看着她的面容，问，你在这里过得好吗。

是的。在山谷里度过的每一天，与大家一起生活，感觉自己从内到外透亮起来。像一盏被点燃的慢慢亮起来的灯。

她说，在法会上，你对大家说话，给众人诵经，我看很多老人和男女掉下眼泪，只可惜我无法听懂。但我仿佛能够感受到你在说法。你的身行对我来说是最直接的说法。她停一下，问，仁美，能不能教我学习。我想请求你做我的上师。

他沉默一会，说，我并不是一个完美的修行人，还需要很多时间去学习。我不够优秀的能力做你的上师。如果你需要，我可以为你介绍寺院里学识渊博备受尊敬的老僧人。

但缘分引导到我前面的人，是你啊。

如真，不要着急。要多观察我。如果我们有这样的缘分，它会自然来到。

如果在以前，他的拒绝会引起她的情绪。觉得自己不配被爱，不值得爱，才会被拒绝。她会认为应该是自己不够好，仁美心里有顾虑，所以不接纳她，心里由此产生自责和惭愧。她观察到这股情绪，但没有以往的翻江倒海。也没有做出如同往常那般的自我讨伐。只是留出一个空间，观察这股情绪。这个空间是怎么产生的。突然她发现，自己具有了检查内心深处关于接纳的能力。

她照顾他吃饭，给他倒茶，盛汤。等他吃完饭，小坐一会，起身告辞让他好好休息。仁美起身把她送到门口，他只能到此为止，在这里有身份的限制。智花打开手电筒，陪着她走过寺院小路回去旅馆。

走进房间，仁美发短信给她，你到了吗，今天很累吧。这是他的温柔，像涓涓水流，是她熟悉的他的方式。他说，你需要找到和维持与自己的深度沟通。与自己相处，观察和感受内心的发生，体会到它们的生起、熄灭。这是一种重要的进入。尝试不断深入。他们照例在短信里说上几句话。这是他对她的引导。必须等到法会结束，他才会有时间照顾到她的需求。

她做功课。在卫生间打开热水冲淋身体。经过白日劳作，此刻洗去身体的疲惫与酸痛最为舒适。晚上寒冷，盖了厚棉被。她孤身一人，睡在异乡山谷的旅馆房间，心里并无一丝孤单或忐忑。扭开台灯，依旧阅读《大智度论》。

读到：观照事物真空的人，先有无量布施、持戒、禅定，他们的心柔和而顺道，各种烦恼少，然后修得真空之理。而在不正确的见解中没有这种事，只想要以妄想分别的不正之心取得空。好比种田人，起初不认得食盐，看到贵人拿盐放入各种肉菜中来吃，就发问，为什么放盐呢。回答说，因为这种盐能使食物味道鲜美。此人心中便想，这盐能使食物鲜美，盐本身味道一定很好，就空手拿上一大把盐放入口中吃起来，又咸又苦，损伤了口腔，于是就问，你为什么说盐能作美味调料。贵人说，傻瓜，这要考虑计量多少，和合其他主料，味道才鲜美，为何单纯吃盐。无智的人听到空解脱门而不行各种功德，只想得空，这是不正确的见解，断灭了善根。

这一段让她微微有些发愣，心里涌起众多感触。她在夏摩山谷所做的，正是遵照如此教诲而行。临睡前，她坐在床上，垫着枕头，在笔记本中写简短日记，最后抄录了一小段话：你所做的一切，你所吃的一切，你所供养的一切，你所布施的一切，以及你所行的一切苦行，该全奉献给我……于此舍离之道中，将心念凝注于我，你必得解脱，必到达我。

合上本子关掉台灯，躺下来安心睡觉。

8

与恶龙缠斗，凝望深渊。这条恶龙来自内心。

当爱欲如汪洋沉沦，心变得软弱而贪婪。当爱欲熄灭，心变成另外一种样子，冷酷，坚定，并因此充满封闭而黑暗的力量。这是沉重的代价。肚子微微凸出，孩子在一天一天生长。她并不知道该如何处理这个事情，但很清楚目前她不能处理。她要拿到钱，看到他的底线。这种强烈的对抗与报复，在心里冷静地燃烧。

某个深夜，四五个强壮的女人突然出现在屋外，骗她母亲开门。冲进家里客厅，一言不发扑过去揪住她头发，一阵掌掴踢打。她知道这种暴打的目的是让她失去孩子，但她不会让她们得逞。她猛力挣脱，奔到厨房里抽出一把雪亮的菜刀，紧紧捏在手里。她说，谁再过来动我一下，我马上劈死她。她的眼神和表情凛冽发光，额头上伤口的血流进眼睛里。她看起来准备不惜性命。当她挥着刀往客厅里走，女人们惊慌失措夺门而出。

母亲追问，她再也无法隐瞒，直接说完所有的事情。母亲深受打击。她对母亲说，你不要管这些事情，我会处理好。她用酒精棉花擦手臂、脖子、脸上被抓打出来的血痕，额角碰伤血流不止。她说，我不会受欺负。你只要管好自己。你不必再给我增加麻烦。你什么都不要说，不要做。我自己来说，我自己来做。

期限到，他递给她一个存折，她打开来看，上面打印着她的名字。还有数字，一百万。他说，我已帮你约好医生，明天上午你去医院做手术。时间拖得越晚越对你身体不好。

她说，你是在为我想，还是为你自己想。你的投票竞选也马上要开始了吧。

好自为之，不要把自己和别人都逼上绝路。

我没有别的路。我只有眼前这一条路。

她第二天一早即去银行，核查这笔钱。柜台人员对她说，这个存折是假的，里面没有钱。他们没收了这个存折。她的心像一潭冰水寒冷彻骨，又像熊熊烈火被泼上热油无法自制。走出银行，打车直接去他的单位找他。他没有想到她会这样机警马上去核实。他本来试图先骗她去医院做手术。他开车带她去僻静地方说话。此时他被她彻底弄怕。在高速公路上，他们开始争执。

他被她逼到崩溃的地步，歇斯底里辱骂她，你是祸害，害所有的人。我绝对不会给你钱。随便你怎样，我们一了百了。她的脑袋在某个瞬间嗡地嘶鸣一声。她说，那么一起去死吧。她扑过去，抓住他的方向盘，用尽全身力量死死摁住。他的车子正全速行驶在公路上，前后还有车子。他即刻吓得面无人色，赶紧求饶，如真，理智一些，快放手。我求你，我求求你。

他脸色煞白，语调颤抖，整个人像堆烂泥。一反刚才的理直气壮态度激烈，软弱得像条被铁棒打伤脑袋的狗。他怕死。是的。人在死亡面前多么卑微。她放开他，说，一个星期。这是最后的时间。你拿一百万现金扛到我家里。现在我只相信现金，这是你的欺骗造成的。否则我们同归于尽。

她回到家，看到母亲流泪满面，神情惶恐。母亲对她的所作所为极为不安。阿姨也来到家里。阿姨是基督徒，正在安慰母亲，带她一起做祷告。"我的万能的主啊，请宽恕我们的罪……"在短短的这段时间，母亲深深虔心信赖宗教，对生活的严酷安排实在无能为力。她抛开她们，走进自己的房间，关上门拉严窗帘，躺在床上盖上被子。她想闭上眼睛长长睡上一觉。

跟小时候一样，每当伤心、脆弱、难过、困难的时候，她都想盖上被子睡一觉。最好这一觉无限长再也醒不过来。除此之外还能如何。无人倾诉也无法寻求安慰，她只有自己。或许还有肚子里这个在长大的孩子。孩子在分担她的愤怒和无助。在她没有办法照顾好自己的时候，她没有能力去照顾对方。时间一到，她只能把孩子送回去。

黑暗中仿佛他还在背后，紧紧挨着她，抱住她，柔软而炙热的嘴唇贴着她的耳朵、脖子，被抚慰的灼热的肌肤。那被留恋和痴迷的爱恋，为何人与人之间的欢愉如此短暂而善变。如真。有人在温柔地呼唤她，深深长长，仿佛她是他的心里唯一在爱着的人。这个人，是他，还是他，还是他，还是另一个他。

她一直在追寻这个人。她没有得到。她仍旧孤独一个人，四肢有时微微抽搐一下，仿佛跌落无尽深渊。肚子里的孩子开始游动，她轻轻抚摸肚子，低声说，请你原谅我。我目前无力自保。你以后再来，以后再来。然后她闭上眼睛睡过去。

一个星期后，他开车过来，深夜敲开她的家门。搬来两个大纸箱子，里面全是一捆一捆的钱。他说，这是一百万。她相信这一次他没有任何别的花招，这些纸币值得信任，她已用行动告诉过他，如果他欺骗她，她绝不放弃绝不饶恕，能够以死相搏。他任何一个小动作小计谋都不会得逞。她必须达到目的。

她收下钱，对他说，好了，现在你可以彻底回归你的日常生活。需要我写收据给你吗。他说，不用。临走前他说，你不要留在这里，走得越远越好。以后你会下地狱。自始至终他不愿意正眼瞧她一下，也没有正眼看过一眼她的肚子。

她微微笑着，挺着已经显形的肚子，温柔地说，你不用替我考虑这么远。我在活着的时候，已经来回地狱很多趟。刀山火海经历无数次，我不害怕。我知道地狱是什么滋味。要害怕的是你们这些伪装正直、善良、有责任、有爱的人。我帮助你看清你自己，但你会承认你的失败吗。真正需要害怕的，是你们这一类以为自己永远不可能去地狱的人。

她把现金存入银行。当天晚上肚子绞痛流血不止，母亲把她送进医院。孩子状况出现异常，即便出生也不会健康。母亲替她做出选择，马上放弃孩子。她心里想，孩子终究抵挡不住她内心的嗔恨，这个生命有感应。在她与他的战争中决定放弃以人身来到这个世间的机会。

此后经历疼痛难熬的几日，将近一个月的休养。母亲照顾她，帮助她恢复身体。她一直迷迷糊糊躺在床上，很少吃东西。有时昏睡有时清醒，浑身大汗淋漓，头发湿漉漉浸泡在汗水中。有时寒意彻骨，手指都在颤抖。在梦中，她时而觉得被捆绑火烧，时而又被推进悬崖荒山，连连惊醒。睁开眼，看到母亲总是跪在她床边祷告。母亲日以继夜地祈祷，低声祷告的声音和隐隐的哭泣在房间中回旋。她不知道是凌晨还是黄昏，只是长时间昏睡不醒。

母亲的几个教友过来，聚集在一起为她祷告，房间里响起赞美诗和冗长的祷词，妇女们穿着邋遢的T恤和运动裤，身形发胖，脸上遍布黑斑气色浑浊，祈祷和唱诵的声音却清亮有力，娴熟自如。祷告结束，她们说着家常话，各自归家。她想，人到底应该如何从各种宗教形式中获得安慰。是期望得到护佑还是挖掘自我救赎的力量。是祷告还是追索。她相信任何一种宗教都在接近真理，表达真理。只是凡人难以得到真髓，不解真意。

心毫无感触。偶尔眼泪麻木地从眼角蠕动下来，伸手擦掉。她并不自艾自怜，只是想着余生需要漫长的清洗和忏悔，决定以后不会再要孩子，也不结婚。准备再次离开家乡，回去幻海。她听说他投票竞选失败，妻子再次搬回娘家，并因为这次变故受愤怒刺激，肚子里胎儿状况不太稳定。而她与这个男人再不会有丝毫联系，日后将如同在彼此的世界里身亡。

母亲同意她离开，事实上母亲听到她的决定如释重负。母亲说，在这里，你和我都抬不起头来。我也就是这样了，但你还年轻。我不奢望你以后能够结婚生子，但求过平常生活，不再自伤，也不伤人。走得越远越好，如真，朝着光亮的地方去。劫后余生，好好地活。

她收拾出一只行李箱，里面带着随身衣服、书籍，五十万存款的存折，准备离开故乡。其余的五十万，在当地买一套小房子，让母亲离开墓地搬到新开发区的楼房。母亲终于可以住到干净而有光照的新居。

坐火车卧铺，路上三天三夜。再次离故乡越来越遥远，把过往远远抛在身后。在闷热浑浊的车厢里入睡、醒来。挤在有限空间里的来自四面八方的人，沉睡、发出呼噜声、呻吟，孩子玩闹、有人在电话里低声争吵、有人看俗不可耐的连续剧、仿佛还有隐约的哭泣……她看到外面夜色漆黑，火车轰隆有声，远处天空有清冷而亘古的星光。大片的田野，河流，大湖，村庄，山岗。世间万物，此刻真实而虚幻。

而她的心里感受到从未有过的一种巨大而空茫的平静。也是一种从未有过的柔软的悲伤。这平静与悲伤，像清澈的泉水汩汩冒出，在她体内来回流荡洗涤。那一刻，她发现所有的人都是受难的，受限的，身不由己而毫无所知的。不尽然是她，是所有人。而我们到底在为了些什么而受苦。

天空逐渐地亮起来，亮起来。直到彻底变亮。太阳在火焰般的绚烂云霞中腾腾升起。她看见远处的幻海之城。

9

早晨她依旧早起，洗脸梳头穿上羊毛裙袍，准备去绕寺。牧区来客赠给仁美一条暗红色牦牛毛手织大披肩，仁美送给她用以抵挡寒冷。她用大披肩裹住头脸。天还是黑的，旅馆大门晚开，平时她走院子后面的小铁门。当她下楼，看到走廊里有一位男子站在紧闭的大门前踌躇不定。他不知道该如何出去。

走近以后，她看到他灰蓝色的眼睛，白头发，高挺的鼻子。这是一个美国人，大概五十多岁。打扮朴素，背双肩包穿风衣和登山鞋。

他说，我想去车站。现在旅馆门关着应该怎么出去。我想坐公车去县城。她说，现在有点早，旅馆只开后门。从后面小铁门出去。

男子连声道谢，说，我每年都来金刚顶寺，在寺院格西那里向他请教，跟着他学习，与他同住。有时住上一个月。这是第九次。最近他身体不适，我在旅馆住了几天准备回国。不知道明年是否还有机会再看到他。

她说，是的。每一次告别，不知道是否会再重逢。

我深爱这里，只是无法留下。

你怎么知道这个寺院的，它这样隐蔽。

我祖父是个摄影师，早年拍摄喜马拉雅地区。我小时候翻看他的摄影册，见到有夏摩山谷的黑白照片，山峦、石子路、街上的人家以及寺院建筑，对我来说充满新奇和古老的美感。我被深深吸引。之后我学习山谷的语言，做很长时间的准备，隐隐觉得一定会抵达这个地方，并且遇见能够重整我的生命架构的老师。

如何重整。

像打酥油茶一样，把生命中精华的部分提炼和抽离出来，把杂质去掉。当然这个过程需要方法也需要时间。当我在格西的书房里一次次聆听、理解、体会，某天不经意间第一次尝到法喜的甘露，知道不可能再回到原来的生活。信心起来，再不会退转。只有坚持往前走。也希望你有收获。谢谢你帮我指路。

他伸出手，热情地和她相握，走出门外。他背着包的孤独背影很快消失在黑暗而寒冷的天色之中。也许很久以前，来到夏摩山谷的西方人更多。他们不畏惧未知、艰辛，怀着对遥远而悠久的文明的仰慕之心，克服种种困难跋涉而来。人类的文明正是通过人与人之间的分享、传递，以此延续和传承。

中午她去街上的药房买药。学校里的三个小僧人互相传染感冒，开始发烧、咳嗽。她隔离这三个孩子，需要给他们治疗。药房门外静静趴着一只大公羊，长一对弯曲而健壮的大犄角，身上的黑毛很长，小眼睛没有表情。路过的人随意地撞它一下，拍打它，仿佛遇见邻居般跟它打着招呼。这是被放生的年龄很大的老羊。它看着她，站起来往她前面走几步，有所等待。她用手轻轻抚摸它的额头，对它温柔地打招呼。它慢慢穿过路口走开。

此刻阳光暴烈，滚烫地照在额头上、眼睛上，望出去街上白茫茫一片。她取好药，顺便去集市购买晚餐需要的食材。经常是为十来个人一起做饭，需要购买土豆、白菜、粉条、西红柿、青菜、面条、汤料、酱料……给生病的孩子煮一锅面片汤，让他们多吃蔬菜。把所有的东西放进箩筐，把筐背起来的时候，她看见集市拐角有一家照相店。临街的橱窗挂出一些黑白老照片。

她情不自禁走过去，站在橱窗前仰头凝望复制的黑白照片，有些被涂上彩色。大多是夏摩山谷以前的样子，高僧、衣着华丽的转世者、装束特别的瑜伽士的肖像，寺院原先的建筑、房间和细节，老街的习俗风情。照片里都是以前的人。一张照片引起她的注意。

一座峻峭山丘，山上是壮观宫殿，俯观野草丛生的湖泊。尊胜塔造型的古朴白塔旁边有一对年轻男女。女人的黑发下露出光洁的额头，秀美的五官。一双清澈如水的眼睛。穿着裙边盖住脚面的传统衣裙，斜襟上衣，头发编细细的麻花辫子再层层盘成发髻。脖子上挂着一串项链，一圈洁白的海水珍珠，中间镶一颗乌兰花松石，旁边点缀两颗红珊瑚。手里拿着两三枝折下的高山杜鹃，盈盈含笑。站在她身边的男人，东方面孔西式装束，穿着白衬衣、粗布裤，背麂皮双肩包，戴一顶巴拿马草帽。男子面容英俊，眼神宁静。

这一对年轻男女如珠联璧合，即便在旧照片的黯淡色彩中，仍熠熠闪烁发出摄人的微光。她在玻璃窗前观看很久，想起在慈诚车上做过的短暂的梦，照片中女子的装束似曾相识。为何她的眼睛如此熟悉。她走进屋子里，打招呼询问是否有人。从隔间里面打开一扇小门，走出来一个戴着毛呢帽子和老花眼镜的当地老人。他手里拿着佛珠，也许正在里面课诵经文。

她说，你好。我想问问，外面挂着的那些黑白合影是谁拍的。

他说，大多是西方摄影师拍的，不全都是夏摩山谷，有些在犀地。以前他们住在日玛旅馆，拍很多照片，没什么钱但都很善良。他们在这里洗出一些照片。

那张白塔边的男女拍的是谁。

这个白塔是在犀地。他们看起来比较像朝圣的旅人，也许是一对爱人。

我想买下这张黑白照片。

你喜欢可以送给你。

老人拿出一只自己叠的小纸套，把这张五寸左右的黑白照片装进去。说，这照片上的女人，眼睛跟你长得很像。你从哪里来。

我从幻海过来，跟着仁美师父。

他连连点头，说，从那么远的大城市过来真不容易。你和夏摩山谷有缘。

这一天法会到尾声。诵经结束之后，经堂里的人们围聚在一起抛洒大米、糖果做为供养和祈福。她没有带糖果，旁边的人看到热情地在她手里塞很多。等仁美和僧人们离开经堂，她回到僧舍。仁美的房间聚集着村子里的老人，他们在拜访他，他很忙碌。她在厨房烧开一茶壶奶茶，智花过来取走，给客人们续茶。她等着照顾他吃晚饭。

在厨房洗干净碗盘、扫地、烧水之后，不知为何她觉得疲惫。在烧牛粪的灶台旁边，热烘烘的火苗跳动让人昏昏欲睡。她趴在自己的腿上睡着。等她睁开眼睛，发现厨房里十分安静，仁美坐在她旁边的凳子上在烤火，火光照亮他的面容。一时她恍惚不定，以为与他仍在幻海的公寓里面。他仍是那个与她朝夕相处来自远方山谷的年轻人。

在这里，与他在幻海时毕竟有太大区别。彼时，他是一个自由自在的人，换上便服可以行走在人群闹市而无人注意。此地，他身负重任，被他人期待、仰慕、崇拜与关注，这些都是压力。她自动保持和他之间的距离，如同他身边的人对待他的方式，小心谨慎时时保持恭敬。在心里她知道这个人，就是在她花园沙发上小憩的男子。她见过他睡着时露出的孩童般天真模样。

他轻轻说，你醒了。这几天你很劳累。你做太多事情。
她说，还好。我做的事情没有你的多。

事实上她做的事情的确很多。她妥当而小心翼翼地照顾他，饭食、服药、喝茶、打扫，样样考虑周到。他把她身上最美好的品质压榨出来。以前这份尽心对待他人的感情与用心无法流动出去，也许是没有遇见一个值得的人。没有人令她彻底放下骄傲、怀疑、设防和吝惜。仁美做到了。有时她也会觉得疲累，但更多是一种彻底的碎裂感。他在碎裂她。让她碎裂重重包裹的自我设限，流出自然而纯净的心性。

他说，现在法会结束，我有时间。我已做过占卜，选好处理骨灰的时间和地点，明天我们开始。记得明早四点起床，在旅馆等车来接。
好的。
除超度的事情，你还想要什么，如真。
我想要什么，你都知道。

他低下头沉默一会，说，我的确觉得自己不是那么有资格去教导你。但是，就像你说的那样，缘分已把我带到你的面前，我不可能不管你。你已经很努力，如真。这些日子，你所付出的让我们大家都很赞同。

她说，我所做的，不是想让大家赞同。我只是让自己心安。

是的。这是你在为自己做准备。看起来你已经准备好了。

他温柔地看着她的眼睛，说，你已很累，回去好好睡觉。明天开始，我们会有多一些的时间相处。

她在旅馆房间里睡得沉实。三点突然警醒，立刻起床梳洗穿好衣服。喝下一杯热红糖姜水，静静等在房间。外面仍是漆黑一片，气温很低。她把父亲的骨灰袋子取出来捧在手心。心想，这么多年，父亲和她应都在等待今天这一刻。

仁美发来短信，说车子已在旅馆门外。她摸黑走下旅馆楼梯，从后面小铁门走到外面，慈诚开的越野车停在路边。他又出现了。他说，如真，仁美让我开车带你去他的僧舍。一会他们诵经结束，我们一起去西边山上洒骨灰。仁美已安排好位置。她坐到他身边的副驾驶位置上。

他说，你这几天过得好吗。

很好。你觉得呢。

他露出雪白的牙齿微笑，你天生属于山谷，就像一颗植物的种子落在真正属于它的适宜而深厚的土地，会很快伸展枝叶、开花结果。我在等待你的心开出花来。

仁美的僧舍灯火通亮，很多人进进出出地忙碌。炕上坐着六位年老的僧人，是邀请过来的德高望重的僧人。他们念诵两个小时左右的经文，做超度仪轨。慈诚与智花开车，两辆车接着他们赶去西边山下。山顶有一处茂盛的柏树林，地势开阔面对寺院的大佛塔。仁美选在此处。

空气凛冽刺骨，僧人们都只穿着僧服，裸露右边手臂。他们迈开步子，在漆黑一团中沿着坡度迅速奔跑，飞快往山顶行去。山上并没有成形的人行道路，她紧跟在后面，感受到心脏跃动不堪重负，呼吸都是刺痛。黑暗中坡道陡滑难行，她担心跟不上他们。这时慈诚在旁边伸手给她，说，拉住我。他默默跟在她身边及时伸出援手。

他的手温热有力，一把拽住她拖动着往上攀爬。前面的人已抵达山头，在那里低声商量。她跌跌撞撞、气喘艰难地跟上。当慈诚终于把她连拖带拽地拉上山顶，她看到柏树林中野草齐膝，大家围绕着一棵姿态古朴的老树正念诵经文。在仁美的示意之下她打开布袋，用手掏出骨灰洒在树下。

黑暗中抓到的骨灰颗粒比手指的温度高，反而有一种温暖的感觉。父亲在河道渡船上靠近她的脸于黑暗中浮现，他在她耳边说，如真，这一世我们之间的缘分就是这样。她年少，但已知必须接受世事无常。她在心中对他说，不要担心我。可以放心地走。我祈愿找到正途，我会好起来。我正在好起来。然后父亲的脸像水波纹路般于虚空中消失。

做完仪式，下山重新回到僧舍，天色已亮即将日出。她、慈诚与智花在厨房里煮好热腾腾的奶茶，准备糌粑和馍馍，做法事的僧人们在一起吃早饭，轻松地说会话起身离去。仁美安排慈诚带她去后山举行葬礼的山坡，在那里可以把带过去的遗物烧掉。

后山平时为寺院僧人所用。山上大块荒石，没有树木。他们慢慢沿着坡地往上走，在山坡上刚好可以看到远处的山顶日出。绚烂朝霞一层层晕染，太阳带着纯洁的赤诚跃出天际。他们长久伫立感受这个瞬间。他在旁边轻声说，夏天这里遍地都是波斯菊，现在寒冷，种子都在泥土下面休息。但我站在这里感受到它们的力量。

坡地上有丢弃的佛珠、瓷碗、衣服碎片，有一种说不出的清净气氛，令人镇静。她想，在这里人的一切奇思幻想和妄念都会平息，死亡是圣洁而有尊严的事。这里集聚的能量让人自然地身心平静。

他说，母亲在我小时候提到佛经里的故事，佛陀告诉舍利弗，地狱众生数目如大地，饿鬼的数目如沙造之城的沙粒，畜生的数目如造酒之谷粒，阿修罗的数目如大风雪的雪片。而天人与人的数目如指甲表面的尘埃。

《阿含经》里也说过，人得到肉身的困难，如同盲龟浮木。大海中一只瞎眼的海龟，每隔一百年才能浮出水面一次，并且要恰好穿过在海面上随着风浪漂游的一块浮木的小圆孔，以这样的概率才能得到人身。而肉身的脆弱，好像一支被点燃的蜡烛放在旷野当中，火焰飘忽不定，任何一缕不知来自何处的风就能把它吹熄。

所以说人身可贵。你的母亲很有智慧。

他微笑，她住在村里一生没有离开过住家附近五公里，不识一字。我们所知道的都是由家庭里的长辈和寺院里的僧人口口相传，世代传承。这些只是常识。

他说，我们认为人死去后，中阴状态一般要持续四十九天。山谷的习俗，在死者房间悬挂一个烧炭的陶罐，里面放入青稞、酥油、冰糖、檀香、红花等混合物，因为中阴状态的心识以烟和气味生存。有时亡故的亲人出于牵挂，会在他深爱的生者身边停留很长时间。

她说，我们那里没有这样慎重地对待过尸体。很多人在医院病房或走廊里死去，被匆匆忙忙推进停尸间，第二天就被拉去火葬。人被以他的身体作为存在依据，他们觉得心识不存在。

她把这次一起带过来的父亲的旧衣服、照片堆起来，其中包括有孩子头发的一个纸包。孩子离开她身体的时候已然成形，她看到婴儿头顶的几绺黑发。但是她从小胆子就大，不惧怕墓地，不惧怕残存的肉身。她接受真相，接受所有的痛苦和损伤。她说，我把孩子的尸体埋在家乡荒废寺院围墙外的一株老松树下。小小的身体用白布包着，我剪下他头上的头发。是个男婴。我在那里许下誓言，自己不会再结婚，也不会再有孩子。
这是对自己的惩罚吗。
是的。

可以有一个爱人吗。

在我极为匮乏与苦痛的时候，经常发自内心地祈求，希望得到一次爱与被爱的机会。执念不除，始终是饥饿受苦的人。但如果这个愿望能够实现，我也应该先具备承接的能力。如果没有真正深刻而纯洁地去爱，被爱过，死的时候也不会安宁吧。会一再回到这个娑婆世间接受考验。成绩太差，不合格。

他说，要先知道什么是爱。什么是深刻与纯洁的爱。
是的。我需要学习。

慈诚在旁边堆起柏枝，浇上酥油，点起一堆火。火焰慢慢越来越大，发出噼啪燃烧的声音。物品在化为灰烬。他们在旁边看着簇簇跃动的火焰。慈诚诵经，直到一地灰烬冷却。

现在感觉轻松一些了吗。
我需要卸除自己的障碍。否则无法生长。

他说，以前在犀地跟随格西学习，他教授我一篇古人论著，我极为喜欢开头的几段，是这样说的：孔雀行走到毒林之中，虽然药园芬芳美好，但孔雀并不欢喜和欲求。反而安住在毒林中，并以剧毒资身活命。真正的勇士也是如此。贪欲的烦恼像是剧毒之林，勇士在轮回贪欲的剧毒林中是自在的，犹如孔雀能取毒自在。

我们不必高谈阔论各种理论或境界，只需体会人性的脆弱通过它的试炼。不回避黑暗的力量，感受地狱般烈火的熊熊燃烧。痛苦是珍贵的。不以痛苦为羞耻，也不试图回避、忘却和逃脱。降服心结与痛苦之流，最终达到净化。烦恼、挫败、耻辱、罪恶、创痛……这所有一切都可以成为培养灵性层面开花的土壤，让智慧与慈悲生起。我们依靠和利用这些经验，并且需要知道自己本性完美。

重新开始吧。如真。

慈诚

<u>1</u>

隆重节日过完，大家恢复正常作息。需要接待的人、准备的饭食以及需要做的劳务，不再那么多。如真凌晨即起，诵经，禅修，出门去绕寺转经结束，过去僧舍和大家一起吃饭。上午仁美给她讲解经文，她主要学习般若经。期间仁美如果有空，断断续续与她一起阅读论著。她也继续帮助他学习语言。

与经文之间需要因缘。在仁美的佛堂第一次看到般若经，她翻开来读几页，感觉被深深摄受。之后日诵一遍，经文很长，需要一个小时左右完成。读到一些段落仍忍不住心里热流滋生。"放下遮障自显本来妙觉境，照见本净有情世间本来净。本来清净果净色净得净观，智如虚空断分别妄自显明。"这四句话感触尤深。越往后，经中句子释放出的意味在心里更清楚明了，仿佛一颗浓缩紧密的药丸，泡在清水中一点点软化、溶解与吸取。

学习结束之后，她在厨房做饭，整理打扫。下午去小僧人学校教课，教他们拼音、造句、阅读，同时照顾学校日常各种琐碎事情。这些孩子小的六七岁，大的不到十六岁，混杂在一起学习。学校在一个古旧庭院，房子与廊道围成圆圈形，中间是敞开空地。建筑长年没有修复，墙壁粉刷斑驳，门窗已损坏不能闭合。在冬天无法生火，孩子们席地而坐，虽铺上羊毛毯子和坐垫仍极为寒冷。

上次给仁美的钱，回来后他给孩子们购置新的僧衣、鞋子、文具。这次她想把墙壁重新粉刷，安上挡风新门窗，做一批可以让他们读书和写字的矮木桌。身边还有一些钱。到夏摩山谷之后花费不多，主要是支付旅馆房租、买些食物。在幻海维持一个月的费用，这里可以用上半年。没有百货公司、甜品店、咖啡店、西餐厅、电影院、酒吧……这里什么都没有。她在幻海时已过着极为简单的生活，适应这一切并不难。在别人看来也许是极度的无聊和贫瘠，对她来说是合理与安宁。

她把想法告诉慈诚。他说，你愿意做这件事情很好，我可以帮你把大概的费用计算出来，然后找到工人把这些想法实现。但是，你要记得一件事情。

请说。

真正的布施没有任何动机、预期、目标。你自己，被你布施的对象，以及给予出去的财物，都要以空性之道观之，而不是执一切为实有，否则这是不会有福德的事情。有些饱含野心与欲望的布施，做过一点善事四处撒播，希望天下人都知晓，或企图获得别人的赞美和敬仰。付出是一个工具，背后是更贪婪的需索。

她说，我明白。我只是想做这件事。做完我就忘掉。

仁美这次也没有拒绝，他说，我们的确有些困难，没有能力做得更好。寺院没有商业化也不想刻意经营什么，信众们有些供养，修复只能逐步完成。不过对僧人来说，真正用功地去学习的发心和践行更为重要，环境与条件如何，有没有崭新的文具、舒适的房间，这些不重要。但若能提供他们更多方便，也是好的。

如真取出现金。很快各种工匠进入学校，重新粉刷墙壁修葺门窗，崭新的松木桌子做出一百张。铺上更厚实暖和的地毯，安装炭炉。慈诚期间提供帮助和支持。教室很快焕然一新。

三个月后，仁美说，我想带你去我小时候出家的寺院。我在净月寺出家，后来才被接到金刚顶寺。我经常思念那里。我们在净月寺住一个晚上。

净月寺离金刚顶寺一百多公里，途中翻越崇山峻岭。同行有一位十岁男童，回去村里看望奶奶。男孩戴着帽子抱着书包，老实而乖巧。车子在山道蜿蜒爬行持续太长时间，他开始晕车呕吐。呕吐物在颠簸中突然从他口中喷出，弄脏衣服裤子。有些沾在如真的裙子上。车厢里充斥难闻的气味。司机停车，她牵他到公路边，拿出一瓶清水帮他清洁衣服，清洗脸和双手。仁美也下来，一起照料。然后再回到车上。

男孩从最后一排换到前面第二排的位置，依然很不舒服，忍耐着一声不吭。如真和他坐在一起，伸手从背后抱住他。他依靠在她的身上，也许觉得安心便闭上眼睛慢慢入睡。这是奇怪的感受。她在他们当中，不管是跟男女老少在一起，都不觉得陌生。仿佛可以与他们成为一家人。在幻海时，她觉得整个空茫的城市孤身一人，与谁都没有关系。

山路弯道重重，一路经过幽深的峡谷和山沟。一边是悬崖峭壁，一边是大湖。山崖绘有很多佛像壁画，在各个位置浮现的菩萨像，璎珞珠宝装饰，服饰华贵，面容虔诚，摆出各种手印。色彩绚丽沉稳，绘制严谨精细，又有一种豪放不羁的气质。壁画一路绵延，虽历经岁月沧桑损伤败落，内在的力量更夺人眼目。

仁美说，我小时候见到岩石上的佛像离地面更近，现在感觉佛像的位置越来越高，好像山道在往下慢慢陷落。也很难说以后湖水上涨是不是会越过山道。

这些佛像是谁画的。

也许是四处流浪的壁画工匠。他们路过这里，谁都想留下一幅作品，越来越多。这些绘画明显出自好多个人之手，风格迥异，技艺精湛，长年的风沙雨雪也在渐渐抹掉这些痕迹。老人们相信这些壁画是在山上自生的。

他说，每次经过这里都能感受到一种虔敬而深沉的气氛。我深爱这片土地。

仁美的故乡，一座高山上的村庄，四周被雄浑高峻的山峦包围。他说一到四五月，桃花漫山遍野，一簇簇深红色杜鹃点缀松树林当中，蝴蝶成群飞舞。净月寺四周有一圈高大而方正的泥土围墙，是很久之前的遗留物，但已无人讲述它们的历史。小寺院占地不大，一应俱全。他们被引进客房休息，围坐一起吃羊肉、面片，喝几杯热奶茶。仁美小睡片刻。她独自出门。

经过护法殿，一座杂草丛生的古塔。飞鸟经过，树影憧憧。这里寂静，一个路人都看不见。她沿着古塔开始顺时针绕行，轻声持咒。所有的寺院都会有这样的白色佛塔，供着五方佛、经文、舍利子或其他的圣物，象征佛的灵命所在。前面是大经堂，铺着方形岩石的庭院中有一位僧人在扫地，墙角的白泥煨桑炉堆放干燥柏枝和青稞，芳香白雾仍淡淡持续。他看见她，点点头，没有询问也没有好奇。她往炉子里扔进去一束柏枝，几包麦粒，念祈祷文，走进空荡荡的经堂。

佛殿光线阴暗，空气冷寂，正中位置是一尊金色宗喀巴大师像。僧人此时进来，递给她一盏酥油灯，又走出去。等在这里仿佛只是为给她递一盏灯。她点燃油灯放在案台上。蓝色火焰跳动，亮光腾腾升起，一簇灯火的光明可以突破所有黑暗。让心像烛火般亮起来是重要的，她想。这也是仁美对她说过的话。把自己照亮，再去照亮别人。火苗跃动，稳定的清明感受凸显。她默默站立，发现心里再没有任何祈愿，没有疑问，没有需求，只剩下这光亮之中的明觉和无分别。转身走出去。

晚上大家照旧围着烧热的铁炉说话。水壶里的热水扑扑滚动，有人把杜松和柏叶放在炭炉上面熏热，木质芳香弥漫房间，清香扑鼻。早上有人送来家里奶牛挤下的新鲜牛奶，做一壶滚烫的奶茶，说话，喝茶。炉子里的牛粪火熊熊燃烧，窗外夜色漆黑万籁俱寂。夏摩山谷的人喜欢以原始而朴素的方式聚集，亲密地相聚，交流，谈论，分享日常。她听不懂他们说什么，但总是能够静静地置身其中。

这里的人欲望少，心念单纯。他们并没有很多钱，但看起来不贫穷。让人感觉贫穷的是无法满足的欲望。真正的穷人是充满贪婪、恐惧、饥渴和无法满足的人。用尽一切手段赚钱，再把钱花在满足欲望的各式内容上。无止尽并且乐此不疲的循环，但大部分在城市中的人是这样生活的。在城市中，人是隔离的孤岛。即便有朋友约齐在餐厅吃个饭，也很快开始各自拿出手机，关心起复杂而不相干的新闻和视频。人们缺少存在于此时此地的能力，逐渐失去对真实觉知和连接的能力。

当人陆续散去，仁美对她说起往事。

他说，我即便在金刚顶寺，也时常想起在这里度过的时光。那时年少，无忧无虑，每天和其他小僧人伙伴们爬到土墙上玩耍。被认定为转世之后再不能随便离开房间，大部分时间封闭于屋子里，被监督着勤奋地读书、学经、背诵。从那时起，我知道因为公众身份，必然要牺牲某种程度的人身自由。但这是责任。我知道应该为大部分人的精神需求和信仰理念去努力。而不能仅仅只是为了私人的快乐或舒服而活着。

他们是怎么认出你的。

通过卜卦等选出四五个孩子。那天有别处的僧人来到寺院，把我叫过去问很多问题。说完话他们刚走，天空突然下起大雨。那个季节下雨很罕见，寺院和家人觉得这是吉兆。

一个人小的时候对世间并不了解，很多事情都没有经历过，怎么能够发心出家。

在夏摩山谷，婴儿一生出来就被母亲放在背囊里面，跟着家人去绕寺院转塔转经筒，听他们念诵六字真言。第一个传授他们的人是母亲或其他家人。他听到各种祈祷文、咒语、赞颂，和大人一起参加每年的宗教仪式，寺院里的大法会。孩子们是这样长大的。周围环境是重要的熏染和教育。在夏摩山谷，宗教感如同空气般存在，镌刻在人们的意识之中。它是生命内容的一部分，不需要下定决心才去投入，或成为一个被反复质疑的命题。

家里只要有条件，会在最好的房间摆设一间佛堂，每天做大礼拜、祈祷、煨桑。僧人们来众生的家里诵经，给人打卦、看病。我小时候见到他们，觉得这些整洁、优雅、幽默、知识渊博的人不事俗务，不为生活所累，没有物质与感情的拖累，看起来悠游自在。人们尊敬和信任他们，把他们当做精神向导和生活中的支持。孩子如果有前世的因缘，想去出家的心愿是自然生起的。

这样生活的话，会心里觉得幸福吗。

我们从小被教导要以空性和净观之道去看待自心，善待周围的世界。走上正途的生命才有倚靠。持续地保持正念和觉知的确会带来幸福感。

我希望也能走在这条道路上。但我做过很多激烈的事情，有许多障碍。

让过往全部通过，放它走。人的一生需要遭遇的事情太多，不能一直背着全部。接受所有发生的事情，如果它们注定要发生。即便在某些时刻有些事情显得很艰难，但最终的结果是正确的。是好的。

是这样吗。
是。是这样。

他深深看着她的眼睛，如真，离苦得乐，得到解脱，不是你一个人的愿望，而是众生的愿望。当你在修行的时候，你已在为这个世界的整体平衡与净化作出利益。记得这一点，并把它当做你精进修行的最初发心。永远都是如此。记得是为众生而修行。

夜已深，他让她去房间里睡觉。说，明天凌晨你五点起。

隔壁新装修过的厨房，炕床上已铺好温暖厚实的棉花被，柴灶里烧干牛粪，炕被烘热。她把大铁锅里烧开的热水用铜勺舀出，装在铜盆里洗脸，拿出毛巾沾湿之后一点点擦洗身体和头发，换上干净内衣。明天早上她预感有重要的事情，需要认真地自我清洁。她浑身哆嗦地躺进大棉花被子里面，熄掉灯。

炕烧得热，一时无法入睡。仁美的屋子依然有人进进出出，他们并没有休息。直到凌晨一点多，来拜访的人才纷纷离开。木门吱吱嘎嘎，房间里隐约传出的低语平息。此时她收到仁美的短信，他说，你早些入睡。天亮见。他对她的动向了如指掌，知道她辗转反侧还未入睡。

过往的事情已很少想起。在某些瞬间，即将入睡或者刚刚醒来，一些零碎片段闪现并依然清晰。吉隆坡机场父亲告别的面容，墓地旁边的旧居，母亲店铺里永不停止的电视机画面，肯德基餐厅里男子递给她食物说出"诀别"两字时的表情，男人的卧室里挂着的结婚照片，舞洲的破船和喷火男子，地铁玻璃窗上映照出女子身影，一沓沓厚厚的现金钞票，被医生取出的已成形的胎儿，孩子脑袋上的几根黑色头发……

曾经她用尽全力想得到一个世俗的普通男人，烹煮、洗衣、生儿育女，朝朝暮暮，白头到老，不惜撞得头破血流。但她并不知道这是否是爱，结婚的目的又是为了什么。如世上大部分女人所曾期望的那样，奢望对方待自己百依百顺，提供免费的安稳生活，提供无止境的舒适和快乐，驱除孤独寂寞吗。这分明是个巨大而自欺的妄念。

更大的妄念还有，她试图得到爱的证明，证明对方爱自己，自己值得被爱。如果没有得到，觉得自己失败，不如死去。她最终还是死去一次，不是死于无爱，而是死于这些巨大妄念的破碎与熄灭。回头看，所谓的爱恋不过是梦中幻境，却曾经是她头破血流也撞不破的铜墙铁壁。

她毕竟是个已死过一次的人。醒来后再抬眼看到这个世界，世界已变，她的心醒来，恍若隔世。人世是无可依靠的地方，没有永恒，没有圆满。在世俗的欲望和妄念中不可能找到真理。身心饥渴，爱河不枯，不过是挣扎中的轮回。

她很少对人轻易提起回忆，但所有作为历历在目是不可被撤销的印记。现在她独自一人，默默存活，忏悔思省，清洗收藏，如同在河流中反复洗涤一匹白布。她躺在一个寺院的厨房里面，想起以往的三十余年，仿佛已把一生的苦难受尽。那些因为与自己、与他人的斗争而痛苦煎熬的夜不能寐。以痛苦为道的成长。她要努力地活下去。

关掉灯，她渴望尽快入睡。心里有巨大的情感升起，她察觉到但不想去控制，仍由它像远处潮水慢慢滑动过来，覆盖住她。仿佛是一种柔软的无限的慈悲。她在黑暗之中泪流满面，这种悲伤从身体深处低沉地升起，带着压抑而累积的痛楚往外释放。哭泣带来的洗礼，像擦拭，像治愈。

她的手机亮起来。她打开，看到慈诚发过来的信息。

他说，如真，我刚刚做一个梦，看到你在净月寺绕行古塔。塔身周围生长出颜色艳丽的鲜花，一簇簇，迎着风和阳光摇曳起舞。这景象清净而吉祥。我为你高兴。

2

　　窗外天未亮，凌晨四点。她起身穿上干净衣服，刷牙洗脸，清洗梳理，喝一杯热水，坐在屋子里默默等待。清晨五点，有人在房间外面轻轻敲门。她说，我好了。站起来打开门，穿着藏红色正式僧袍的仁美站在外面。他说，现在跟我去经堂。

　　山间坡道一片漆黑，草地上有冰霜凝结。天空像暗蓝色幕布点缀繁星无数，发出闪烁寒光。智花在旁边陪伴，打开手电筒帮他们照路。一束光亮引领他们经过护法殿、佛塔，下行山坡，走进她昨天独自来过的经堂。几位僧人在里面，点燃佛殿台案上一排排酥油灯，火光跳跃汇聚成海，照亮周围诸佛菩萨的像。照亮造像脸上目空一切的眼神和含义幽微的微笑。

　　仁美示意她坐下。两个蒲团相对摆好，两个人面对面坐得很近，中间一个小案上摆着经文，法器。他开始诵经，声音浑厚有力，冲击力强大。她闭上眼睛，身体被这音韵撞击着一度觉得无法坚持坐着，眼睛升起泪水。如梦如幻，这古老的场景仿佛发生过很多次，对她来说并不陌生，但她依然被震动。他诵经很久，开始给她灌顶，传授她修法，说，先从这个修持开始，每天完成功课。她站起来对他磕三个长头。

　　他从僧袍里取出用白色丝质哈达包裹的小包，慢慢打开，是一串凤眼菩提佛珠。他把佛珠放在她的头顶，诵祈请文，说，这是我小时候在金刚顶寺受戒时，寺院里最受尊重的老仁波切赠送给我的。他是我的根本上师。你守护好，用它持咒。
　　她说，它太珍贵。

他说，我们每个人的存在更珍贵，如真。在我们内心隐藏着的自性光亮，虽然被无明和障碍层层遮蔽但从未曾失去。通达教理，明白事物的空性之道，成为安住在心的本性里的人。这样即便遭遇各种显相，也不会被情绪和心意所支配，不会落入主观感受的动荡之中。如果某天，我们看到的世界，如同清净的坛城，那么，一切众生男女，在我们心中都是智慧与慈悲的象征，听到的所有声音都是法身的咒语。

对修行者来说，需要相信生命处于无限的时空里。如果没有这种相信，法的观点对人来说失去意义。在人世，大部分人宁可选择对死亡与无常避而不见，沉醉和迷失在物质生灭之中。他们执守眼耳鼻舌身意的限制，缺乏正见，以妄念为实，这是苦的来由。心有复杂的习气，累积嗔恨、无明、贪婪的侵染。通过听闻、思考、实践进行学习，以便让自己重新看见真实。但人很难彻底根除染污和习气，这是巨大的工程。

一世的时间对我们的灵魂来说过于短暂，会有各种染污、退转、反复，各种身份的与肉身的变换。唯一可累计的是习得的智慧，储备过的爱与慈悲，随着每一次消亡和重生而传递。修行，是帮我们重新恢复这些记忆。

具备般若的认识，才会有真正的慈悲升起。此时才会有新生。你爱身边的众人，希望他们快乐，不增加他们的痛苦。没有憎恶，也不忧虑。时刻检查自己的动机，觉知身口意并把它们的清净供养给法界。有利他的发心。这是破除自我执着的象征。

经文说，不放逸不死道，放逸即死之道。不放逸者不死，若放逸犹如死。凡是生起的，存在的，所造的都是坏灭之法。我们精进地学习、修习、践行，实践这不死，是为众多人的利益。为他们心中的解脱与宁静，为怜悯世间，为人天的真理存在与安乐。

此刻她的心被他收摄。两颗心像圆月重合相叠，心心相印，完整无瑕。仁美迎接住她的视线，告诉她，他在这里。在结束仪式之前，他最后说，世界超乎想象，以相投射心性中的包罗万象，这性与相值得好好探索。只可惜时间有限，我们穷其一生也无法走到法性的尽头，只能一趟趟回来实现这种进阶。不知何时才能达成真正的实现与完成。但愿不虚此生。

等他们走出经堂，天色发亮。草地上的露水，树丛中的鸟鸣，山谷升起的朝霞，天地焕然苏醒。呈现在眼前的，是心中投射而出的崭新世间。经过佛塔，他带她顺时针绕行七圈。她跟在他的身后，看着他优雅持重的背影，以及默默散发的和现世失联的落魄与华贵。她同时感知到他灵魂之中古老的深意。

他们重新汇合在一起，像万千河流注入大海。

3
—

慈诚来接她。带她去他家里做客。

开车之前，他说，先去寺院。我生活过这么久的地方，还没有给你好好解说。以前在这里每天的生活就是上课、背诵、辩经。在夏摩山谷的传统里面，僧人是知识阶层，需要传承古老的文化与智慧。但是金刚顶寺有个秘密。他微笑着说，在旁边有一座山因为具有特殊的女性形状，寺院经常有还俗的僧人。为对治这股力量，他们在建筑和风水上设置一些改变。外来的人不会轻易注意到。

他先带她去看大经堂的久远壁画，描绘的是佛陀传记、成道和神变故事。他说，我祖父曾经来参加修补壁画的工程。他们选出山谷手艺精湛、人品高尚的六个工匠，日以继夜，修复寺院各个大殿、侧殿的重要壁画。祖父在这里工作三年，吃住都在寺院。我有时过来给他送衣服和食物，还有祖母做的糕点。他们在佛殿里长时间安静工作，仿佛把全部生命投注于此。他在那时教我学习绘画唐卡。

在茶房有一口煮茶的铁锅，容量巨大，烧煮时需要几十人参与。寺院的茶按照陈年秘方来煮，酥油、砖茶、盐和小苏打的分量都有严格比例。茶也是远近闻名地好喝。浓茶煮出来装在大铜壶里，热腾腾送到经堂。诵经结束需要进食与休息的僧人们，从怀里掏出木碗，一碗碗倒茶，喝茶。在喝最后一碗时，拿出装糌粑的口袋在茶水中倒入糌粑粉，用茶水把面粉揉成团状，当做正餐。

他说，我刚到寺院，做过好几年端茶童，手臂锻炼得极有力气，给人倒茶不能洒出，这也是锻炼自己的心力。和师父同住，每天把房间里的物品擦得干干净净，师父会检查各种角落和背面，如果摸到灰就会受到训斥。习惯是这样养成，喜欢把事情做得周到而妥当。

被太阳晒得有些发热，他脱下外套，只穿里面的长袖 T 恤。他偏好穿暗紫色或藏红花色的衣服，接近僧衣的颜色，头发剃得短，面目洁净。即便还俗，穿着便服，仍保持以往僧人的气质和生活方式。俗世没有把他从小经受过的训练习惯消磨殆尽。也许因为小时候受过苛刻的训练，他持重而笃定，做事优雅有序。心很仔细。

走进辩经院，此时里面没有人，空寂的花园古树成林。她走进去，看到迎面一棵大柏树的树干上，挂着一串已被僧衣染红的六道木佛珠，用红绳串着，挂在那里仿佛在等待她。她伸手取下，他说，这是一个很好的缘起。你可以带走佛珠。她说，我可以拿走吗。这也许是别人丢失的。他摇摇头，你可以拿走做个纪念。这是吉祥的缘起。

以前你们辩经，会讨论一些什么。

大多是经典里的观点拿出来辨析，论题都很形而上，比如，讨论人的自性在过去、现在、未来如何界定，中阴状态中的自我如何存在，与活着的时候、睡梦中的自我有哪些区别……有些时候，辩经也是一个热闹与释放的集体活动，大家大呼小叫，挥洒自如，充分施展才华与个性。

很多人排队在马头明王殿，带着孩子进佛殿，在他们的双眉间和鼻梁上抹一道酥油灯煤灰黑印，从上而下画条直线，这是辟邪和祈福。大太阳底下队伍很长。慈诚遇见他的僧人朋友，彼此打招呼，朋友把他们直接带进佛殿。里面人挤人，黑乎乎一大群人缓慢移动。僧人把如真推到佛像下面，那里有个洞，人可以钻进去上身，伸手触摸到马头明王的腿部。每个人都这样在做。如真也照做。起身时僧人把黑烟涂抹在她的鼻梁上。他们随着高高兴兴的孩子们一起走出来。

他说，山谷里的孩子从小自由自在地长大，一岁之前不给孩子穿鞋子，五岁前不戴帽子。出生之后，浑身擦上新鲜酥油，让他们赤身裸体晒太阳，每天接受光照。即便在寒冷的冬天也穿得很少。大自然能把他们锻炼得很强壮。老人们认为，也许有一头无形的猪和一只猴子在轮流照顾婴儿。猪照料的时候，婴儿在长肉，他们就安静睡得安稳。猴子照料的时候，婴儿在长骨头，觉得不适会常常啼哭。当猫在他们身边睡觉打鼾，则是在背诵六字真言。

她笑起来，说，这些真有意思。喜欢听你讲这些。
我有很多。讲不完。就怕你听烦。

他开车把她带去他出生的村庄。娜扎大山悬崖边的村庄，娜扎村，是个古村落。房屋是二层木楼，星罗棋布分布在丛林之中。在慈诚的家门口有两棵极为粗壮的大槐树，他说这是村子里最古老的两棵大树，也是家里最宝贵的财产。他们守护和爱惜这两棵古树，树上挂着经幡，树干绑上红绳，时常对它们祈福，精心守护和尊重大树。他说，这两棵树是双生的，自古以来，它们互相依偎，如影随形。

他推开木门带她进去，院子里开满万寿菊、波斯菊、蜀葵和蒲公英。花海荡漾，蝴蝶群集，家里收养的狗和野猫全部跑出来，热闹地欢迎他们。她在山谷里已从寒冬过渡到阳春。

他家里的木楼饱经沧桑但结实稳固，木雕窗户和过梁雕刻精细的花纹，岩石堆砌围墙，用来储放干柴和牛粪的仓库，圈养着奶牛。走廊边挂满一串串风干辣椒和肉类。一楼是厨房、客厅，二楼是卧室。朝向最好的一间是每户人家都有的佛堂，装饰也最华美。从佛堂三面敞开的窗户，能够远眺西边的贡拉女神雪山、山下肥沃开阔的麦田以及东边山丘上的自然佛塔。

那是一座看起来古朴而庄严的佛塔。山下大河碧蓝清澈，俯瞰如同一面明镜。

他带她去见他的母亲。家里十个孩子都已分家，他是最小的儿子，和母亲一起住在老宅。父亲和他的大哥同住。姐姐哥哥们和孩子们会过来不时探望。他的母亲七十多岁，在厨房里煮茶，瘦小而健康。这里的妇女勤于劳作，到晚年更显笃实坦然。妇人穿夏摩山谷女性的传统衣服，遮盖住腿脚的长裙，斜襟上衣，戴绿松石耳环，头发编成细细的长辫缠绕着彩色毛线。她微笑，走过来握住如真的手，手粗糙而暖和。一个可爱的男孩坐在地上，睁着黑眼睛看着如真。

这是他姐姐的孩子。他有一个姐姐在犀地，做生意忙碌，孩子放在这里让妈妈照顾。这个胖乎乎的一岁男孩名叫伦珠，头发在头顶扎一个小辫子，长长的睫毛，皮肤微微褐色。脸部已经呈现出夏摩山谷男人常有的特征。成年以后，他们逐渐会有刚毅俊朗的轮廓，鼻梁高挺，牙齿雪白，眼睛明亮。男女成年之后大多面容俊美、身体健壮。

房间整洁，四周墙壁手工绘画吉祥八宝，树，花，护法神形象，摆着彩绘柜子、矮桌。厨房古旧，墙边一排暗色纯木橱柜，使用久长发出光泽，放置一叠叠色彩典雅的瓷碗。柴灶燃烧干柴，支起大铁锅做饭。他住在附近的两个姐姐过来帮忙做包子招待远方客人。羊肉带着大骨头放在盐水里煮熟，用刀子削下肉块直接来吃。这是山谷中待客最热情的食物。

见过家人之后，他带她回到花园。

墙角两棵梨树，开满洁白芳香的梨花。他说这梨树是父亲种的，每年结累累果实，有时结得太多把枝条压坏。秋天结出果实，他们把梨子冻起来。冻梨好吃，家里男女老少都喜欢。他已在树下支起一个小木桌，桌面手工描绘花朵图案，绿、蓝、黄、红、白搭配在一起，色彩饱和而典雅。她说，是你画的吗。他说，是的，家里的壁画，柜子，桌子，佛堂，凡可以画画的地方，我都画了。他微笑，谁让我们家里的男人都爱画画。我的祖父和父亲他们都画唐卡，这是家传手艺。

他把普洱茶拿出来泡。有中式传统茶具，大概跟他以前到处旅行见多识广有关系。他不但汉语说得好，也熟悉各种与自己族性不同的生活方式。心态开放，没有偏狭。他沏出茶，给她倒一杯，说，在花树下喝茶也不是每天都会有的日子，花朵通常一个星期左右就谢干净。他指着落在茶杯里的两片白色花瓣，微笑着，我们能有现在这样喝茶的一刻，是福报。

他一边喝茶，晒着太阳，一边放松地和她聊天。

说，我记得那时的村庄和现在还有些不同。人们喜欢在露天里集会，木材烧起一堆大火，大家围着火光跳舞、说话、欢笑，亮光把夜空照亮，也照亮每个人欢笑着的脸。我们过着随顺季节和天时的生活，以土地和信仰为重心。村子里所有人家都会互相帮忙，一起盖房子，一起收庄稼。经常轮流宴请，大家高高兴兴地聚会。一年当中有很多宗教仪典和节庆。

夏天，天黑得晚，孩子们吃晚饭都急急忙忙，期待吃完饭跑出去玩耍。那时我在山坡上偷偷牵来几头驴子，晚上骑着它们跑到田野里去撒欢。驴子跑起来快，把人摔下来也狠。

我小时候淘气顽劣。在学校里经常打架、闯祸，被人认为不可救药。也常挨父亲发怒之后的暴打。但有一次大家对我刮目相看。我和伙伴去山上，我们要拔起大捆大捆带刺的荨麻去喂牛。有条小道是沿着山崖旁边延伸，路面滑只能抓住爬藤和草艰难地走过去。一条被冲刷出深沟的洪流，两边是巨大的岩石，中间只放着一根圆木。他们不敢走。我身上背着装满柴草的竹筐，二话不说踏到圆木上，闷声不吭一路走了过去。

当时这个事情在村庄里传开，他们都不相信。不知道我是怎么做到的。

我还喜欢把母亲的红色腰带撑开来，一块红色绸布披在身上模仿是袈裟，扮成僧人模样。一次跟着大人去寺院参加法会，众人在佛殿坐齐等师父来，突然有人喊，师父来了，大家安静下来。结果出现在门口的是我这个小孩。

她说，当时怎么决定去出家。

金刚顶寺有一位老活佛，在山谷中最有威望和德行。他在住所的院子里收留穷人，供他们吃住，给人看病，免费给药。据说他的每一任前世都是这样，用这种方式帮助众生。他是在我们村庄里出生的，会经常回来给村民们诵经、祈福，他希望村庄里的一些孩子能去寺院出家。他说，孩子如果去寺院就由他提供吃住、教育，让他们好好成长。这是他的真心话。我们尊敬和仰慕他，后来有十几个孩子跟着他走，我也在其中。之前我的二哥已经出家。他后来与一个来探险考察的法国女子相爱，还俗去了法国。

你们有很多故事。
是的。我们每一个人都有自己的故事。

4

吃完午饭，慈诚提议去自然佛塔绕行。母亲与伦珠也一起去。他们每天都会去转佛塔绕行，这是生活的组成内容。

胖胖的男童分量不轻，如真说，我可以帮忙背孩子。她用一条手织长棉布缠在胸前，把孩子绑在背上，这样走路并不觉得很累。慈诚的母亲戴上外出的太阳帽，手持一串老旧的佛珠，四个人走出家门。沿着村子里弯绕的泥路，走出村口，经过麦田、溪涧、果园。大片田地周围砌起矮石墙，种着荞麦、大麦、花椒、萝卜、辣椒、红土豆、玉米、肉豆蔻。此时田野生机勃勃，果树郁郁葱葱。肥沃的田野上满是金黄色的芥菜花，夹杂着一簇簇白色的马铃薯花。

走过横跨溪涧的木桥，他指着田埂边盛开的野花，说这是靛蓝草和茜草，可以染蓝色和红色。还有一种灌木开出美丽的粉红色花朵，重重叠叠如同小球，是狼毒花。羊群从来不吃它的草叶，它的根有毒。但用它做出来的纸洁白柔韧，可用来印刷经文，不会被虫咬损坏，也不变色。经得起时间消耗。

他说，这有一千多年的传承。在寺院我们做这样的纸。采回来狼毒草，只留下根，去皮之后撕成条，放在大锅里煮熟，拿石头捣碎，做成柔软的纸浆。再把一张张纸晾晒在院子里，用手仔细抚平。等纸张干燥，小心地一张张干揭下来，叠放好，送去印经。到印经院，把纸张切成宽条，浸水，包裹起来进行晾晒。颜料涂刷在雕版上，裁切好的纸铺在上面，滚轮从雕版上面轧过，红色经文就印在上面。

你还会什么。

做坛城，做燃香，做酥油花，各种仪轨，我都会。他们都说我的手巧。我还会绘画、写书法，也会下厨房做饭。他说，事实上我们有一种奇怪的个性，有时懒惰，不愿意为生活层面的事奔走操劳。但一旦开始做事，因为心调柔，心与手协调，手都灵巧。

在寺院，我住在活佛院，与老活佛和他身边的僧人们在一起。活佛院的小僧人越来越多，因为访客多，老活佛决定把我们分散到不同的师父的住所，这样能得到更多关照和教育。我也有了师父，是博学的加央格西。他学习很努力，经常不脱衣坐着睡觉，读书很长时间。我要感谢他对我的严格要求。那时我必须跟其他人一样，通过规定的经书文选考试，一点不错地背诵出一百多页经文。我通常完成得很快。

格西像以前的一些老僧人，白天在炉子里烧煤炭，晚上不留下火种，而是熄灭所有火光。并把木碗清洗之后倒扣起来。每个晚上他们做好明天也许无法醒来的准备，把每一天当作生命的最后一天度过。他的言传身教深深地影响我。我们后来一起去犀地。

嗯。

在犀地过得很辛苦。太穷，大部分时间只能吃陈旧的糌粑，师父因此把胃吃坏。但他每次都会记得给花园里的野猫、鸟留下一点糌粑。我年轻，好像什么样都可以，总是高高兴兴。二十岁我决定离开寺院出门旅行，骑一辆别人送我的旧自行车，从西边一直往南边骑。到海边再返回骑到东边。又见到海，往北边骑。这样骑了上万公里。在路上搭帐篷，有时住在别人的家里。整整持续三年。然后我决定还俗。

是有什么原因吗。

很多人猜测我为女人还俗。但事实上我并没有女人。在旅途中经历太多，体会到人间森罗万象，深深触动我的心。在寺院里的封闭与安全不是我想要的。我不需要被供养，被尊敬，逐渐变得僵硬而又自傲……我想在动荡而真实的生活中去感受，去训练，去探索和发现，验证学习到的这些真理。我愿意对自己的人生负责。

我一直想问你一个问题。她说。
你问。
我觉得一些人他们对佛法没有认识，但有全部的相信，而我看你，你对佛法有深刻的认识，但你好像不怎么相信。
为什么这样认为。
你还俗了。平时不是经常念祈祷文，很少做仪式也不禅坐，也不喜欢对别人随便说佛法的事情。你比普通人还要显得普通。你有每天固定做的事情，早上起来供灯、供水、点香，每日课诵。这一切还是显得太过于平淡。

他说，我可以告诉你，我八岁进的寺院，在寺院住过那么长时间，后来到处流浪，去过大量的各地寺院，有一度产生过深刻而强烈的怀疑。这种感觉让我痛苦。当你看到外人无法想象到的复杂现实，是理想化的浪漫的天真的想象之后的赤裸裸呈现，当你看到有些僧人做生意、赚钱、装模作样欺瞒信众、为家族赚钱、互相比较谁开豪车谁住高楼，这是考验人的虔敬心的时候。但我从来没有对佛陀的教法失去信心。我自认为比那些依然穿着僧衣但并没有如法去做的僧人更真诚。

后来我到处旅行，看到一些在富人当中招摇撞骗的僧人，一些盲目而无知的信徒。他们对教法的误解和偏见，并不渴求真正的智慧与真理，只是希望通过膜拜和贿赂神佛来改变命运，获得更多的利益与庇佑。不知道什么是闻思修，不知道佛法只能通过自己的修行去亲证。一个好的学习者首先要有疑问，然后才能培养起坚定的信心。而他们宁可在幻想与自欺中浪费时间。

在他们眼中，神通力是奥妙无穷的，一个被想象出来的可以带来护佑和加持的上师是宝贵的。有些人连经典都不阅读，不理解，还好意思声称是学佛的修行者。如果我忍不住对他们说实话，他们一定会沮丧和暴怒。

我相信因果。有些人即便可以经文倒背如流，嘴巴天花乱坠，却从骨子里没有相信过因果。他们如何约束身口意。

这也许只是我的个人想法，并不客观。但如果看过人世间的那么多磨难，人们不管贫富如何、阶层身份如何、生活在哪个角落，不管在繁华城市，还是偏僻乡村，都一样深受生老病死之苦，遭受无常拨弄，心灵不知归宿，无法找到安宁与满足，就会觉得躲避在寺院里享受所谓的清净无染，根本没有用处。

他说，真正的修行，是在这些痛苦和赤裸裸的现实当中对峙，以此增加功力。作为人身来到世间，我们正是为经历、为检验最究竟的修证。

出来以后你觉得困难吗。

这是自己的选择。我甘愿受苦，也不觉得以此为苦。

你去寺院，又回到俗世当中。那么你学会了如何入世，又如何出世了吗。

我尽力在学习。但我恐怕仍还没有学会该如何解脱。

5
—

他们走到自然塔下。

据说这古塔一夜之间自动形成，里面有成道者舍利。旁边一间小寺院，几位比丘尼长期守护这座塔，每天过来打扫、清理。古塔周围地势阔旷，风景怡人，走在塔边内心安稳。当地人过来绕行礼敬，在塔座缝隙中，塞着来还愿的白色鹅卵石或小块花岗岩、干枯的花草，雕刻六字真言的玛尼石。她把在路边采摘的迎风摇曳的鸢尾花摆成一束，供养给佛塔。

背上的伦珠低声咿咿呀呀说着话。她把背带系紧，跟随着慈诚与他的母亲，与其他人一起，沿塔座按照顺时针方向绕行，同时转动在塔边排列的转经筒。木支架发出吱嘎吱嘎滑动的声音，经筒旋转起来。此刻她体会到仁美之前对她说的话。他说夏摩山谷的婴儿生出来之后，会被母亲背在背囊里面，跟着家人去绕寺院转塔转经筒，听他们念诵六字真言。信仰不需要被说服，也不需要下决心，它在当地人的生命中是如同空气般的自然存在。对神行的虔诚与敬畏，无数世以来深深地镌刻在他们的骨血之中。她感受到这种日积月累的虔诚带来的加持。

中途休息坐在麦田旁边，喝水，俯视山下的河谷。远处山峰仍有积雪，白雪皑皑反射太阳璀璨的光芒。

慈诚伏在塔身上，在天然形成的小佛龛里摸索。他从窗缝边的空间里摸出一尊金色的小绿度母像，大概只有六厘米高，小巧精美。

你在这里藏了东西吗。

他微笑，一次我在金刚顶寺里劳动，帮助他们修建护法殿，每天挑泥，也帮做佛像的师父打下手。当时住在一位僧人朋友的僧舍里，屋子的天花板是用木枝与木梁搭建，稍有震动就会落下灰尘和碎石头。晚上睡觉时，突然从木梁上掉下来三个小佛像，也许是以前有人放在那里，是大威德金刚像、宗喀巴像和绿度母像。我选了绿度母像，把它带回家，放在塔里进行净化。好几年过去，今天想起来，觉得应该取走。

他们看着远处的雪山，继续谈论话题。她说，我在禅定入深的时候，常会全身涌起感动，仿佛来自内心深处的眼泪情不自禁不断涌出，但并不是哀伤，而是很难以言语解释的一种柔软与怜悯。即便是围绕古塔巡礼，或者进去某个神圣的修行山洞或圣人闭关处，这种眼泪也常涌出。以前不知道是什么原因，后来阅读一本关于印第安巫师的书，看到对悲伤的重新注解，书里说，悲伤并不属于个人感觉，那是一波来自宇宙深处的能量。悲伤属于无限。读到这句话我才释然。

他说，可能也不是悲伤可以定义。或许是菩提心的记忆被唤起。

我以前做过一个印象深刻的梦。她说，我看见自己在空中飞翔，俯瞰一片热气腾腾的黑暗沼泽，四周有围墙，仿佛是地狱模型。有个声音在告诉我，一旦降落此地万劫不复，难以再得到拯救。但是我还是不可避免地降落，置身于一座空旷无比的圆形宫殿，周围是阶梯，巨大的廊柱。宫殿中央，一头巨龙模样的怪兽从地洞窜出，张开大嘴。一个被绳索紧紧捆绑的女子在它的嘴中挣扎。

我在旁边看着，意识到她马上要被扼杀却无力制止。同时，心里已知道这个女子也许是我自己。周围阶梯上不知何时，聚集起一些穿着红色僧袍的人，他们沉默地站在旁边围观。我惊叫一声，目睹女子被吞食的死亡，他们转身纷纷散去。有一个人留下等着我。他递给我一株滴着水的长叶子绿草，说，这棵植物可以救活她。我接过那棵有水滴的植物，就醒了。

我记得这个梦。它像一部电影的场景。

他说，谁又说我们现在的生活不是电影。如果梦醒来发现它是虚幻的，那么现在的生活呢，如果醒来，我们是否会发现它也是虚幻的。我们是自己的意识的观众。阿赖耶识储存着大量信息，但大部分是潜藏、沉睡的。如果能够看清自己，会知道自己的心识被蒙蔽，覆盖着重重障碍。我们被业力所支配。所谓业力，是来自负面情绪和过往行为的后果。

应该怎么做。

清洗自己，训练自己，持之以恒。直到露出内在清净本性。这是唯一道路。

他说，如真，佛法不认为人本来就是脏的，有原罪或需要救赎，相反，它认为一切众生都具备获得深邃永恒的佛性安乐的潜能。每个人都具备如来藏，具备清醒与获得不变之喜乐的自性，具备承载智慧与慈悲的能力。如果人的清净本性能够逐渐显露，一切存在，包括善恶、贪爱、愤怒、愚痴，都可以成为转化的工具。我们是一切法界能量的结合与体现。当我们发掘出内在的清净和喜乐，也会在他人身上看到同样的神圣本质。如果没有触及到它，会觉得别人和自己都一样低劣并且有局限。一切所见都是我们内心的反映。

那么我对你来说，也是这种反映吗。

是的。所以我看到你的痛苦，你的哭泣，也同时看到你的神圣，你的清洁。

那么我也应该这样看你吗。

也是一样。

有时我觉得非常爱仁美。但这种爱跟男女情爱不一样。

他说，男女之间世俗的爱有束缚的占有之心，最后嫉妒、恨意毁坏一切。而你与一位师父之间的感情，即便有再多的欣赏与愉悦，也只能停止于精神层面。只要没有肉体与物质的影响，就能帮助这份情感的纯度，使它得到深化和扩展。这种关系不是为了世俗的连接，而是一种心灵的联盟。

她说，我们之间连接很紧密。我知道它有限制。

他会帮助你寻找到新生的道路。当然，因为他也还很年轻，所以同时你也是他的帮助和启发者。他在寺院里有很大的压力，你带给他不一样的空气和存在感。但即便你们之间互相信任和分享，要记得他是一个六岁就被认证的转世者。他有他这一世的任务和责任。

你们遇见，是前生因缘成熟、各种机缘汇聚得以最终相见。他提供给你一条通道，让你释放出业力的障碍。这些本来深深埋藏在你的内心，你的血液之中，你不想让任何人知道。但同时你也渴望释放它们，你因此排出灵魂之中大量由创伤凝结而成的黑暗团块。这是一次机会。

他看着她的眼睛，认真地说，真正的良师益友只能是帮助我们走在正法道路上的人，仁美是引路的人，但后面的路是你自己的。如真，不要忽视你的潜力。你充满力量。

6

　　黄昏日暮，孩子在背上不知不觉入睡，他们带着入睡的孩子准备返程。远处落日下沉之后变成灰紫色的山丘暮霭沉静。她觉得内心安宁，大概因为与他交流过内心深刻的话题。他从她背上抱走孩子，觉得她背负太长时间，怕她劳累。他喜欢孩子，她看得出来。虽然是他姐姐的孩子，但他对待这个男婴的态度温柔爱护。

　　他抚摸伦珠沉睡时握紧的手，说，知道为什么孩子们时常会握紧拳头吗。她说，你告诉我。他微笑，我们认为当每一个婴儿出生时，就带着属于自己的如意宝来到人世。当我们成年以后，其实也不应失去它。

　　他的母亲留在塔边上的寺院和比丘尼说话。离去之前，他让她祈祷。
　　他说，你来到夏摩山谷寻找到你所想要的东西了吗。
　　我想这不是一个马上会完全得到的过程。
　　我们寻找的东西在自己的身上都可以找到。它并没有在外面。你在塔边祈祷，把你的愿望告诉它。但不要仅仅为自己发愿。要为更多的人，为所有的人。

　　她闭起眼睛发愿，在心中说，祈愿所有渴望得到爱、懂得爱的女子们，都能得到真正的爱人。能够从爱的苦痛中得到净化，尝到甘美，并以爱得到解脱。她真诚地祈祷，我想与人相爱。我想得到一个真正的爱人。

　　他仿佛知道她的心愿，低声说，我还俗以后四处流浪，一次在山里，有人带我去见一位女修行者，她以乞丐相示人，一生只住在随身携带的帐篷里。我见到她，对她说我有一个疑惑，自己粗浅的情欲已去除，但细微的情欲并未清洗干净。有时梦中会见到一位女子，见到自己与她合二为一。

她对我说，人以肉身生存的重要意义，除求证，也应相爱。相爱最终是对心灵互助，让彼此获得解脱。若能朝向广大的方向，男女之爱如同珍宝。即便有时它会带来苦痛，通过之后有领悟，一样可贵。若不能了知、领悟，那么彼此赠予的任何喜悦或痛苦，只是荒废。爱人之间的相遇以及真正的相爱，实属不易。

刚才看到你在塔边合掌祈祷，不知为何我的眼睛生出热泪。

为什么。

大概在你的背影中看到你所经历过的一切，虽然你没有提起过。人世的诸相与苦楚你都已体验，现在你返璞归真，走上回家的路。我为你的回归高兴。

她说，除了这条路也并没有别的路。

他说，是的。但这是一条少有人走的路。更多的人走在追逐妄想与物质的路上，浪费时间与拥有珍贵肉身的机会。人的一生是很快的。一生非常快。

她说，我知道。人生很快。我见过很多人的死亡。

他折下身边波斯菊花丛中的一朵粉白色的花朵。轻轻转动它，看着它花瓣边缘折射出来的阳光，说，世尊曾说，他体验到的法是甚深、难见、难了悟、寂静、殊胜、非思索境界、微妙、智者可感受的，但人们喜欢执着、爱好执着、愉悦执着而难见此道理。有时，我觉得一朵花短暂的开放和凋谢，也在暗示我们，要全然享受每一刻的发生，告诉我们应如何开放而无惧地面对人生。我们可以在每一个细微的物体、每一件渺小的事情上感受到法性存在，也能够在雨声、叶片刮动、鸟鸣、流水、音乐、人的语言……任何一种声响中，听见世尊说法的声音。如果心呈现出自性清净，这个世间的一切展现形式将会完全不同。这值得尝试，不是吗。

走到村口，村庄散落的木屋冒出白色炊烟，人们在烧柴火准备晚餐。山坡上有一丛丛灌木开出黄色小花，他把孩子交给她，她重新把伦珠背在身上。他脚步敏捷快速爬上山坡，采摘那些花朵。他说，这种花朵叫白蒿，花朵燃烧起来有芳香，煨桑时我们加上这些小花。同时它也是一种草药，可以止血，消除四肢肿胀，治疗疮疖和肺病。我们也用附近山里生长的植物泡茶，比如蒲公英、金丝桃、锦葵……对草药都会有一些基本常识。

她解下围巾，把这些花朵包裹在里面，在手心中放了几朵仔细观看。他和仁美一样，善于发现各种微小的美好事物，仿佛他们眼中所见的美好无处不在。这些男人的细心和敏感逐渐影响到她。

她说，我以前喜欢写作，现在也在写一个故事。前些日子在街上偶然走进一家旧书店，看到里面收集很多夏摩山谷地区的老照片，关于寺院、僧人、地貌、法会、仪式的黑白照片。其中有一张引起我的注意，是一对在犀地合影的男女。照片拿回来后我夹在书里。一天晚上，我突然觉得应该写个故事。

怎么写。

在心安静的时候，用直觉连接这照片上的两个人。一边写一边有记忆灌输在我的心中。这些意念自动成形化为文字。也许我会因此知道一些事情。

记得不要努力去写，而是让你的觉知在写的过程中自然流动。好的作品并非头脑造作，而是自性如实流露。这是一个回忆的方式。如同我们学习佛法，也是回忆起自性的过程。

她说，我想写一个完整的故事，写一本书，以后让它自己在世间漂流。在写作这件事情上，我其实已失去一切坐标，因为我无人可以对照、比较，像个石头缝里跳出来的猴子，无来源，也无师承、流派，更不归属任何圈子。我独来独往，一意孤行，好像在漫漫无边的大海中独自奋力游着，朝着自己的彼岸。这是一个人的路途，一个人的追索。与任何人或外界没有关系。但同时文字又与人、外界产生深入血肉的连接，这种连接来自远古深处，携带秘密而深刻的讯号。这是我对写作的感受。

所以你并不关心其他的人在写些什么或用什么方式在写，是吗。

写作只是一种个体的生命表达，彼此无法比较。每个人按照独特的生命质地和生命方式去书写。每个人只能表达他的心。

她说，前些日子仁美在净月寺对我传授教法。

仁美是你的桥，让你把自己献给真理。以后你走在学习的道路上，而不是为世间肤浅而琐碎的幸福活着。你现在拥有更广大的视角，需要通过闻思修的认真修持，去实践与经验这些真理所存在的状态。有了经验，自然会跨过困惑。如同燕子进出巢穴，内心清晰并充满自信，你进入法性的海洋也将没有丝毫犹疑。

7
—

他说，家人邀请你在家里住宿一晚，明早我送你回去寺院。我会打电话告诉仁美，让他不用担心。

她同意。一家人聚集在房间里，围着矮木桌吃晚饭。新蒸的牦牛肉包子，肉汤。村子里的生活基本自给自足，吃院子里种的菜，食用芥菜籽榨的油，家里养奶牛、羊，酥油和奶酪都是自制。吃完饭，每人盛一小碗酸奶，放上一勺白糖。这是她至今为止吃过的最为醇浓自然的酸奶。城市超市里售卖的完全不能相比。

他说，妈妈说明天早上想给你做藏红花甜米饭，挤下新鲜牛奶给你做奶茶。她想知道，你在我们家里做客觉得高兴吗。她说，是的。我很高兴。这里只有慈诚能够说流利的汉语。她听不懂他们的语言，但享受与他们在一起的气氛。他们见到她只能安静而善意地微笑着，她并不觉得隔膜或不自在，相反却有一种朴素而亲近的情感自然升起。这种感受，是她小时候即便在父母身边也未曾得到过的。成年之后也没有。而在慈诚的家人之间，他们那种和谐而亲密的气氛把她渗透。

孩子们也都乖巧。慈诚姐姐的女儿虽然年少，已学会帮家庭做很多家务，洗碗，扫地，照顾年幼孩子，晾衣服，背柴。老人们有威严。他们尊老爱幼，有周全的传统礼节。

他不喝酒，不吸烟，过午不食，准备出去给院子里养着的小黑狗和绿眼睛野猫喂食。她跟他一起出去。夜晚山上降温迅速，站在泥地上，仰头骤然看见夜空中浩瀚而清澈的星河，闪闪发亮，离人世格外近。她出神，忘记了寒冷。他站在她身边陪她一起看。这个瞬间，他们并肩在一起，毫无隔阂。他轻轻伸出手牵住她的手，说，你冷吗。她转过脸，看到他深邃而干净的眼神。此时才意识到自己没有穿外衣，正冻得瑟瑟发抖。

他们站在开满白色繁花的大梨树阴影下，屋子里的人看不到他们。他把她拉向他，轻轻拥抱住她。这是一个踏踏实实的温暖的怀抱，发生得如此突然，却又自然而然，理所应当。她的脑袋嗡嗡作响，如同逐渐沉没于幽蓝无边的海底。呵，终于回了家，无尽流浪，无限疲惫，此刻可以安歇。

她闻到他衣服上酥油与各种香料的混合气息。他脖子皮肤上干净的男性气味。闭上眼睛，深深呼吸，一切的思维与感受都静止。只感受到他的能量与温度，像距离合宜的火焰温暖着她，融化着她。他的怀抱有强烈的磁性，能够让她的头脑在此刻死去并停止所有念头。这个拥抱如同地久天长，但等他们分开时，也许只是过去几分钟。

她的心在此刻变得十分冷静。在一起时，他从没有表达过对她的喜欢或爱慕之意，只是温柔地善待她、照顾她、陪伴她。此刻他拥抱她，她没有感觉很意外或被冒犯，这个拥抱过于熟悉。熟悉得仿佛发生过无数次，无数个世代。她在回忆，但看不到他们之间关系的始终。

他用手心捧住她的脑袋，深切地看着她的眼睛，说，以后你不是孤单一个人。我在这里。我是你的。

她说不出话来。很久才说，为什么，慈诚。我是一个经历复杂的人。

他说，我知道你受过很多苦，所有的苦来自无明，来自我们内心的贪嗔痴。这些苦难让你翻山越岭，穿越地狱，浑身发出因为努力而闪耀的亮光。我看到的是你心中的亮光。你在追寻。如真。这一切磨砺应使你成为更为纯洁的人。

她的眼泪流下来，说，请你爱我。

他说，是的。我爱你。

他说，黄昏回家前，你用手心捧着白蒿仔细欣赏，我当时想，我很久之前见过这个场景。一个女人背着孩子，还有我和母亲，四个人在塔边转动经筒一起祈祷。在梦里我没有看清楚她的脸，只见她穿着长裙，梳长辫，仿佛是山谷中的女人。在梦中我也见到她手心中的白蒿花朵，所有发生一丝不差。我知道，我在等待你。等待一个比我大五岁的女人。她长得很美，经历坎坷，有老人般的神情却有一双婴儿般的眼睛。

当我在机场第一眼看见你，我认出你。你终于来到夏摩山谷。我们会相爱。这并不是我们第一次才做的事情。

我以为自己是为仁美才来到这里。

这是第一步的理由。你真正奔向的人是我。

他从口袋里摸出那只金色绿度母小佛像，说，它是你的。如真。让绿度母真正驻扎在你的心中，与你的心识合二为一。这是我为你准备的礼物。也是夏摩山谷赠予你的。

我很喜欢。

我把它先放在佛堂里。明天你回去寺院时，把它带上。

她回到他们已为她收拾好的房间。纯木结构，干净的新房间，炕席铺着玫瑰红锦缎被面棉花被子，铁炉里烧热炭，热水壶滋滋冒出热气。房间里暖和，他们欢迎来自远方城市里的客人，虽然没有办法畅快地说话沟通，但心意都在细微处。有时人的语言不也是多余的吗。虽然沟通也是重要的，如果仁美与慈诚不能说她的语言，她也没有办法被他们影响。曾经有过的在幻海长时间不发一语的状态，也许只是在等待他们。

脱掉外套，鞋子，袜子，她穿着内衣躺进被窝里面，看到枕头边放着一只保温杯，里面有热水。这应该是慈诚准备的。他的心细腻，对他人充满关切。她昨天在旅店里已洗头洗澡，身上没有什么不适，可以躺下就睡。隔壁是他们家庭的小佛堂，隐约传来慈诚持续而稳定的诵经声音。每天临睡前他诵持护法长仪轨。

在黑暗中听着他的声音，再次回忆他的拥抱。这个拥抱的质感与她以前遭遇过的任何一种都不同。那些拥抱大多来自肉身轻薄的欲望，而这个刚刚发生的拥抱是由深处的灵魂意识来连接。有觉知的能量与温暖具备力量，立刻传输到心里。因为心的清净，相比较日常的男人，受过心性训练的人对环境和事物有更多的温柔和包容。对感情的回应也更敏锐而细腻。并且因为持戒，他们不会去轻易伤害对方。

他的心开放、纯净，如同一面透亮的镜子照应出她所具备的同等特质。而此前，这些存在好像被重重地埋葬和遗忘。慈诚以真实的言行传递心念，她看到他宁静的处事方式，内心的平稳自如，没有日常人那般的焦躁、敏感，也没有比较、分别、评判、指责。在那样的时刻，他传输过来的情感与能量有强大的磁性产生，让时空停滞。

她低估和忽视了这个看起来平平常常的异族男子，平时他只是默默地陪伴在她身边。

在这个高山村庄的房间，她做了一个梦。与慈诚走过树影深幽的山道，两旁古树参天，黑影重重，青苔湿滑，月光如水，落叶踩上去发出细微碎裂声。对岸是荒无人烟的村庄，她站在溪涧边说，村子里没有人迹，这是空的村庄。慈诚没有说话，牵着她的手继续往前走。夜雾升起，尽头是一座圆拱形古老石桥。他们停下来，并肩站立看着这座桥。对岸有古寺。黑暗中传来钟声，浑厚而清明，仿佛震碎心念。

没有想好是不是要过桥。此时在溪涧两边的树丛中，她看见到处都是闪闪发亮的萤火虫。

她说，你见过萤火虫吗。

在夏摩山谷没有这样的虫子。我没有见到过。

只有在腐烂的草木堆里才会有它们。有时候它们藏在竹林里面。但这里好多。

他说，我看一看。他跃到岩石上，矫健地攀住树枝，那里栖息着一明一灭无数的小昆虫。他用手指拈起一只，仔细地观察它。然后那只萤火虫从他手指上端飞起，慢悠悠飘走。

她说，小时候我觉得它们好美。

他说，所有发光的东西都是美的。

你看着萤火虫的样子也很美。很少有男人能够这样仔细地欣赏它们。

他从岩石上回来，看着她。这个世界此刻只有他们两人。萤火点点，如梦如幻。人间爱欲，海市蜃楼。这是童年时候的场景吗。这个回来的男人是谁。

他没有说话，抱住她，俯下身亲吻她。一个真挚而长远的亲吻，在融化一切界限与伤痕的亲吻。她闻到他口腔里干净得令人疑惑的气息。一般人的口腔里会有各种气味，但他仿佛没有人的气息。他们粘连，要合成一体般互相融化。他的灵魂柔软、通透、有温度和光亮。她不知道他们在哪里，时空失去标记。她只知道，他们重逢了。这是一件遥远而亘古的事情。

然后她突然醒过来，心里清楚得像一汪冰冷湖水。凌晨四点左右，房间里的温度下降，露在外面的脸感觉到空气清冷。此刻她正睡在高山顶上，在夏摩山谷的慈诚的家里。她从千里之外的幻海来到这里，与这家人同吃同住。她听到隔壁佛堂的木门被推开，咯吱作响。是慈诚。他睡得早起来也早，生活保持自控。睡前醒来，做同样的事情。日复一日，年复一年，从不间断。

他在佛堂里点灯，供水，点香。清晰而有力的诵经声音再次响起。

8
_

她脸上被晒黑，两颊渐渐浮出被阳光暴晒的红晕。头发长出很多，可以梳起和当地女子一样的发辫，用彩色棉线细细缠绕。能听懂基本的当地语言，跟人简单打招呼，去集市购物时可以与人说上几句。他们慢慢认识她。她走在街上，抱着孩子的妇女会亲热地拍她的身体。老人远远见到她，大声说，好美。你真美。老年人戴印第安人般的黑呢子礼帽，毫不掩饰的赞美也许是性情直率。

清晨和黄昏，她和他们一起绕寺院绕塔，磕大头持咒诵经。充实劳作，笃定修行。她感觉与一年前刚刚抵达机场的自己有很大变化，也许是融入阳光、土壤、山川、河流、当地的食物和风俗。夏摩山谷像个巨大的发酵罐，转化她内心在幻海曾经压抑的空虚、彷徨与迷茫。她得到一种深沉、自由、宁静、开放的生长。

迟迟没有作出决定。没有订飞机票回去幻海，失去回归城市的勇气。她需要转换生活方式，但不能总是停留在仁美身边。这会带给他麻烦，她留在他身边的时间已经太久。

仁美邀请她一起去附近村庄，瞻仰一尊据说会说话的度母像。慈诚开车带上他们和其他两位僧人。一百多公里之遥，这个村庄有座小寺院，因珍藏一尊珍贵的度母像而出名。度母像没有放在佛殿，保存在佛殿后面隔离而隐蔽的暗室。钥匙平时由两个人保管，不随便对他人开放。因为仁美的到来，寺院的管钥匙的老人已等候在那里。

他们爬上陡窄的楼梯，进入佛殿后面一间隐蔽暗室。老人在房间里擦亮火柴，点燃一盏大酥油灯，又由他们各自点燃一些小酥油灯。灯火的光亮洒开，她看到房间里有一张旧桌，陈放一尊五六十厘米高的佛像，被用布条紧紧缠绕包裹。除此之外没有什么摆设，房间简陋看起来像间小储藏室。宝物被隐藏起来，并不轻易对人开放。烛火幽幽闪动，大家人挨人挤着。这是殊胜的机会，立刻开始诵祈祷文。

她站在后面，背脊贴到冰凉的墙壁。慈诚没有在她身边，与仁美站在前端。在她看他的时候，他正回头看她。他的眼神关切，很快回过头去。诵经结束，他们挨个上去把脸贴近佛像，仔细查看，佛像看起来没有动静。她没有上去，站在墙边静等。突然，她听到空气中有电磁波般的轻微噪音一闪而过，然后有个女人声音响亮地说出一句心咒。

这声音在虚空中发出，又仿佛是在时空的某处震荡回旋而出，明亮、优美、喜悦、温柔，像一股电流清晰入耳，遍满时空。这奇妙的感受让她恍惚，以为哪里出错。是有录音，是幻觉，还是错觉。她没有发问。大家鱼贯下楼。从幽暗的地方重新回到日光之下，眼睛漆黑一片。

声音在虚空中平白无故地发生，它是怎么引起的，它的来源在哪里，它又去往哪里，不可解释和分辨。仁美曾经说，不能解释和确认的事情，是存在的。无形比人所能想象的空间都要深远。只是人被粗重的肉身所困，障碍太重，无法与无形相连与沟通。

离开度母寺院，去附近的神圣瀑布。在山顶有一处地方常用来煨桑。依然是晴朗的天气，湛蓝天空飘浮白云朵朵，日光照耀几近把人晒得融化。山路滑陡，她知道无法跟上他们的体力和爬山技能，愿意留在山下等待。他们五六人，攀援上去的速度飞快，慈诚与智花还背着沉重的物品，煨桑用的柏枝、干柴、青稞、隆达、酥油等。他们是在野性的天地里长大的男人。

当众人抵达似乎已靠近半空的高耸山顶，她只能见到他们微小的身影。很快，火焰白烟熊熊燃烧起来，直冲云霄。他们洒隆达，大声呼喊，礼敬神灵。她坐在山下灌木丛中的岩石上仰望天空，看到出现一张白云形成的脸，很像护法神面容。一只大鹰飞过来，久久在山头盘旋飞翔。慈诚告诉过她，拉加罗是神取得胜利的字面意思。但内在含义是，一个人生命的内在，神圣的部分会胜利，负面的部分会被消灭。

煨桑结束，他们飞快地跑下来，红色僧衣在绿色山谷中鲜明耀眼。路陡直，下坡时困难，仁美滑一跤，摔在地上，慈诚伸手拉住他。互相开玩笑，气氛欢乐。

山谷深处的神圣瀑布，来自高山上的积雪，水源清澈。当地村民来此沐浴，认为能洗去罪障。在冬天，瀑布则冰冻成一条冰川。因为心脏的压力，如真走得有些困难。她试图默默跟上队伍。这段时间，她与他们在一起，生活、相处，很少意识到自己外来的女性身份，而觉得自然而然是他们其中一员。慈诚慢慢走在后面，让她跟随上他。他总是在关注和照顾她。仁美出于身份上的顾忌，不能离她太近。

她问慈诚，绿度母会说什么。
她的声音并不是那么容易被听到。历代有很多高僧来瞻仰它，有些听到，有些听不到。并不是所有的人都能听到度母的声音。你听到什么。

我听到一个女人的声音。但我不知道这是不是度母的声音。我不能想象她会说什么样的话。

她说自己的心咒，不会说其他的话。如果你能听到她的声音，那么你与她之间有宿缘。

刚才我很吃惊，有些震惊。这好像是无法被解释的发生。

如真，不要被我们的五官限制。人习惯相信被灌输的物质概念，觉得事物都应该按照世间的标准秩序去理解，但真正深处的奥妙只会以它的方式开展。真相不会以我们的偏见所定义的方式来呈现。举个最普通的例子，当你晚上看见天上一颗发着亮光的星星，你以为在此刻看见它，对它而言，它的光亮也许已一路远行走过数百万光年。它的光并不是在你看到的时候发出。与我们平行，有大量的能量振动及无限的时空。心识被粗重物质遮蔽的人感应不到它们的频率，体认不到无限。我们的理性与常识何尝不是一种限制。

再比如，我们现在存在于这里，这是仅有的一个时刻吗。也许我们只能看到此刻，而在无限中遗忘了彼此的整体性与交集点。人应如何看待当下背后无尽的时空背景，以及与过去和未来的关系。这意味着人如果无法放开心胸，提高理解的深度，也同样无法对万物或他人具备深度的理解。我们会仅看到肤浅的表面，发出狭隘的偏见评断与指责，却无法深入到对方的内在，看到一切的本来面目。看到重重因缘的深意。

没有这种洞察，我们无法理解世间任何的人、事、物。也不会有真正的爱。

他说，你懂了吗。
我懂了。

他微笑，说，刚才，我在绿度母面前立下誓言。我说，虽然我喜欢孩子，也不排斥婚姻，但我喜欢这个不想生孩子也不想结婚的女人。事实上，我爱她。这种爱出于我无数世对她产生过的看见，看见她的本来面目。这次仍是一样。所以，如果我和她相会并来到你的身边，我会重复以前的誓言。我全心全意地爱着她，一如从前。

慈诚，我经历过太多复杂的事情。为什么没有很早的时候就认识你。

我们的相逢，需要彼此做好各种准备。对你来说，对我来说，都是一样。感情的深度需要升级。如果对我们来说，今生比较重要的事情是相遇之后陪伴对方，那么某天，如果我们再次相遇，相爱的使命应该是为帮助对方解脱。这像是爬楼梯，意识需要一级一级往上提升，爱也是如此。

沿途走过由高大的橡树和松树搭成的浓荫，一路见到在风中飘飞的经幡。蜿蜒曲折的泥路通向开阔山谷。神圣瀑布，一道哗哗流淌的水流从山崖滑落，底下是清澈见底的水潭。他们挨个洗脸，洗手，把水泼在头顶。在旁边的草坡空地安置下来，搭起帐篷，做好炉灶。这些事情慈诚做起来最为灵活敏捷，种种细节都完美。他勤劳，心也细致。

仁美一贯不做任何劳务，身边众人会自发照顾他，大概是某种很细微的阶级身份的传统。智花拿出背筐中的食物，他们带着做奶茶和面片所需要的材料。慈诚起火，煮好大锅奶茶，先以食物供养神灵，用手指弹动奶茶三次，口中念诵。大家围坐分享食物。黄昏时收拾干净杂物，放回筐里，往回走。

这天，他们做完很多事情。她意识到这是仁美在对她告别。他知道她快要离开，想带给她尽可能多的关于夏摩山谷的记忆。

<u>9</u>

回到寺院各自告别，夜色已深。她跟仁美进到房间，知道他有话要说。在黑铁炉灶边，她拎起水壶，照旧添加炭块，灌满水瓶，清扫垃圾。走进仁美的佛堂，擦干净水杯，在那排永不熄灭的银制油灯里倒入酥油。给仁美沏出一杯热茶。

当她端着茶杯走进仁美的房间，看到他在炕上睡着。大概有些疲惫，他用被子裹住头部。她把被子拉下来，盖在他的肩膀上。他醒过来，睁开眼睛默默地看着她。

她说，睡觉的时候不要用被子裹着头。

小时候我经常这样，后来改掉。但有时觉得特别疲惫，情不自禁又变成以前的习惯。

也许小时候的你经常有担忧的感觉。

是这样。他说，他并不介意在她面前袒露真实的自己，那时主持法会，需要在很多人面前流畅而完整地诵经，刚开始的时候心里真的很紧张。在法会上一坐就是漫长的时间，不能随便喝水，不能离席去上厕所。始终要保持端正优雅的仪态坐在众目睽睽之中。

你喜欢这样的感觉吗，被别人膜拜，敬畏。

你觉得呢。

也许当你成为一个人群之中平淡而普通的人，会觉得有些不适应。

他明亮深邃的眼睛认真地凝望着她，说，不。并不是这样。我很多次想过不做这样的角色。在幻海那段短短的时间，没有人知道我是谁，可以随意地坐地铁，去餐厅吃饭，在咖啡店里聊天，在你那里午睡，这是自由自在的记忆。也许是唯一的一次体验。我无法逃避自己在山谷中的使命。这是责任。

她把茶杯递送到他的面前。他盘腿坐着开始喝茶，说，你来了多久。

将近一年。又快到冬天。

他说，你有很多变化。现在的你，健壮、稳重而克制，有一股清净。在幻海初见到你时，你疲惫而孤单。他看着她的眼睛，说，你在这里，我很快乐。自我们相遇，能给对方带去支持和帮助，让对方变得更好。你耐心照顾大家，做很多事情。帮助很多人。

这是我愿意做的。但我知道也许应该离开夏摩山谷，不能一直在你身边，这会带给你负担。

我很快要按照寺院的安排开始闭关一年。慈诚会陪你去。

她知道他已知晓一切。她在他面前是透明无余的，无需隐藏任何发生，他知道她身上过去、现在、未来发生的全部。但他不会轻易吐露。

她说，我和慈诚决定在一起。

是的。我知道。

他说，我和慈诚从小就相识。我被认证为转世之后，他经常过来做我的伴读。他思维敏捷，辩经尤其出色，但从小性格叛逆，胆子大，喜欢按照自己的意愿行事。他的聪慧与野性让人出乎意料。你大概还不是很了解他。慈诚不光会画唐卡、做坛城、做酥油花，还会写书法、弹琴、吹笛子。我们这里的男人手都很巧，下厨房做饭，从农具到屋顶都能修理，做精细的木工活，雕刻祭坛、窗框、砌墙、盖房子，甚至缝制衣服和鞋子。他也许会做一切的事情。

他有很多事情都还没有告诉你。他不是仅仅你所看到的这样。

我们的个性不一样。后来他还俗，去过很多地方，有丰富的见识和眼界，但他并不执着于任何事物。我很少离开夏摩山谷。我没有身体的自由。

她说，以前我给你写信，曾经问你，世间有没有那种搭配完美、在一起非常和谐的人。你说有，只是人遇见对方，需要彼此福报相当。如果积累足够，两个人智慧与福德的资粮相等，才会相遇。否则就会错过。你还对我说，当我们孤独并且需要情感的时候，更需要用慈悲、温柔的态度去对待别人，也这样地对待自己。谢谢你指引我。

他轻轻点头，说，是的。如果我们遇见生命中一个重要的人，在你等待他良久的时候，他也已等待你很久。亲密的连接可以无数世地维持，但一定是经由意识和心灵的彼此扩展和提升而得到。它不回避对方的痛苦，而是去觉知和治愈。与爱相逢，让生命完整，如同望见山岗上的满月落在心湖。

他说，我也有爱。但这种爱是给无数人的。我负载被注定的身份来到世间，要留在这个位置上完成任务，回报故乡、父母、信众。我已决定把一生供奉给夏摩山谷。这一世就是这样。

他背过身去，站在木窗边上，不动声色地看着窗外的院子。沉默一会，他说，你受到夏摩山谷的召唤，来到这里。它把深沉的情感与力量植入在你的身心之中，也唤醒你沉睡在内心的记忆。也许现在你还不能感受到更深的内在，但某天，你会知道并且体会到这种灌注与存在的永恒性。某些事物，要在我们与之别离之后才会明白与它们之间的真正意义。

夏摩山谷的天空经常是碧蓝空彻的，这里的太阳、月亮和星星看起来都更为明亮。我们离天空很近，空气纯净。这里的人看起来不过是很普通的人，也有各种需要面对的现实，而且并不富有。但他们心里富足，有广阔而深远的视野看待时空与外境。因为有信念，他们不幻想、不等待任何可以救赎自己、接纳自己的工具。知道自己才是支点。只有对自己的接纳与救赎，才能获得新生。

我们并非是为来世而放弃今生。只是一旦对世俗生活产生出离心，就不可能再固守物质与时空的限制。而会像纷纷收拾行装的旅人，知道此地不是永久的故乡，要准备下一站。

但人无法预料自己的意识是在提升，还是在堕落。也许某世有过很辛苦的修持，为了弥补一些功课，完成心愿或实现诺言，必须又回到原地兜兜转转走上一圈。生命中充满太多的未知和可能性，背后都是因缘的操纵。因果的法则比筛过的面粉还要细，人的肉眼无法看到。

你是说，人有可能在这个台阶上提升，但也可能是后退。或者在后退与提升之间徘徊及反复吗。

我们无法彻底根除生命中的染污和习气。一世的时间对经历无数躯壳的心识来说，只是火光一闪，一弹指间的明灭。我们在各种身份之间过渡，忘记了发生过的所有事情。唯一可储存的是习得的般若智慧，积累的爱与慈悲。这决定心面对觉醒的速度。

你读过很长时间的般若经，里面有四句：除无明暗见智慧门悉本源，次第资粮悉由般若所出生。因缘聚合刹那殊胜言语断，般若大海无增无灭子母会。要等待这样的时刻。

她说，遇见你之前，我从来没有这样全心全意对待过一个在世间存在的人。

我知道。

这好像是一种很彻底的深切的爱，但在这种爱里面我没有看见自己的欲望。没有想占有你，与你建立世俗的关系。同时感受到你在我心里的珍贵如同珍宝。也许你对我的接纳，需要付出更大的勇气与信任。但你具备这样的容量，可以接受我的全部。

他微笑，说，我知道。这是我出现在你面前的原因。我对你有承诺。在你的所有世我都会指引你。

如真，记得，如果你学会如何去爱，这种爱可以延续在任何人的身上。我们通常会认为爱有限度，有条件，喜欢把它切分并划下界限。有限的爱最后只会成为牢笼。如果扩大它的范围，拆除它的界限，会发现内在的潜力无穷。我们可以做到用爱供养任何一个人。

闭关结束后，能不能再来幻海。

我与你在幻海相会只有一次。我对你的任务已完成。我了解你，知道你需要什么。我能够给你的，是这些。我给予你的有限。慈诚会陪伴和照顾你。你要记得与我相遇的意义所在，记得我们在净月寺发的信愿。

他从抽屉里拿出一颗看起来很老旧的乌兰花松石，用一根发黑的红绳串着，同时还串着一颗洁白的鹿牙，一颗有小洞的粉红色珊瑚珠。他说，这是我祖母戴过的东西。她送给我，现在我送给你。希望你以后不管走在哪里，祈愿它使你趋吉避凶。最重要的是，你要记得，无论外界显现出什么，在修行者的眼中，没有悲喜或是非，一切幻化都是自性的清净显示。一切都是圆满自如。当下就在这本性的状态中解脱。

记住我刚才说的所有的话，要保持轻缓、渐进、有毅力的修行。我们不会分离，我跟你在一起，没有变化。当你任何时候需要记忆我，观想心脏敞开，像翻开的拳头。我在那里。

他已说清楚全部。

她想拥抱他，紧紧抱住他。但知道没有必要也不可能。她看着他的眼睛，内心所有的疑问荡然无存。当他在她的身边，她的身口意被自动澄清，像一面湖水，除了反射宁静再没有其他。他存在的意义就在于此。他们之间并不需要朝朝暮暮，如影相形。他出现过，不会消失。

她对他顶礼告辞，起身打开门走到院子里。智花拿着手电筒站在外面等她，他会把她护送到旅馆。仁美站在房间门边，看着她。一轮圆月当空，白晃晃的月光像水一样流淌在院子里。她想起在净月寺的那个凌晨，此时感受到与他之间强烈的连接，也感受到他内心忍耐着的某种悲伤。但这种悲伤很快化作透亮的气流，温润的慈悲流淌其中，融化时空，也融化他们此生的限制，在性别、身份、现实上的种种差异和隔离。

她在他面前跪下来，想被内心的佛性降服。身体微微颤抖，滚烫的热泪顺着面颊流下。他靠近她，犹豫一下，伸出右手抚摸到她的头顶。她感受到他的掌心传递过来的热量。同时听到他浑厚的嗓音发出嗡嗡作响的祈祷。

第三部

诸神的宫殿

他站在山崖边，看着山顶盘旋的飞鹰，给我最后的开示。说，带上你的白海螺，记得回家的路。临走之前，在右手腕戴上这枚白色右旋海螺。闭上眼睛，看到漆黑之中迎面有一团耀眼的光亮，火焰般燃烧照亮你的眼睛。要注意这一刻的照会，跟紧光亮。你要回家。

像国王舍弃他被征服的国土，像森林中的大象，舍弃贪欲，寂静独行。像坚固的岩石不会因风而动摇，自心不被毁誉、苦乐所左右，不显示高兴或低沉。像澄澈的深湖包含一切。像明月照在湖面上，清净皎洁的心遍满此身，全身之任何处无不以清净皎洁的心所遍满。

雀缇

1

雀缇站在岸边，远远眺望对面的普那卡宗堡。白墙高耸，檐壁雕琢，黄铜屋顶闪闪发光如同鸟翼升起。这座宫殿名字的含义是堡垒上的珍宝堆。蓝花楹树的花朵正绽放，一团团如云雾缭绕，半掩高立的白墙和红色坡形穹顶。湍急的母曲河和父曲河由高山上的雪水融化，长路奔腾不息在此地交汇。一座狭长木廊桥由河的此岸抵达彼岸。

她刚才下山疲累，在广场上摆摊老婆婆的竹筐里，买紫红色新鲜李子当做午餐。休息一会，再次背上装满新鲜草药的箩筐。却仿佛被一根丝线牵连，情不自禁走向长桥，渡过大河，朝向远处的佛殿。

一只虎纹小猫俯趴在桥头，黑色眼线围绕的碧绿眼睛一动不动盯着她。当她走近，它抬起头叫唤一声，起身走到她的身边围绕转圈，脑袋蹭她的裙子。她蹲下抚摸它，听到它喉咙里发出呼噜呼噜轻柔的声音。它的身体倚靠在她的腿上来回摩擦，热烈地对她打招呼仿佛等待已久。然后它往前走给她带路，引导她走向左边的小宗堡。

沿着石子路往前，河流粼粼水波反射透亮阳光。路边种满茂盛的木芙蓉和月季花，花影簇簇。猫有时钻进灌木丛中打滚玩耍，有时爬树，没有忘记赶路。她跟随其后攀上石头台阶，看到一座华丽而精巧的佛殿，外面围绕一圈长廊悬挂样式古朴的转经筒，寂静无人。她先以顺时针方向绕行以示礼敬，伸手转动经筒，走得慢，小猫跟在旁边。转到长廊尽头看见大殿厚重的木门已被打开。

小猫趴在台阶上准备休息，她把药筐留在台阶边推开木门。大殿里，一盏点燃的大酥油灯烛火跃动。这里供奉一尊看起来普通无奇却极为珍贵的佛陀像，四周环绕佛陀说法图的壁画，壮观宏大。矿物颜料的饱和色彩经久不褪，以朱红，金黄，橘黄等为底色，衬托青、绿等冷色。浅色堆叠，再用沥粉金线勾线。画中约一米高的佛陀像在莲台上结跏趺坐，穿绿长衫、红色袈裟，左手掌心向上结禅定印，右手在胸前结说法印。束起的黑色发髻顶一颗如意宝珠。面容端庄，眉间有毫相。周围两侧站立听法众。

一位男子正站在角落里观赏壁画。他的长发在背后扎成一束马尾，穿白色衬衣、卡其布长裤、球鞋。身形敦实。听到她进入的声响，他转身看她一眼。

两个人各自默默仰头看壁画。一扇木门打开，一位十岁左右的小僧人从内室出来。他右脚跛行走得很慢，手里端着一只黄铜壶。男人走过去，低头弓腰，用手心迎接从壶口倒出来的藏红花甘露水，低头喝几口，剩下的水滴抹在额头和头顶。她跟在其后同样照做，水呈黄褐色有清凉药香。小僧人又拿出两盏酥油灯，示意他们去佛像前点燃。三个人一起绕佛像三圈。

他给他们各自一颗甘露丸，一把供奉过的糖果。小僧人态度友善，仪态安宁，做完这些之后垂首合掌告别，回到内室重新关上雕花暗色木门。再次剩下他们两人。他在佛像对面盘坐，从背包里取出一册经书，解开包裹缀布露出传统样式的经文开始诵经。她在旁边角落里席地坐下，听他诵经的声音在佛殿里回响，绵密而稳定。暮色的宁静降临在他们之间。

结束诵经，他把看起来已翻动得陈旧的经文，用丝质包经布再次仔细缠裹好放进双肩背包，对她点头表示告别。起身推开殿门，小猫仍等候在台阶边，看到他们出来开始欢喜地围绕走动，它是这座小佛殿的守护者以此地为家。他俯身抱起小猫，用手掌抚摸它的脑袋和身体，对它轻声说话。当他放下猫，抬起头再次看她一眼。

这时她看清楚他的面容。眉毛浓黑，鼻子英挺，是轮廓鲜明的当地人长相。一双清亮的单眼皮眼睛，眼尾细长绵延。他们并未相交一语。他已转身离开。

早晨，她背着箩筐走过大河之上的吊桥。一路走过种着土豆、辣椒、麦子和蚕豆的田野。山坡遍地茂密的松树林，松针芳香被太阳晒得强烈。草地上掉落硕大的松塔，间或有清脆的鸟鸣闪过。她朝向山谷峰顶的寺院缓缓而行，经过山谷中民居的木屋，有人耕种，有人烧草木灰，有人做木工。她走出热汗，爬上山顶进入高山寺院的中庭，围墙边有一处小巧的储水池，她脱掉布鞋，赤脚走到水池边洗脸，洗手，喝下几口清澈的山泉。

一只黑色小松鼠从围墙上经过，刚好停在她的面前。她抬起头对它打招呼，微笑的脸上仍流着湿漉漉的水珠被阳光照射发出亮光。转过脸她再次见到他。今天他坐在佛殿台阶上，正看着她与松鼠之间的交流。他并没有目的或计划，依然穿昨天的衣服，仿佛只是背包出来随意走走逛逛，在哪里都可以停留。这次她没有犹豫。用衣袖擦干脸上的水滴，走过去跟他打招呼。

她说，我们又见面了。

你去哪里。

我在寻找草药。现在这个月份是一些特定草药的生长期，要在花朵被授粉之前采下来。一会回到富毕卡山谷。

听说那里有一座大鸟会围绕盘旋的寺院。

是岗提寺。山谷是一个碗状的冰川峡谷，每年十一月到次年二月中旬，大群黑颈鹤从远方飞过来过冬。到春天，它们再次飞越喜马拉雅山回去家乡。每次抵达和离开，鸟群会顺时针围绕寺院飞三圈。当地人认为它们是神圣的鸟。

可以同行吗。我想去这座寺院。

她温柔地笑着，说，我给你带路。

她说话不多，脸上经常带着认真倾听的神情。乌黑柔软的长发垂至腰际，面容如一轮净月。两道粗黑的直眉毛，眼睛黑白分明。古老而澄净的眼神仿佛一潭深泉，所及之处让人陷入并得到安宁。

山丘上的寺庙正对峡谷，大块岩石砌成开阔广场。小僧人们在广场上踢足球玩耍。她引他走进大殿，里面阴暗寒冷，供奉着莲花生大师像和巨大的普尔巴金刚像。她仔细凝望这座愤怒金刚塑像，它身上戴着骷髅头骨项链，脚下踩着垂死挣扎的男女。他说，这些代表着摧毁内心的贪嗔痴，把自我熄灭。人类所有欲望，从世俗的角度来看充满摧毁性，带有邪恶，但它们也可以成为一种工具来达到转化。把贪欲，嗔恚，愚痴，忿怒……一切欲望的负面能量转化成力量。虽然，这也是有危险的。人的意识容易陷入惯性与概念的桎梏，并试图捆绑自己与他人。

他持诵莲花生大士祈祷文。在他做这些的时候，她仍安静地守在他的旁边。

他说，你是从哪里来。

C城。

我不知道它在哪里。

我也不知道你从哪里来。这里的人也不知道黑颈鹤到底是从哪里来。具体的定位对我们的相遇来说并不重要。世界也许是由各种意识的经纬编织而成的巨大幻网，重要的是我们交会的这个点。就像两条河流交叉之处需要安置一座宫殿。

他微笑点头，说，你来这里做什么。

我来采药。

沿着鹅卵石道路，他们经过村庄进入森林深处。杜鹃、蓝松、橡树、竹林，笔直的云杉，老树高耸参天，空气微寒。蕨类簇簇点缀山坡，她嗅闻芬芳的气味步履轻盈。喜欢羊齿植物，经常蹲下来仔细观察它们。

他说，你喜欢它们对称排列的羽片状叶子吗。有种树叫桫椤，它的叶子也是这样。

是的。她用手抚摸一枚叶片，说，仿佛能看到一种未曾被更改的原始而久远的基因。在里面能看到永恒的排列。

每当发现一丛草药躲藏在岩壁或灌木之中，她先跪下来合掌祈祷，再小心清理周围，把它们的枝叶花朵取下而不伤害根部。她让自己的双膝、衣物、双手沾上泥土，靠近草药感受它新鲜的湿漉漉的气息。低俯下脸贴着植株仿佛喃喃低语，温柔地抚慰它，感激它。

你寻找什么样的草药。

大自然奉献的素材很多都有药效。花草树木，果叶根茎，苔藓，响尾蛇，老鹰，鸟类，瓢虫，蝌蚪……以及矿物和宝石都可入药。有珍贵的、稀少的药材，也有很平常但能切实治愈某些疾病的草药。都应一视同仁。

你挖出草药的时候在对它们说什么。

掘出一棵植株的时候，要在内心对它说话，抚慰它的牺牲，感谢它献出自己去帮助人类解除疾病的痛苦。在一朵花，一片叶子当中，包含着整个宇宙的信息和生命模式。人体也是一个宇宙。人们如果得病，大多因为业力或贪嗔痴三毒造成的污染和侵害。而一颗宁静、放松、善良、愉快的心，懂得原谅与接受的心，对我们的身体很有好处。

她与他在山谷中走路，一边慢慢说话。

以前师父带我一起去采药，这样可以教我学习。我们随季节更替，去不同的地区寻找药材。不同季节和时间的草药，可以被采摘的部位不同。在春夏采摘花和叶，秋天收集根和籽。采药一般在有阳光的白天，不在晚上。

跟师父学习药理和经络知识，帮他采药，回去寺院之后，清洗，晒干，照料熬药的火候，制作药丸。我现在的师父是僧人，有古老的传承，采药之前要做火供，献祭，净化。每位准备做医生的人，都要先修习药师禅定，这样才能认知人身体里面细微的五行变化，精确把握病症。不尽然只是用药草去治愈人身体的疾病，更重要的是医生要学会禅定与祈祷，用领悟去开导病人的内心，净化他的能量。

他说，你传承的是一门复杂精微的哲学和技艺。

她微笑，我还只是一个学徒。

半路他们在山边亭子里小憩，她喝几口溪涧里的清水，说，这种被草丛隐藏起来的溪水可以喝。但有些溪水喝下去会让人生病，这取决于它置身的地形和能量场。很多事物我们无法用肉眼去简单分辨，只能用心去体察。雨水、雪水、河水、泉水、井水、咸水、树根水，七种饮用水中最殊胜的水，是来自雪山的河源水。

她说，累了，要睡一会，每日午时我睡半个小时。这个时间点是人体内部真阴真阳气血交汇转换的时候，需要休息。她在亭子木椅上侧身躺下，手托腮闭目休息。当她入睡，一些放养的小马驹靠近过来，站在草丛中安静地呼吸仿佛在默默聆听。然后它们悄悄离开。他站在山坡前，俯瞰宽阔无际的深绿色平原。

她醒来，说，做了一个梦。

梦见了什么。

这个梦常有。我去一个地方，山路盘旋，高山耸立，山峦的形状像海螺、大象和狮子，岩石嶙峋，柏树成林。寺院金顶在山谷中耸起。当我离它越来越近，画面变成黑白色，场景退化成荒凉的野地与无垠边际，只有山脉形状相同。泥土路尘土飞扬，有一座显得更古老的寺院。瞬间寺院燃烧起火焰，响起各种刺耳钝重的声响。

我穿过废墟寻找一间僧舍，在土巷尽头是一所夯土平房，木门右侧长着一棵形状奇美的松树。门上垂着黄铜门环，铜锁雕刻药师佛造像。推开门沿石板小径，走过修葺整洁的花园，两边有盛开的蒲公英、牡丹和格桑花。尽头是木结构房子，有人站在那里。也许是一位僧人。每次我刚刚想仔细看他的面容就会醒来。

他说，我也会做类似的梦，但不知道这些梦是代表着过去还是未来，还是仅仅只是当下一些记忆与意识的碎片交织。觉得好像梦中的世界更真实，醒来倒觉得内心迷茫。

她说，有可能我们存在于无尽的幻梦之中，如何醒来，醒来去哪里，如何存在，这是比辨别真实与幻梦更困难的事情。我们很难最终离弃虚幻的自我。人习惯以虚幻为食。

此时他们沿着山坡慢慢下行，回到开阔的草原。碧绿草地上盛开一群群靛蓝报春花，迎风摇曳。他摘下一株报春花，把幽雅清香的小花枝举到她的面前，说，这些草坡，山谷，花朵是虚幻的吗。我在你面前是虚幻的吗。现在我们置身的这个空间还有没有可能在其他地方存在。

她接下花朵，在鼻子前面轻嗅，说，我们一定会在梦中见到这种花。它于梦境中一样开得漫山遍野。

2
—

开始雨点落下。他邀请她去住的旅馆吃晚餐。她没有拒绝，背着草药筐坐上他的车。他租一辆越野车，自己开车。零星雨点已变成滂沱大雨，汽车在盘旋山路行驶。一队放学的穿着校服的孩童在大雨中走着、跑着，也不慌张，看见车子经过停下来对他们鞠躬和致敬，她打开窗对他们挥手微笑。

旅馆门口，接待的女孩穿着传统服装，撑着雨伞等在门口。他带她去他的房间。这个旅馆的设计合理精巧，力求挖掘和填土工程减至最小，只为保存河谷壮丽景色。有十一间客房。走过纯木走廊，打开木门，客房宽敞，有杉木家具、炭炉、印度棉床单、尼泊尔手织地毯，整面落地木格玻璃窗正对山谷，可以俯瞰大片山峦美景。碧绿梯田蔓延，由冰川雪水融汇的大河经过窗前，形成一个优美的拐弯远去。在前方它将与另一条大河相遇。

他说，我想小睡。如果你愿意，去浴室里泡个热水澡让自己暖和，然后煮热茶喝。可以吗。

可以。

男人脱掉外套、卡其布长裤，里面穿着灰色的长袖 T 恤与平角内裤，露出健壮修长的身体。他掀开白色被子躺进去，低声咕哝，今天不知道为什么时间变得悠长。好像时间过不尽。

她说，两个人在一起，时间比一个人的时候长。彼此的生命能量在互换、交织。这是增加密度的方式。

这个描述十分精确，你经常能说清楚我无法表达的感受。他说，你很聪慧。

他闭上眼睛入睡。她走到洗手间，乳白色大理石地砖色泽柔和，窗口露出一簇青翠的竹子。她把浴缸放满热水，踏进去浸泡三十分钟。用精油香皂清洗全身，揉搓皮肤，闻到香茅草的清凉芳香。房间里没有声响，他们共处一室，他在睡觉，她在洗浴。空间是敞开式设计，存在的一切自然而然。虽然他们至今还不知道对方的名字。

擦干身体，穿上衣裙，她烧热水泡茶，用白瓷杯倒上红茶，坐在落地窗前的椅子上。身上盖着羊毛毯子，静静喝茶。窗外云天的光线瞬息万变，突然间又一阵暴雨如注，电闪雷鸣，雨水滂沱浇灌着山丘。大河仿佛奔腾起来。十几分钟之后雨水停止，暮色苍茫覆盖大地。天边出现如钩明月，清辉流泻，旁边伴随一颗星辰。

他在后面说，你的背影我见过。她转过脸看到他已醒，背靠床头没有开灯，他说，你的眼睛多么好看。我很久没有见到过这么干净的眼睛，仿佛高山湖水。据说有人如果在佛前供养过很多鲜花与水晶，才会得到一双美丽的眼睛。他起身，换上一件暗紫红色的长袖 T 恤，卡其布长裤，赤脚走到窗边看着山谷。

他说，你独自坐在这里觉得孤单吗。

没有。我看着河流，山谷，雨水，树木，感觉自己在与它们一起舞动。

我这几天晚上睡觉，听到窗外江水整夜奔流发出轰隆隆的声音，感觉仿佛赤裸地睡在大地之上。有时觉得身体很热无法入睡。

你感应到这个区域的磁场，它是一处强烈的位置。这里以前应该发生过地貌结构的变化。或许常有水灾。

刚才恍恍惚惚睡着，却好像在梦中看见你小时候的样子。

我在哪里。

你住在山洞里。那座高山岩石高耸长满松树，山顶兀鹰盘旋，山谷中开满蓝紫色翠雀花。你还是小女孩，有百合花般皎洁的面容。和一位老人在一起。

他是我的师父芒切老人。他是瑜伽士。

对我说说你的故事。

我叫雀缇。在那座山下的村子里出生。三岁时我常能看见鬼魂。当我十岁的时候，家人怕村子里的人认为不吉祥把我赶走，决定把我送到山上。山上悬崖洞穴里，常年住着年近九十岁的芒切老人，家人经常给他布施食物、草药，供养他。据说他出身于皇族，聪明过人，十岁时被送去大寺院出家。在三十岁时他已很有名望，却遇见一位来寺院献供的牧区女子。由于前世的缘分他们产生强烈的感情，他离开寺院与她住在一起。

女子在二十岁生下孩子的当日去世，他独自带着心爱的幼子为离开人世恶毒的流言蜚语，隐居在山顶洞穴，一边修行一边抚养孩子。孩子五岁时他偶尔外出，豹子觅食路过洞穴带走孩子，再无踪影。他从此孤身一人再不下山。但关于他的传说却更多，大家说他会变幻样貌，有时庄重如圣人，有时邋遢落魄像个乞丐。有时待人和善，有时露出愤怒像。他会占卜、治病、驱邪。有人说他因为经脉疏通，开窍而通达，能见别人所未见，听别人所未听。他知人所思所想，能看到过去与未来。他虽拥有幽微神通却并不以此为依靠，平时看起来只是一位孤独而平凡的老人。

父亲把我带到他面前，我第一次见到他。黑漆漆的山洞山泉渗透，空气湿润，洞口峭壁面对隔空的壮观瀑布。他赤裸上身，戴着珍珠和绿松石组成的木兰花状耳坠，脖子上挂一条斑驳晶莹的白水晶项链，下半身系着紫红色裹布。洞里冬暖夏凉，足够日常行住坐卧。酥油灯的火苗照亮石壁上的手印，不知道是谁留下，清晰可见。这个山洞住过一些修行的圣人。山上到处都有这种自生的手印、脚印、马蹄印。

他做一个仪轨。烧掉由糌粑、柏枝、沉香、白檀香、甘丹草、红花、草药等混合起来的材料，把温热的灰烬覆盖在我的前额，长时间祈请和持咒。他说，这个仪式会净化我生命中由前世带来的障碍，减少担惊受怕，而具备福德和更多勇气。他说，在我二十岁时还有一劫。他希望我能依靠自己的修行和功力，破解那一个劫。如果能破，我会成为完美无缺的女巫师，给很多人带去帮助。如果没有破，只能遵循前世业力成为普通人继续流浪世间。

他送给我一条乌兰花松石项链，挂在我的脖子上。又送我一枚洁白的右旋海螺当做礼物。一位女孩在右手腕戴上这样的白螺，是吉祥的祝福，代表对自己灵魂的守护。他留下我，慢慢传授给我草药、占卜、禅定的知识。我跟他学习古老的医药经书，学习做药和如何给人看病，在他身边长大。他有时进入禅定状态，七天七夜仿佛没有任何呼吸，只是一动不动坐在山洞里，心识去往另外一个世界。平时则每天凌晨四点即起，修持功法，自灌顶，做各种圣药，从不间断。

我服用由稀少草药制成的珍贵药丸之后，仍能清晰看见鬼魂，但不像以前那般彼此靠近。渐渐可以把另一个空间纬度的存在看成幻影。通常这些影子没有立体感，像薄薄的投射在玻璃上的形体，没有智慧，只是群集在一起寻找食物十分贪婪。每次当师父做法事的时候，无形众生聚集得尤其多。我给师父帮忙递送各种物品，看着它们密密麻麻汇聚而来，渴求得到法雨的滋润，心里生起怜悯。

你从此再没有和家人联络吗。你想念他们吗。

我一早知道与他们不是一种人，不会在一起生活。村庄有一年爆发地震，村子塌陷之后成为大湖。师父刚好带着我外出采草药。他曾对村子里的人发出警告，让他们做好接受天灾的准备，但无人相信。这个地方从来没有发生过地震。从此之后我没有故乡。

3
—

他带她去餐厅吃晚餐。他点了不丹菜式。从厨房后台陆续装出来一些小碗小盘，奶酪煮辣椒，肥猪肉炖萝卜，干燥的米饭，滋味清淡而朴实，都是应季、新鲜的当地食材。这顿饭吃得很慢。有时候说话，有时候默默无言，并肩坐在一起。整面大玻璃窗对着山谷，外面已夜色漆黑。隐约可见山峦模糊的轮廓，点缀明灭灯火。

甜点结束，他要一杯咖啡，她喝当地的喜马拉雅草药茶。一到晚上空气阴冷，壁炉里烧起木柴火焰熊熊燃烧，蜡烛一支一支被点燃。她继续讲述过往。

跟着师父，平时主要通过禅修、瑜伽，实现心神相通、增加直觉，加强与大自然的连接让身心平衡。不会轻易动荡和自欺。师父把我带到森林深处，坐在松树下面蒙起眼睛，在树下练习呼吸、打坐，感受与树之间气场的相合。师父说，即便是用手指轻轻碰触松针，也会感受到它纯净之气。从它身上吸取的东西，进入身心之后不会被轻易拿走。我与这棵树相处一年之久，能够做到蒙住眼睛在树林中顺着能量的记忆，直接走向这棵大树。

在特殊的日子我们保持禁语、断食，持续做净化的仪式。师父说，人需保持机警，用眼角余光关注周围，哪怕是一缕风突然吹过树梢也要聆听。如果一大群鸟突然惊飞，更需要观察是什么事情惊吓它们。敏锐观察事物和发生，但不带有情绪。当人保持不生起虚妄与无用的情绪，时时觉知念头，才能置身事外头脑清醒。

他对我十分爱护，不允许独自下山，要求我经常跟随在他身边。我的例假来得很晚，十六岁身体第一次出血。如果想获得更强的灵气，需要再学习一些法门。但这些法门需要誓戒，其中一条是保持纯贞始终独身。只有独身才能让能量不外泄。我说需要时间想想，还没有做好全部准备。

你不想独身吗。

我没有告诉师父，我已知一定会与他告别。我与他之间的缘分即便再如何保护，也只能是在我二十岁之前。我破解不了二十岁那个劫。

在那年我会遇见一个男人，怀孕并决定生下孩子。我没有得到誓戒的可能。我此生为情爱而流转生死，情爱是我陷身于娑婆世界的业力。

那年夏天跟随师父去村庄，这样的行程大多是受人所托去祛除魔障。在村子里，两位十二岁的少年去田地看守西瓜，三夜之后回家，其中一个得重病，持续发烧昏迷，严重时眼睛上翻只能看到眼白。家人把他送去医院，说是得脑膜炎需要开刀。他们害怕开刀，只能求助老人。

师父先卜卦，说不用去开刀，然后带着我下山去孩子的家里。师父坐在炕床上喝茶，男孩被带来客厅，他本来病恹恹的，见到师父却神情惊恐力大无穷，推开旁人就想往外跑，被拖住后仍拼命挣扎，最后推开众人，走投无路直接钻到师父炕床下面，躲在深处瑟瑟发抖。师父示意别人都出去，摆好法器，开始祈请、念诵。用银碗盛一盏清水，孔雀羽毛点水，诵经后往床底下洒净。等孩子爬出来以后，他把手按在男童的头顶，持续念咒，取下佛珠用力敲打他的身体三次。

我在旁边帮忙，看见一股浑浊能量燃烧着烈火离开男孩的身体，仓皇消失在门外，同时发出愤怒的哮吼。孩子入睡之后，师父说他会慢慢好转。那户人家高兴，供养师父午餐。师父对我说，去白玛河里打一桶水。

白玛河是条圣河，村子里的人以这里的水为神圣，只在节日或有人生病时取用。据说它会映照出人的前世或未来，但并不是所有的人都能看到。我去打水，走到岸边，俯身刚刚把水桶放进去，在水中看见一个婴儿。她浑身雪白，咿呀学语，有一张美丽的小脸。我从来也不是特别喜爱孩子，没有想过这个事情。但我即刻知道，此生我会有一个女儿。她在等我。

夜已深,她准备告辞。

她说,谢谢你的晚餐并聆听我的故事。他说,以后有时间听你讲完。我也会告诉你关于我的故事。

为什么我们遇见了,却一直给对方在说自己的故事。

不止于如此。他说,这只是一个开端。这能让我们恢复一些记忆。

她背上草药箩筐。他沿着山间坡道送她出门。他说,明天我会离开普那卡山谷,去布姆唐的寺院探访一位学问僧。他年龄已很大,我跟他学习一段时间。如果我们还能见到,是在虎穴寺。我在秋天会回到那里。她说,我在村子里寻找草药,最后也会回到虎穴寺。但他们谁也没有说出具体日期,是秋天的哪一个月份,几日几时。仿佛只是想让再次相遇随意发生。

他说,雀缇,如果我们第三次遇见,我要邀请你与我做一件事。不知道你是否已做好准备。她黑白分明的眼睛静静地注视着他,说,我对所有注定要发生的事情,早已做好一切准备。

夜色幽暗的山道上升起薄雾。他打开手电,说,我先带你去看个地方。电光引领他们走到拐角处山坡。在茂盛蕨类之中耸立着一块黑魆魆的岩石,他用手电照射岩石。她看到石块正中浮现出一个自生度母,有人用金粉勾勒出女神手持的莲花和曼妙身容。一簇在岩石缝隙中生长出来的粉色杜鹃花正好盛放在度母像的下方,仿佛是供奉给女神的天然礼敬。

他说,对她祈福。她能够听到你内心的声音,回应任何人纯洁而虔诚的心愿。她说,我从来只有一个心愿。我祈祷自己与所有众生一起,能够离苦得乐、了脱生死。

他折下一枝刚刚绽放的杜鹃，举到她的面前。他说，刚才我想，它的结构里显现着时间和空间的衍变。但我们受肉身限制，心力不够，只能对它产生狭窄而理性的分别。比如以各自的文化给予它一个概念，再由自己的习性给予一些漂亮与否的主观判断。这是人所习惯的与外境和事物相处的模式。

她说，如果人能倾听到一朵花里所发散的千言万语，看到它的生命所展现的真实，就可以把无限置入有限，也可以把有限融化于无限。在一朵花当中，看到它的梦幻也看到它的实相，这是真正的自由。以前师父对我说过，如果我们能够净化觉知之门，可以看见万事万物的本有原貌。遮覆暗聚的心灵则无法看到这些奥妙。

他把杜鹃花轻轻插到她的黑色发辫里，说，是。是这样。我是无量。雀缇，很高兴我们在此相逢。

4
—

母亲写信给她，说夏摩山谷曾经是一片古海洋。它的源头是犀地变化之前的古海，那是一片三十亿年前的海洋。这漫长的时间对成住坏空的周期来说，也只是一小劫。地球地貌发生变化，海洋变成陆地。陆地不断升高，大概每一万年升高一米。犀地是这样出现。在犀地与夏摩山谷之间横贯的山脉，起伏两千多公里，在山谷中至今仍能发现海螺、藻类、海洋生物的化石，捡到古老的石器。

由于冰川、植被、冻土、湖泊的变化，很多人开始迁徙寻找低处可以安居的地方。一些人在最后一次大冰期结束前，沿着白令海峡冰路撒出，有可能就成为美洲的印第安人。他们保留着相同的习俗、文明。而世代生活在夏摩山谷中的人，仍延续单纯而坚定的传统和生活方式，没有被外界的变化和欲望影响。他们仿佛活在自己的中心，代表一种对古老文明的坚守，对信念的传承。

弥光去图书馆里查阅资料，看到西方冒险者曾在四五百年前探索圣城犀地。有些人路过夏摩山谷，观摩古老的金刚顶寺。他们提到路上见闻，寺院坐落在幽深峡谷中，围绕巍峨高山。森林中生长茂密的云杉、松柏，有野生动物，草坡上则有大量的羊、马和牦牛。寺院前方有河流，河面平静时蓝光莹莹，汛期洪水滚滚。岸边长满柳树常有雀鸟群集。河滩上洗衣服的妇人，喜欢聚集坐在石滩上晒太阳，聊天，在节日她们结伴下河洗澡。

这座大寺由五座寺庙组成，金碧辉煌，是居住在山谷中及专门来此朝拜的众生的精神归宿。曾有近四千名僧侣，住在刷成白墙的僧房。僧房在山谷中密密层层地排列逐渐蔓延，景象壮观。一条漫长的转经筒长廊围绕寺院，经筒里面装满经文，面上镂刻咒语。人们快速行走用手转动沉重的轮子，早晨或黄昏，长廊挤满男女老少。只要用力转动经筒，就能积聚起数不清的祈祷。

对周边的垂暮老人来说，死去之前布施生前所有财物给金刚顶寺，来此朝圣，是一生的期望。

以往山谷的男人黝黑而健壮，喜欢佩短刀、戴毛毡帽，穿宽大的羊皮袍子，脚上穿长筒靴子。右耳垂戴一块绿松石，胸前挂着一只镶满珊瑚和宝石的盒子，里面装着经咒、药丸、圣物。女人编无数细辫子垂到腰际，有些几乎触到地面。常穿白色内衬、锦缎外裙，裹彩虹色围裙。发髻后面戴一块布，缝上琳琅满目的白色贝壳、镂刻的银盘、珠宝，走起路来叮当作响。栗色皮肤，喜欢露出洁白整齐的牙齿发出银铃般的笑声。这些人幽默、质朴、言行安静而又性情奔放。

一条泥沙街道有各种售卖物品的货摊，山坡布满居民的房子，基本上石头垒砌，夯土，二层楼。平层屋顶有露天阳台，可以晾晒青稞、土豆、柴木、衣物。妇人们勤劳地劳作，种地、织布、打酥油茶、养育婴儿、给牛和羊挤奶、在厨房做饭、把水灌入木桶背回家，随身带着幼小的婴儿。这些婴儿即便在冬天也只穿单薄的衣服，从母亲的背袋里露出涂抹着酥油的小脸。八岁之前的孩童不分性别，天热时赤身裸体在街上玩耍。

书中呈现这些西方人画的铅笔素描，水彩画或近期开始拍摄的黑白照片，即便在这些素材上，夏摩山谷看起来也令人着迷并且充满魔力。

弥光在琼持寺所属的则旦孤儿院里长大。十三岁开始给孤儿院里的孩子们上课，二十五岁成为孤儿院校长助理，日常事务基本上由她负责实行。校长伦巴格西是自小带领她修习的上师，他事务繁忙，有时出远门去大小寺院给僧人讲课。弥光负责照料日常运行。被格西督促和训练长大的她带有一些严肃感，聪慧，敏锐，做事勤勉但沉默寡言。

她一直很忙碌，很少有自己的时间。从未谈过恋爱，也不计划未来。只是扎扎实实做完每天的工作。学习英语、梵语，之后加入译经院与僧人们一起翻译经论，把经文翻成英文，以方便来学习的西方人阅读。

译经院庭院中心有一棵很大的李子树，他们说这棵树是泽旦师父种的。他建立琼持寺，这是他一生很重要的工作。当他离世，琼持寺给很多人提供修行的场地和归宿。这棵李子树枝繁叶茂，树干挺拔，生机旺盛，当它结果，通常是一年多一年少如此轮换。今年是稀少，她摘下先成熟的五六枚。果实不大，青绿色，咬一口汁水新鲜，滋味酸涩。她吃完李子，在佛堂边侧的客房地毯上铺几块羊毛垫子小睡，稍晚再去格西的僧舍与几个僧人一起听他讲课。

有空闲时，早晨或黄昏，她去孤儿院山下的大佛塔绕塔。四面八方汇聚而来的绕圈祈祷的人们，以顺时针方向转塔、旋转经筒、诵经，有些进行五体投地的大礼拜。一个神圣的集会场所，环绕一条由虔敬之心组成的河流。她第一次来，是与母亲一起。那是她与母亲之间唯一的一次长途旅行。

白色佛塔巍然耸立，顶端绘有天梯和智慧之眼。母亲说，这座白色大佛塔里安置着五尊大佛。大日如来居于中央，其他四佛位于东南西北四方。九层佛塔象征须弥神山。母亲的这些描述让她对这座塔留下深刻印象。她记得第一次来到这里绕行了一百零八圈。即便天下起雨也不肯中断。

她看见磕长头的老人衣着褴褛，风尘仆仆，匍匐在地进行大礼拜缓慢前行，心里产生同情，对母亲说想给他一些钱。母亲说，这些人是来虔心祈祷的，最好不要去打扰。但如果你很想帮助他，可以这样做。母亲给她一张零钱纸币，她走上前去把纸币递给那个男子，他一开始想拒绝后来转而接受，坐在地上微笑合掌感谢。他成全她对布施的初次尝试和完成。

现在她依然时常过来绕行，半途开始下雨，空中掉落冰冷的密集雨点越下越大，人群纷纷躲到四周的小店铺或餐厅里去避雨。坐在地上转动小鼓念祈祷文的僧人没有移动，把藏红花色的僧衣一角拉起来蒙在头上。她也没有离开，把围巾裹在头上仍步行并推动转经筒，任雨水打湿眼睛、头发和衣服。绕行一百零八圈之后，对着佛塔前一尊菩萨像和小塔低头合掌虔敬祈祷，面对白塔谦卑地慢慢后退，临近大门才转身离开。

她去附近雅各的店里躲雨，顺便喝一杯马萨拉茶。

雅各养两条温顺的黑色野狗。以前它们身上有病且性格凶狠，但与雅各同住半年之后，变得健康而通人性。大概雅各给予充分的爱与照顾。五年前他从挪威来到这里，以此地为家。他是她的朋友，他喜欢她，说过很多次希望彼此在一起。

他说，如果你不想谈恋爱，我们可以立刻结婚，或者永远都不结婚。怎么样都可以，只要我们两个人在一起。

什么是两个人在一起。

你不知道什么叫做男女之间的感情吗。两个人可以每天一起吃饭、睡觉，生几个孩子，恩爱甜蜜，白头到老。他们的身体和心都需要对方。

我并不觉得这样有什么意义。

我可以等你回心转意。反正我也不想回国。我有时间等你。

他帮她做出一壶热茶。混入牛奶的热茶有深切芳香，她很喜欢。喝完杯子里最后一口茶，她说，夏摩山谷的松林师父给我写信，我母亲十天前在旅馆房间里去世。母亲给我留下一封遗书，他已委托别人把骨灰和遗书带来加德满都。

他说，这是不幸的消息。

对母亲来说未必是一件不幸的事。她看着他湛蓝的眼睛，说，这

样的消息并不意外。母亲以前对我说过，在人的所有正念之中，忆念
死亡最为尊贵。

5

那次，她们经过加德满都山谷的巴格马蒂河岸边。

圣河干涸成一片浅滩，残水反射太阳余晖。一群野猴子在河滩上
嬉戏，鸽子成群来回盘旋。对岸横向排开六个方形大石台，正举行露
天火葬。一些人在另一侧河边台阶上清洗尸体。两具尸体，一具烧了
一半，一具刚开始，另外两具在准备。火焰先从头部烧起，裹着白布
的尸体层层叠叠铺满金黄色的万寿菊，脚裸露在外面接受亲人们的告
别之吻。火焰升腾烟雾冲向天空，白色浓烟滚滚弥漫整条河流。

不远处有座建于六世纪的神庙，据说在以前的湿婆节期间，人们
在里面举行杀人献祭的仪式，如今只剩下一堆残损建筑。

她与雀缇走过人行石桥，闻到燃烧烟雾中腥甜黏稠的尸体气味，
吸入鼻喉之后粘附在黏膜处无法吞咽也无法呼出。这气味强烈得难以
消释。圣河边上每天举行葬礼，城市里每天都有人在死去。没有人觉
得火葬应该避之不及或觉得晦气、不吉。石阶上坐满当地人，表情端
正，带着凝重，不发出任何轻薄举止和声响。一位瑜伽士瘦骨嶙峋盘
坐在河边平台上，铺垫上放着工具等待给人占卜。此刻他闭起眼睛祈
祷，头发层层叠叠盘在头顶，脸上涂抹白粉，眉心点着红痣。

母亲说，坐下来，让我们看一看这里发生的事情。她们和当地人

一起坐在台阶上。

这些肉身都曾经活过，饱受风霜经历悲喜得失。如今纹丝不动，像被榨尽汁液的树干、清空的水瓶、丢弃的石块。众生渴望得到世间的幸福，恐惧于遭受痛苦与挫折，而死亡使肉身卸除一切虚妄与欲望，赤裸的心识带着记忆上路，进行又一次的漂泊远行。她感觉双眼泪水渗出，被哀悯的感动摄住。

后来她想，雀缇专门带她看火葬尸体的仪式，饱含深意。虽然那时她才是十岁的孩子。对雀缇来说，让她认识死亡是一次重要的生命教育。让她自己看，自己感受，知道每个人离死亡并不遥远。相反，死亡如影相行伴随左右。雀缇说，它总是站在我们的左肩膀上。

那是她们之间最后一次长途旅行，住在千年前的古寺院所改建的旅馆。雕琢精美的廊柱和窗框，空无一人的中庭有一座佛像。偶尔鸽子飞进来叽叽咕咕轻声叫着，又飞走。内部房间大多没有日晒，冬天阴湿，睡觉时需要电热毯和热水袋。雀缇喜欢老旧的建筑，并不在意舒适。她对古老的事物有敏锐的感知。

没有电热壶可以烧煮热水，雀缇嘱咐她去楼下餐厅盛些热水。十岁的她容貌秀美，彬彬有礼，大家都喜欢她。她接上热水，小心翼翼捧着壶上楼回到房间，看见母亲在狭小的卫生间里洗衣服，搓动拧干。再一件一件挂在淋浴间门帘杆子上。雀缇轻轻唱歌。这里阴湿，衣服需要晾晒好几天。

很多时间她们只是留在房间里。雀缇打坐，焚烧手制的燃香，长时间持诵祈祷文，手摇转经轮。她在另一侧的桌子上写信、写日记、用水彩笔蜡笔涂鸦绘画。黄昏时她们出门散步，穿越迷宫般的泰米尔区，迎面撞上各种各样的千年佛塔、神庙。加德满都把自己摊开没有遮挡，仿佛知道没有人能够随意抵达它的深处。它不需要保护自己。

一次她们路过隐蔽在角落里的庙宇，佛塔林立，鸽子飞舞。进入内处有一座大佛塔，四周围绕众多小佛塔。主塔朝向东南西北开设小窗分别摆放佛像，小窗早晨被打开，让人们供奉烛火、鲜花和食物。她俯身向前凝望一尊从黑暗中浮现的弥勒佛，代表未来的佛。也许它从未暴露于日光之下，她看到它幽暗中意味深长的眼神和笑容。

有一尊手里持着莲花的菩萨，雀缇说，这是观音菩萨，在他头顶冠冕中央显现的则是他的上师阿弥陀佛。她跟着雀缇顺时针绕塔，一边用右手转动围绕四周的老旧经筒。佛塔上栖息着大群鸽子，咕咕叫着。母亲让她投掷玉米粒喂食，鸽子如乌云盘旋般飞聚过来，吃完之后一跃而起。群鸟翅膀振动发出与气流摩擦的声音。

回来路上，见到一座半圆形神庙废墟便知道快到旅馆。巷子口有日本女人开的店，卖些小纪念物，整洁干净。每到一个地方，她都想买当地几枚扣子收藏起来，当作记忆的储存。对她的奇思怪想雀缇从不回绝，递给她一张零钱纸币，让她自己去挑选木扣并与店主说上几句话。她用一个木盒装着从旅途中搜集的各种形状和颜色的扣子。木盒是雀缇在印度给她买的生日礼物，暗黄色，盒盖上面画着一匹彩色小马驹。一次不小心木盒掉落，扣子撒在地上到处滚动。有些扣子没有找回来。

一座被搭上钢筋准备修建的破败神庙里面，灯陆续被点燃。很多人集会在一起，歌吟、祈祷。巨大的菩提树根部被放置大量点燃的酥油灯。人们拿着鲜花、蜡烛、水果、糖果，供养和赞颂神灵，做完仪式之后回家休息。

她们坐在广场的莲花池喷泉旁边，对着幸存的五角形克利须那神庙喝杯热茶。她看到一位老人，在神庙台阶旁边，正在把沿着外殿装饰围圈的酥油铜灯擦亮。大概有四五十盏。他擦得很仔细，很慢，花很多力气把长久蒙尘的灯盏擦亮。已擦干净十盏。他默默无言，好像把生命中的全部专注用来擦亮一盏灯。她问雀缇，他为什么要这样做。雀缇说，他想跟神灵接近。

一个月前，琼持寺给母亲捎来一封信。很多外籍人被要求回到自己的国家，无量回去欧洲，留下一封信。这封信送到雀缇身边的时候，她知道他一定已匆促离开。但她仍带着弥光来到尼泊尔，坚持去往琼持寺。

她们离开大佛塔之后一路爬坡，窄道堵塞，慢慢抛下城中的喧嚣杂乱、灰烟滚滚，进入空旷宁静的山谷。在路过村庄的陡峭坡道，看到几个西方人衣着朴素，背双肩包，手里拎着蔬菜、矿泉水、面包等日用杂货，慢慢沿山坡往山顶上行。他们看起来长居此地，身上有一种被反复洗涤之后的洁净而朴素的气息。

雀缇说，这些人在琼持寺学习，寺院每年有针对西方人的禅修课，用英文讲授佛法、禅坐、佛教心理学和哲学。这是琼持寺的传统项目。最近，大量来自西方的人已经被迁走。他们也许是最后剩下的一批。

她们抵达山顶，走到栏杆边眺望山下，密密麻麻的居所覆盖山谷。远处浓密云团群集，一场雨水正经过山岭。粗大雨点打在她们身上，母亲推开寺院木门，年轻僧人看起来脸上有害羞表情，打开门询问有何事。母亲说想找到寺院主持。僧人带她们去伦巴格西僧舍，他说那里有很多人，她们需要等待。

经过花园后侧的白色佛塔，僧人介绍这是寺院创始人则旦师父的灵塔。以前他住在山下经常开窗眺望这个绿色山丘，认为应在此地盖起一座寺院，利益后人。他最终完成此事。五十八岁时他死于心脏病。绕行灵塔七圈，母亲行礼，然后来到伦巴格西的僧舍。

他是则旦师父的老师，现在管理寺院。庭院里挤满等候被接见的人，他们需要打卦、求法、求医问药。母亲带着她等在队伍后面。有人给她们端上奶茶和馍馍，仿佛知道她们饥渴而疲倦。格西提前接见她们。他的僧舍简洁朴素，家具老旧但擦拭得干干净净，花瓶里插几枝白色芍药，是琼持寺种植最多的花。也是则旦师父生前最喜欢的花。房间里有高山草药的幽深芬芳。

格西八十多岁，一双不符合高龄的神采奕奕的眼睛。他微微笑着，身口意发散出的澄明能量充满房间。他说，你们从很远的地方来。

母亲走上前去，握住他的手。

他说，你不必留在琼持寺。去夏摩山谷寻找仁美师父。他的房子在寺院里最大，经常收留很多外地迢遥赶路来朝拜的穷苦之人，提供吃住。每天来找他看病的人络绎不绝，他过于辛劳，需要你的帮助。他在等你，他是你宿世的上师。记得，他的房子门口有一棵大松树，大门上的铜锁雕刻药师佛造像。你早去，最好下个月初八之前赶到。否则，只能在三年之后再见到他。孩子可以留在这里。

她还未开口，他已知悉一切。雀缇开始泪流，全身轻轻地颤抖。她露出悲伤。她说，师父，其实我一直还是有困惑，善良的人为什么受苦，相爱的人为什么分离。

格西握着她的手，说，生老病死是苦，与怨憎者相会是苦，与所爱之人别离是苦，求不得是苦。五蕴是苦。对你来说，受苦是对情爱的执着。世间万物当如此观想，一切的存在是暂时的。一切暂时的存在由各种条件因缘和合而成。这世间所有一切都会变化、破损。执着于建立在无常之上的情感、感受、感知、形色会带来痛苦。要无执着于这一切。

他说，雀缇，无量已离开琼持寺。我们不会与所爱的人告别，但相见的渴念是轮回的种子，悲伤是锁链。人如果在受苦，那是因为有渴求。如果你理解这些，也会明白众生对爱的执着，正如你一般悲伤而无法自知。记得，我们的眼泪不能仅仅只是为自己的悲伤而流。真正珍贵的眼泪应是为众生。

6

雀缇住在日玛旅馆。

弥光拎着行李箱爬上三楼，东南拐角处的房间门上有彩绘花纹，画着一枚大白海螺立在芍药花之上。她敲门，山谷海拔高，后脑微微阵痛有些头晕，心脏在适应爬楼之后的供血不足，忍不住气喘吁吁。雀缇打开门，站在门口露出微笑。她看到一位皮肤微黑发亮、形貌清瘦、穿着质朴的妇人，漆黑长发编两条长辫，当地女子样貌。这是已经老去的母亲。

她走进房间，看到摆设简单的一间三十平米左右的屋子，干净清洁。铺着纯白印度细麻的单人床，彩绘床头柜。一块破损但花纹典雅的古式毛毯垫子，上面摆一张柏木矮桌，桌上有经文、铃杵、转经轮、佛珠、水杯、烛台。不多的衣物叠得整整齐齐放在角落。墙上挂一幅丝缎装饰的唐卡，是持花微笑的绿度母像。

她走过去，仰头仔细凝望。唐卡中的女神通体深绿色，头戴宝冠，脸如满月，眼如星尘，唇角有一缕略显不羁的微笑，眼神安宁。右手绛红色的手掌摊开，拈一朵莲花作施愿印。左手持一朵蓝莲花作供养手印。在琼持寺她也见过度母的样子。每个度母形象有相同的要素，又会呈现各自独特的美感。母亲的这副度母唐卡，女性面容并不以美貌去描绘。有一种深沉的慈悲和洞见。

　　她问雀缇，度母到底是一位女神，还是一股能量。
　　雀缇说，度母并非具体的实质的女神，而是象征人了解万物空性真理的智慧，代表证悟。她是法性与功德的显现，与诸佛一样，是我们内心佛性的外在显示。外境的造作，都可以看作是度母法性流露出来的真意。以这样的方式去观想绿度母。让心慢慢趋向她的境界，进入她的世界。

　　因为常年在僧舍给师父煮饭吃，房间里没有煮食设备。放置一架冬日取暖用铁炉，烧炭之后铁炉上可以做热水和简单煮食。雀缇煮一壶奶茶，这是山谷里普遍的饮品，当地牦牛奶与黑茶混合烧煮，提供热量和必要的营养。弥光端着杯子走到窗边，看到远处黝黑起伏的山峦。幽深山谷之中耸起一座庞大的金光闪闪的庙宇。

　　你叫我来，是因为仁美师父要圆寂了吗。
　　是的。他知道自己的期限。现在天还未黑，我们去绕寺院。

　　她围上大披肩，雀缇戴上一顶这里的人经常戴着的宽边呢帽，左手拿一串凤眼菩提佛珠。佛珠经过十多年的抚触已成暗红色，发出浑厚亮光。关门下楼，旅馆前面是条土路，也是村庄主要街道。两边有密集的小商铺，孩童、僧侣、狗、牛、羊、男女老少，混杂在一起相安无事。夕阳即将沉入山峦，天边云霞仍有亮光。黄昏有时会刮风并急速降温。

　　她们走向前方的庙宇，沿着绕寺院外围而建的转经筒走廊绕圈，诵经祈福。雀缇走路姿势稳重，身体笃定，背后长辫用颜色鲜艳的毛线捆在一起，穿长裙、长袖上衣，装束与当地人一样。一位腿有残疾的年迈僧人绕行白塔，姿势吃力，全身力量放在双手按着的木杖上面，颤颤巍巍走得很慢。虽已到风烛残年，面容和衣着看起来仍很洁净。她们经过他的前面好几次。

　　经过他第三圈的时候，雀缇放慢脚步，走过去握住他的手，把身上全部的钱取出来放在他的手里。她想供养他，但一句话都没有说，只是用双手捧住他的手微笑。他很感谢，轻声说着话。母亲都能听懂。然后她们离开这里继续往前。

　　经过一处佛殿。许多僧人在殿内排成行列集体诵经，点燃大量酥油灯，明亮火焰跃动。他们在做千供，供养一千盏水，一千盏灯，金色弥勒佛仿佛拔地而起，头像碰触到屋顶横梁，顶天立地占满整个房间。她跟随在雀缇身后做大礼拜，双手合掌高高举过头顶，分别经过眉心、喉咙、心口处，五体投地做大礼拜。

　　雀缇说，这是把自己的身口意净化之后供养给佛。也是供养给自己心中的佛性。

弥光：

　　一切可安好。

　　夏摩山谷下起雪。春天三月，白雪茫茫，大雪下足五天五夜，路上积雪成灾，所有交通方式停止。我最近身体不适，有时卧床，仿佛任何药物都已无法缓解。他们要求我停止在家里自己治疗，离开山谷去外面彻查身体，但我没有时间也不愿意来回奔波，我知道某个期限离得越来越近。这期限仍是慢慢到来的。

这一生，我是再普通不过的女人，所有存在只是成全与圆满自己内心的爱。我大部分时间都在山谷与荒野之中，保持劳动、祈祷和孤独的生活，这有益于我的身体和灵魂。这趟人生给了我很多机会去实践学习到的教导。我每天持续感恩这样的人生。心里没有一丝疑虑。

在夏摩山谷，人们对时间和空间的概念与日常人并不相同。世人觉得生命只有一次，此生有限，所以需要尽量满足欲望，忽略因果，放纵行事，以求快慰。在这里，人们认为此生是无垠时空的一个标记，终究会过尽，也只是一个短暂的驿站。人应有更长远的目标。

我想对你说，拥有人身第一要义是修行，虽然这里面饱含孤独、苦修、弃绝或坚持，但也包含着自由与清凉。死亡带给我们最终的考验，我们不知道什么时候会死去。以活着去做好准备，现在就应该开始学习，训练自己。用菩提心转化自己，利益他人，并最终了脱生死，这是最重要的事情。

如果我过世，记得，在我佛龛下面压着一只红色丝布袋，里面有一些头发，一封书信。我会在山谷中火葬，骨灰由你带到印度，在新月之日日出之前，在岸边燃烧这封信和信中的头发，与我的骨灰一起洒于恒河。陪伴我身边的那尊小绿度母像带去菩提伽耶，供养在大正觉寺的佛陀像前。自然会有人取走它。

本来我的项链应该留给你。但是去年有地震，我把项链卖给经过夏摩山谷的一个美国人。在非常时期，为病人和在学习的小僧人，钱有更多用处。衣物等已分给村里的穷人。

我们之间聚少离多，这是此生的缘分所决定。你借助我的肉身，来到世间完成自己的使命。我已做完应对你完成的事，以后彼此不再相遇也好。我没有为你留下任何财物，但请相信，你可以永久地在我的生命里，取之不尽。这是我对你的承诺。

雀缇

她七岁时，母亲偶遇仁美师父。他被邀请给人看病，她请他来家里做客，布施饭食，顺便请他给朋友们讲法。这样在家里住一个月。那时家里来人络绎不绝，数十人在起居室席地而坐，禅坐、听开示。结束之后分别求见师父请教问题。

母亲说，这是位德高望重的僧人，在自己的院子里接待源源不断从各地过来朝拜和需要治疗的众生。经历各种辛苦从远方徒步而来的人，需要食物、御寒的衣服、肉身的治疗以及心灵的开解，仁美师父从不收药钱，提供吃住，严格遵循和传承前世们的做法而行，做广大而慈悲的布施。任何人进入他的院子，都有热茶喝，有糌粑可以吃，有一块床铺可以安睡。出于感激，牧民们带来肉干、牛奶或自制的酸奶，农夫带来森林里的野生花蜜，珍稀的草药。穷人或许只能带来一筐土豆、一叠面饼或一块手织的毛毯。这些物质，仁美师父也一律分享出去让大家共用。

仁美师父有位侍者，名叫松林，这位面容俊美的出家人当时大概二十岁，面带微笑，健壮而风趣，照顾师父的衣食住行。他喜欢跟孩子们玩耍，向弥光学习语言，称她是他的小老师。他会在厨房里迅速而洁净地做出好吃的面食，蒸出一锅鲜美多汁的羊肉萝卜包子。弥光从来没有见过这样有趣而温柔的男人，着迷地每天跟在松林的身后。

松林带她去见师父。推开平时紧闭的木门走进书房，这个房间在这段期间充满神秘感，人们进去都会轻而小心地关上木门。她看到里面已被装饰，铺着漂亮的伊朗手工羊毛地毯，老僧人盘腿坐在炕座上，中间是一张小桌几，彩绘瓷瓶插着新鲜芍药花。四面墙上挂满唐卡，案上有精美佛像，点燃河流般的酥油灯，一行行水碗，一排排供品，所有器物金光闪闪、华丽洁净。

她走到他面前，出于羞涩忘记行礼，伸出手给他，说，你好，师父。

这位穿藏红花色僧袍的老僧人来自夏摩山谷。仪容干净，表情温和，身材清瘦，有一双神采奕奕的眼睛。他屈身往前握住她的手，他的手大而温厚，柔软而暖和。他把她拉近，当她靠近他胸前的衣袍，闻到高山草药、酥油混杂的浓郁芬芳，瞬间如跃入大海。他伸出手抚摩她的头顶，一股热流经由她的顶门进入身体内部，进入深处。她觉得心脏跳得迅疾，耳边响起嗡嗡作响的经文，音韵浑厚有力。

他给她诵吉祥经进行祈福。

诸多天人众，思念诸吉祥，
愿望诸福祉，请说最吉祥。
不亲近愚者，而亲近诸贤者，
供奉应供养者，此乃最吉祥。
住于舒适地方，有往昔所作福，
自发正确誓愿，此乃最上吉祥。

多闻又技巧，又善学戒律，

凡被善说言语，此乃最上吉祥。

敬重与谦逊，满足于知恩，

适当时闻法，此乃最上吉祥。

与诸世间法接触，其心不动摇，

无忧、离尘、安稳，此乃最上吉祥。

然后他抬起她的脸，用额头去顶她的额头。他微笑地说，你曾是佛陀足边为他欢喜赞叹而盛开的一朵青莲花。现在你又为他来到世间。

他们对她来说是另一个世界的人，身上有她在周围无法感受到的优雅、古老而充满情感的气息。一个月后他们回去夏摩山谷。

二十年后，她来到这个山谷。跟随雀缇离开殿堂，沿着泥土小径走去僧舍，天色已黑。他们走进一个整洁而空旷的大院子，种着花草树木。周围走廊排列一圈木结构小房间，以前这里挤满各种远道而来的病人。现在一些僧人和信众坐在地上，聚集一起诵经和等待。松林出来迎接她们。

她印象中的他是个漂亮而温柔的年轻僧人，出现在眼前的却是一个面色黝黑满脸皱纹的中年人。寺院里生活条件艰苦，僧人们的面容苍老加倍。基本上在二十五岁之后，他们像凋谢的鲜花不再俊美，衰老超过实际年纪。松林浓黑的眉毛，雪白整齐的牙齿、热诚的笑容还和以前一样。看到已成为成年女子的她，态度适当而有礼，不再像以往那般跟她亲近。

他接她们进房间，倒出热茶，说，弥光从很远的地方过来的吗。她说，是的。他说，应该要回来。师父很快要离开人世。

她们走去仁美师父的卧室，房间摆设质朴无华而清洁高贵。点着一盏大酥油灯。仁美在度过逗留人世的最后时间。她看到躺在炕床上的老人，已有人把他的身体半支起来。他的头发剃得很干净，形容消瘦，身体在她眼里呈现出透明状的光晕。她感觉他的灵魂即将远行。

她走过去，跪在他的身边，抓住他微微温热的手。他的眼神落在她的脸上，温柔而润泽。他轻而清晰地说，你从很远的地方来。你还会回去。你会一直在那里。

师父，我以为你不会老去，不会生病，不会轻易离开这个世界。你为那么多人看过病，为什么自己还是会走。

没有人能够有不死的肉身。身体在死亡面前是一定会被打碎的陶罐。物质世界的所有一切，只是借来一用。修行人的生为死而准备，要不畏惧生死，不贪恋涅槃。

你还再回来吗。

我会一再地回来。只要有人需要我，向我祈请。

请赠我一段话，师父。

他的手轻轻抚摩她的头顶，说，在我时常阅读的一本经典里，写道：万物虽然虚幻不实，但我们却能从清水中反映出的月影看到月亮，同理，因果的各层面也是这个相对世界的投影。因此在这幻象的世界中，请让我们众善奉行，莫造新殃。

7
—

母亲与僧人一起帮忙做饭。弥光生火，往灶膛里塞进去木块、干牛粪，母亲做素面汤，包子，炒土豆和白菜，让在这里等候的人能吃上晚餐。打扫干净厨房已是深夜，夜色漆黑如墨，远处山峦的影子若隐若现。一轮洁白孤月在山岗上升起。她们坐在厨房里，烧起牛粪火，不停烧热水出去供茶。

雀缇从口袋里拿出一些暗褐色的粉末，把它们洒在炉炭上，房间充满一种带着麝香和花香气味的芬芳。这是她自己做的香粉，叫莲花自净香，配方来自芒切老人。把牛黄、白檀、郁金香、龙脑香、麝香、丁香、迦俱罗、莲花、青莲花、金箔各等份，用白蜜与药草捣和，持续诵咒七天。闻到的人会心生欢喜与安宁，无忧虑悲伤。

她问，师父走了，以后你怎么生活。

我自己生活、修行，等他回来。再次找到他之后，再去照顾他。母亲指着自己的头顶，喉咙，心脏，说，我们的身口意相印，永远不会告别。真正的上师投生和活着是为其他众生，会一再回来。因为他们许下服务众生的诺言。她看着窗外繁星闪烁的天空，说，但我常觉得，人世间其实是不可能被改造和完善的。环境与人心持续在恶化。

你对这个世界的态度有些悲观与消极吗。

我相信事物最深处所隐藏的秘密和圣洁，不管是一片翻滚着麦浪的田野，还是一颗挂在松针上的雨后的露珠，一道瀑布还是一声鸟鸣，一位老人死去或一个婴儿出生。在这些生灭中有恒久的真理，是我们祖辈留下来的教诲。被坚守的能量场始终存在，是千年以来人类所有至善至美意识的汇合处，它一直在流经我们。并希望经由落叶一般的我们再次传递。而我们最后依然回到大地。

但以后的时代，人世如同铁锅热水沸腾，人们浸泡其中却浑然不知，无休止的吃喝、享受、各种感官声色刺激、各种科技开发与创造，只为更快速地享受便利、催生物质利益。忽而狂喜，忽而悲伤，忽而成功，忽而失败，被物质与感官所奴役。男人仿佛是被复制出来的充满野心和匮乏感的战士，在虚幻的游戏里过关斩将。女人变成贪婪的低能的动物，需索散发出香气和金光的物体，幻想自己青春永驻，并且企图占有伴侣不可能达到的忠诚和依靠。人们把大多数的时间消耗在无意识琐碎的事情上，成为自动化的机器，过着没有觉知的生活。

一切事物都是因缘和合而成。银河系最初也只是由星际气体和尘埃组成。我们生存其上，看不清所在的位置。只是像蚂蚁一样，把眼前的生活，把争夺的一小块面包屑，把所有微不足道、无足轻重的事物，看得比生命还严肃。事实上，所有世俗活动的本性都是痛苦的，有如蚕从唾液吐出的线一般。从自身吐出，然后又把自己卷捆起来。

接近午夜气温骤冷，月影已消失。雀缇打开窗户伸手感受空气，说，开始下雨了，一会要下雪。师父今天晚上要走。时间已到，人生总有一别。天地已开始为他的离去进行清洗。这样异常的天气以前没有遇见。

她悲从中来，说，我不想让他离开。

雀缇说，我们无法永久地占着这个肉身。心识以肉身为渡船去向彼岸。靠岸之后，肉身可弃。以后我会离开你，你也会离开你的孩子。对夏摩山谷中的人来说，来到这个世界只是经历一段旅途，所有人不过是走在路上的旅人。人与人之间的关系，不管是爱情、亲情、朋友，无不是同行一程的因缘聚合。不如彼此以客人相待，心中有感恩与珍惜。

她问母亲，我虽然在寺院里学习，但有一处始终困惑。人死了之后肉体败坏，生命宣告结束，到底有谁能够证明有灵魂存在。这是可以用科学来证明的事实吗，谁见过灵魂，有谁在再生的时候还能说得清楚自己的来路。不仅仅是死亡，其实她还想与母亲讨论关于情欲的罪恶感与饥渴。讨论恶、放纵和羞耻。讨论雅各对她，以及母亲对无量的感情。

母亲似乎洞察一切。注视她的脸良久，轻轻说，你休息一会。还要煮茶做饭。有很多人需要我们的照顾。我们会逐渐得到答案。当答案来临的时候，有可能问题早已不复存在。

雀缇盘坐在佛龛前开始祈祷，回向，转动转经轮轻轻持咒。今晚她不准备睡觉。大家不停地诵经，等待消息。她躺在厨房里的一张小床上辗转反侧，无法成眠。高原反应仍使她头晕，身体内部很热，脑袋发疼。生离死别的悲伤以及自身命运的未知，多种混合的内心情绪的纠缠，使她情不自禁缓缓流泪。又仿佛是一种清洗，心里一点一点地亮起来、干净起来。

凌晨，窗外响起干燥雪花突突飘落的声音，她起身拉开窗帘，看到路面大雪覆盖，白雪茫茫。远处山脉顶部有一团红光升起，散发光亮如同火焰燃烧，正向西边移动。此时雀缇也警醒，立刻带她走到佛堂，点燃桌面上摆出的一百盏酥油灯。在灯火簇簇之中，她们跪倒在木板上磕长头行礼。

母亲说，师父已启程。愿再与他重逢。

8
_

在夏摩山谷，雀缇是一个默默无闻的寻常妇人，饮食衣着简朴，生活清贫。她只是日复一日地采药、做药，给人看病。自己则从来不体检，不去诊所，有时不太舒服去山上拔草药，熬汁服药。她言语不多，脸上总是微微含笑，不管置于什么样的处境，几乎不流露出高兴或低沉的情绪。在她老去而沉静的面容之下，也许隐藏着难以言传的故事和复杂的记忆。但她守口如瓶。

她为弥光在房间里搭出一张床铺。这是她们真正意义上属于两个成年人之间的相处。母亲清扫劳作，静坐持诵，即便是洗手、换衣这样细小的事情，做着的时候也有优雅而寂静的气氛，不流露出凡态。在她身上看不到沮丧、倦怠、急躁、焦虑、怨悔或其他多余的情绪。她平心静气地存在，尽可能简单地处理好生活物质层面的事情，而把大部分注意力和重心放在照顾他人和服务之中。

在母亲的身上，弥光感受到经由克制、训练、单纯、深入而得到的彻底。这是无需宣说的。言行举止就是在说法。后来她觉得，已无法知道母亲到底在想些什么，或她真正的感觉是什么。因为她无法看到母亲的悲喜。母亲对任何人都平等而随顺，聆听，帮助，没有好恶。处事简洁直接。

她经常耗费漫长的时间，切、煮、磨合搅拌草药，做成药丸，再分送给需要的人。即便独自一人，经年累月在寂静无声的房间里度过余生，对她来说也不是负担。有空闲时，她手工制作牦牛围巾、披肩，施舍寺院和穷人。白天在寺院里劳作，帮人看病制药，做饭，提水，打扫院子，煮水，做茶。这里没有煤气与自来水，用木块、干牛粪、炭火取暖和煮食，去河边取水。几乎是无休息的生活，周而复始。

雀缇融化于自我的消失之中。

她每天吃自己做的药丸。有一个鎏银雕花木碗，洗得很干净，通常在入睡前，在黑暗中把一颗药丸碾碎，放在碗中的温水里融化，挡上银碗盖避免光线和尘土。第二天凌晨四点左右，她醒来，念诵药师佛祈祷文服下药水。然后起来清扫，点燃一根白檀香，诵经。在凌晨和睡前，母亲诵经很长时间，大概一到两个小时。午时睡上半个小时。生活极为规律。

她看到母亲眼角笑起来绽开皱纹，眼尾肌肤松弛微微下垂，但眼睛仍有少女的清亮神气。白发长在额头上端，四五根分外鲜明。这二十年毕竟已过完，不相见的漫长日子里，在她心中母亲始终是三十岁时秀丽而芳香的女子，现在她知道这只是一厢情愿的记忆。相较于年轻时候的强壮和丰富，现在的雀缇，已成为平凡无奇的人。

她们一起共睡。她听雀缇诵经，看她煮水泡茶，喝茶，走山路。大殿里磕长头，绕塔绕寺院，走很远的山路。母亲平时忙于行医做药，很少读书。有时她轻轻唱歌，她那微微有些沙哑的柔和的声音，令人沉醉。唱诵多是祈祷文或道歌。有时会唱一首民谣。

雀缇在她离去之前，郑重对她说出一席话。她说，弥光，如果决定修行，要接受自己成为一个叛逆的人。因为生活会逆着大部分人的价值观而行，也会逆人性的沉堕重力而行。大部分人在做的事情，不去做。跟他们相反地去做。当他们急需在人群中获得承认，得到世俗的成就，你要甘心自我完善。修行人是叛逆的，被遗弃的。

当人越是博学多闻，通晓法意，会成为看起来越发普通的人，谦虚，温和，朴素无华。他不会骄傲自大，孤芳自赏。习得禅定的人能够管理好情绪与妄念，一切显示清朗无物，因此能够与众生和谐而圆满地相处，不会无端恼怒或心生恨意。只有在自心达成和谐而圆满的时候，才能做到。

万事万物皆显现，但没有坚固的参照点或攀执。练习接纳事物的本貌，记得正知正见以及禅修的意义。不论你做什么，应当以无念作为封印，将累积福德的行为作回向。没有任何应舍弃或成就的事情，这是可以随时回归的中心。

她说，你的医术、你的所思所想，没有人知晓。你没有弟子，又远离我。再不会有人传承到这些。它们会随你而去。

雀缇说，默默无闻、无人所知地离开这个世间的，有思想有学问有品格的修行者们何其多。如果他们再次回来，是因为心中有大愿、有承诺、有对众生的深情。而我不过是个最普通不过的妇人。我不需要留下任何东西，我为自己的任务而来。当我实现目标就可以离开。

但你照顾很多人，帮助很多人。
这是顺便的。在我们自利的同时一定也会利他。某个时刻，利他会自动发生。

再告诉我一些关于你的故事。如果不告诉我，这些事情会被你带走而无人能知。

9

那年我二十岁，芒切师父最后一次和我见面说话，我已得知自己怀孕。他也知道，但并没有失望或责怪，仿佛早已接受结局如此。他说，世俗的情感甜美如蜜也苦海无涯，命中注定，你这一趟来到人间为见到爱人。但他还在未来，不是现在。你现在只是要突破自己的责任，奔向他。他说，其实我又何尝不是如此。所以我知道你以后仍会回家。

我移动双膝靠近他，用双手扶起他的右手掌心贴在自己的前额上，流下眼泪。

我说，师父，我希望得到真正意义上的伴侣。不仅仅是肉身的结合，还有意识和精神的合一。有人说找到真正的伴侣，心心相印，才能拥有进入曼荼罗净土的通道。它在试图靠近它的人的视线中消失不见，很多人失败而归，或者中途失踪。而已抵达的人从来没有任何回音，只留下稀少而隐秘的讯息。

经书没有告诉你，曼荼罗净土并非如我所居住的山洞，是物质存在。你触碰不到它的行迹。有一类修行者以抵达曼荼罗净土为目的，认为灵魂抵达那里可以避免无尽轮回，可以获得休息。但这样的地方并不存在。

我要试一下。

你的个性一意孤行，我只能放任你，由你在决定的选择中去经历坎坷。现在我为你卜卦。他随身带着三枚古旧的暗褐色铜钱，让我抛掷。接连抛三次，有些正面，有些反面，记录下来计算。他观察卦象，说，你七年之后出发去旅行，有一处高山之中的国度，在它的北部和西部有神灵居住的雪山高峰。抵达之后寻找河流交汇处的庙宇，走向会发出声音的佛像。如果遇见一位男子，他与你有很深的缘分。这种缘分超越此世的关系，他将带你去寻找曼荼罗净土。

为什么要在七年之后。

你需要做好准备。他也要做好他的准备。你积存福报，他也如此。因缘具足才会再度相逢。如果有前缘，我们会得到伴侣，不管是生活的伴侣还是修道的伴侣，这需要因果福报。种下过什么样的种子，得到什么样的果实。不可强求。强求会令人苦痛。有缘的相遇，不管彼此之间错过多久，当你们会合，泉水般的喜悦和宁静喷涌而出。这些表征让你得知所遇见的人，他在你的生命里到底占据什么样的位置。

你看到我所有的前世了吗，师父。

过去种种一切都已倒映在我们今世的生命里，如同水中合欢树的花影，无二无别。今世的生命，不过是让我们拥有崭新的机会去体验人生。雀缇，为何还牵挂前世。此后你回归红尘，开始另外一种方式的磨练和修行，跟众生为伍，与他们同在。在尘世中去修行，与诸世间法接触，一边学习把心收摄起来，一边让心解脱。人生在世最大的修行是克制自心，调御自心。治水者引导水，制箭者矫治箭，木匠雕饰木材，修行者要学会调御自己。不论做什么，将这种宁静和专注的心境延伸。如果觉知被净化，万物将显现其本有而无限的面貌。

他站在山崖边，看着山顶盘旋的飞鹰，给我最后的开示。说，带上你的白海螺，记得回家的路。临走之前，在右手腕戴上这枚白色右旋海螺。闭上眼睛，看到漆黑之中迎面有一团耀眼的光亮，火焰般燃烧照亮你的眼睛。要注意这一刻的照会，跟紧光亮。你要回家。

他决定在山洞里闭关七天。不让任何人打扰也无需送饭。我意识到彼时大限已到，另找附近一处山居暂住，每天只是不断地为师父、为肚子中的孩子诵经。七天以后，凌晨大雨倾盆，清晨时雨停，阳光闪耀，山谷里的翠雀花一夜之间全部开放，野鹿鸣叫，蝴蝶飞舞。我跑到师父的洞穴，打开封闭木门，看到里面一盏大酥油灯剩下最后一丝光亮。师父不知所踪，地毯上留下他的牦牛毛外袍，散落一些指甲和几缕头发。

我在洞穴里为师父祈祷一个月。按照他的指示下山，一路往东，来到六百公里之外的云停。他对我说，看到"停"字，就要停下。云停的山谷中有一面大湖，旁边一面小湖形状如同葫芦，山坡上长满野茶树，百鸟群集，山峰秀美。当地人说山顶有洞穴，居住着神女。他们供奉神女获得祝福。这里气场澄净，仿佛与世隔绝的桃源胜地。

那时夏季，湖面上开满水草绽放出来的白花，花朵在水浪中沉浮。透亮清澈的湖水来自地下水，干净如同甘露。我在深僻湖湾边找到被人遗弃的一处旧居，木楼败落，花园荒草丛生。我一点点建设和修补，以此为居留地。

在花园里种蔬菜，草药，种下玉兰、茶花、桂花树，疲惫时在木廊入睡，醒来时看见天空转黑，繁星点点，璀璨夺目。怀孕后肚子慢慢凸出，有时用手抚摸肚子，感受胎儿在腹中游动玩耍。因为从小在山上洞穴里跟随师父长大，受过训练所以心静如水，即便独居在深山僻壤也没有畏惧或疑虑。上师居住在心间。

虽然身体拖累，仍时常独自爬到附近的低矮山丘上，欣赏霜染后的红枫美景。跟随师父学习洞彻万物的真相，突然之间发现可以无障碍地使用所有学习过的技巧和理论。没有烦恼，也并不觉得孤独。孩子出生之前，黄昏时的天际经常呈现独特的图案。层层叠叠的云朵弥漫，仿佛海洋波浪涌动。天空的颜色明净、透蓝。

花园里的桂花落尽之后，一天晚上开始下雨。仿佛天地想清扫一下尘埃，湿润而清净，夜雨淅淅沥沥。清晨我在院子里，看到湖对岸有一道高而遥远的彩虹横跨山谷两端，经过花园，觉得这是吉祥的征兆，便收拾好随身东西划船出湾，去村庄里接生婆的家里。随身戴上师父赠送的绿松石项链。把花园里刚绽放的白色月季采下来扎成一束，准备做供养。

我的父亲是谁。你是不是都不知道他的名字。

他是一个画壁画的人，到处流浪。哪个寺院需要画壁画，他就住在那里工作。他没有家。

你们再没有遇见吗。

没有。

生下我以后，你为什么又决定离开云停。

师父说，停下来只是休息。要磨练自己，检验自己的修行，就去红尘中。当你一岁时我们去 C 城。我懂得草药、占卦，就行医，给人卜卦。我生下你之后有一些改变，再也见不到无形中的众生，但能够看到人的过去、现在、未来。见到他们的脸，脑袋里自动浮现出他们的信息。我不能完全说尽，这对他们来说没有必要，对我来说也是禁忌。

那你也能预见自己的未来吗。

其实每个人都可以。我们观想现在每一个起心动念，每一次身口意的发生，就能预测到未来。过去是因，现在是花，未来是果。

你喜欢我的父亲吗。

我见到他只有一天。我们共度一晚。我想那天我们是爱恋彼此的。现在我也并没有忘记他。

你生命中只有两个男人。

你的父亲，把你带给我。无量，是我宿世的爱人。

什么样的人是爱人。

心心相印。像两轮皎洁完满的圆月，相合为一，一丝不差。无论时空如何变化，肉身辗转多少次，彼此的心识如影相行，从未分离。

为什么你们没有共同生活。

我们从来没有分开过。

弥光，我们之前住过的城市，在另外一个时空。

那时城市科技非常发达，有高速交通工具，轨道四通八达。居民通过电子终端能解决生活中所有问题。需要手工做的工作大多被取消，大量行业被淘汰。大多数人没有工作，依靠领取政府救济金也能舒适地活着。什么事情都不需要做，也做不了。除了玩虚拟游戏，在虚拟空间里释放情绪与情感，只能孤独一人在屏幕上建立幻想中的生活。

大多数人有严重的心理问题，购买大量化学药剂来舒缓和放松自己，产生愉悦。化学药剂非常发达，配合各种需求而产生，随时可以给自己注射或服用。没有婚姻、家庭的形式，人们不喜欢生孩子，不再热衷做爱，因为药物产生的愉悦更强烈，更持久，更省力与方便。他们唯一所想是减慢衰老的速度，避免死亡，所以注射及服用各种营养剂、生物制剂，想以此延续此生寿命。因为没有信仰，这种想永存的欲望极其强烈。

呵，这听起来很可怕……

在此之前，我们还住过一个城市。它从沙漠中崛起，居民从被雾霾包裹的城市迁移过来。他们很有钱，积极改造，重新建立富足的物质生活。星罗棋布的高楼大厦，极尽便利舒适的生活。无尽满足之后很难找到目标。在再也找不到可以创新和生产的界限之后，人们感觉沮丧、无聊、灰心失望，只能再次投入到更匪夷所思的物质制造和享受之中，以此不断地循环与轮回……这个城市后来被大火烧毁。它叫G城。我带你从那里逃走，去了C城。

C城的居民身心安逸，离开痛苦和艰难的时间过于长久，很多人心智陷入停顿。虽然热衷灵性发展，但如果缺乏慈悲心和利他的大愿，不过是自我麻醉。平时他们充满优越感，蔑视外人、自我封闭，认为自己完美无缺，在禅定的幻象中得到和平与愉悦。因缘聚散也会让那里重新变成海洋。这个预言我在书中查到，但没有告诉过任何人。如果我轻率地宣告，他们会认为我是疯子。有时我觉得这一切可能要被毁灭之后才有机会得到新生。

当我们身处于科技泛滥、物质为上的时代，人们会尽力往外求索，对抗、争斗、杀戮、摧毁与权力并驾齐驱，欲望与金钱占据重要的注意力，对内心却麻木不仁。以后人工城市都会被逐渐毁灭，需要寻找新居所。但我厌倦不停地逃难、转换居住地，没有一处可以安稳。不单是此世的漂泊，还有无尽轮回，如同恒河沙数般的劫难。我渴望找到一个归宿地。

你找到了吗。是曼荼罗净土吗。

我试图寻找过。最终人应该以真理为依靠，以自性为灯。眼耳鼻舌身意是坛城之门，居住在中心的是自性之佛。找到自心自性，以此修炼，就是不动。

10

她们步行到车站坐上当地的公共汽车。卖票收钱的男孩睫毛很长、皮肤很黑，有一双温和而害羞的黑色眼睛，手上戴一枚红宝石戒指。她想这一定是他珍爱的随身饰品。车厢挤满男女老少，停靠不同小站，不时有人上上下下，有打扮漂亮的年轻女子，也有带着很多竹筐的农妇。到最后一站，他们全都下车。

母亲拿着写有酒店地址的纸条，让城门口卖门票的老人看。老人给她一份城中地图，告诉她大概走向。她们背着背包，行过晨雾，沿着长而蜿蜒的石子路横穿古城。拐过几个街口之后，迎面出现大广场。阳光剧烈，孩子们在玩耍。一座高耸恢弘的五层大神庙，是加德满都山谷最高的神庙，尼亚塔波拉庙。传统的纽瓦丽寺庙建筑风格，大地震之后依然存在。五层高大台阶两旁树立的雕像，每层一对，台阶陡直，通往高处供奉着女神希提拉克希米的神殿。神庙的美感在瞬间惊住她。

旅馆在旧城广场，十六世纪之前王宫坐落于此，也是古都最古老的部分。以前是祭司们住的房子，有雕饰繁复的黑色门框窗框。房间里放着一匹儿童木马，是古城传统，他们的工匠做精巧的木马。她骑上去摇晃，它很优美但是很硬。母亲开始收拾行李。依然没有热水喝，房间里也没有热水壶，只有一个黄铜大铁壶装着矿泉水，放着两只玻璃杯。一整排窗户对着天井，垂挂白色纱帘。房间阴冷。

黄昏她们回到大神庙，爬到高处台阶俯瞰广场。左侧是巴伊拉布纳神庙，远处群山起伏，雪山围绕。一座由宝塔式寺庙改建的餐厅，她们在那里喝马萨拉热茶。暮色升起，夜色降临，巴伊拉布纳神庙聚集起很多成年男子，带着乐器准备唱诵。酥油灯全部都已点燃，闪烁出密密麻麻的光亮。在这里，每个晚上都与祈祷与赞颂有关。

晚上睡觉，房间隔音很差。隔壁房客是一对男女，男人不停咳嗽。这里早晚寒凉，又潮湿，难免感染疾病。她听到楼下木门在不断地发出声音，开开合合，好像有很多人在进出。远处有酒吧乐队唱歌的声音，一些人在喝酒。这附近都是神庙，古老与现代共存。她内心安宁，入睡很快。

早晨起床，母亲告诉她，整个晚上她在断断续续地醒来。凌晨时分狗一直在叫，此起彼伏，好像看到什么东西。天色发亮之后狗不叫了，门不再开合，恢复寂静。于是她听到极为清幽的铜铃叩击声音，隐隐约约，声息蜿蜒而来。也许是旁边的 Dattatreya 寺。它离得最近。

她问，是风刮过的原因吗。

雀缇说，这里虽然冬季也寒冷，但并不大风凛冽。应该是路过的行人在虔诚地摇动铜铃。然后她说，我在拂晓时分做了梦。

你梦到什么。

看到我自己又已怀孕，肚子隆起要生下孩子。不知道是什么样的心情，好像时间倒流你又重新与我合一。弥光，也许我们就要各奔东西。

仁美师父圆寂半年后，母亲在旅馆房间里去世。

雀缇的遗体七天后被发现，她衣衫整洁半躺在床上，死去之前曾禅坐，神态和静。身体撑在旁边堆叠起来的被褥上，没有痛苦或挣扎的痕迹。她事先在右手腕戴上芒切师父赠予的右旋白海螺，这是她出生的村庄里的传统。女子手腕上戴的白海螺，能在中阴状态引领她的灵魂，渡过轮回之海。

房间已打扫干净，所有物品打包整理。她日常习惯把无用闲杂物品定期焚烧干净，不留下多余。他们按照她留下的遗书做处理，她所有财物只是很少的四季衣物，几枚习惯佩戴的绿松石耳环。除此之外没有其他。留下一串凤眼菩提的佛珠，长期持咒已被抚摸得暗红发亮，这佛珠连同仁美师父的舍利一起赠送给松林。一幅仁美师父送给她的绿度母老唐卡，送给村子里的唐卡师洛惹。他经常帮助她提水、搬运东西，分担她生活上的重事。雕花乌木盒子里装着一尊小绿度母佛像，连同骨灰、书信、头发一起带给弥光。

弥光对雅各说，母亲在夏摩山谷见到自己的上师仁美，之后在他身边度过二十年，跟随他学习，侍奉他以及帮助给人看病。她是他重要的助手和弟子，帮他采药、做药丸、护理和照顾病人。当他日益老迈，母亲是他的双手，也传承他的医术和心灵。她把我留在琼持寺，大概对这个寺院太有情感，隐隐想留下一丝希望。她离开之后每年给我写一两封信，此外音讯全无。信中从不关注我的生活与俗务。

所以，她是一个医生吗。

是的，在古代，医生的角色通常是一位僧人，同时或许也是巫师、修行者、哲学家或心理医生。小时候我印象最深的事情是母亲处理情绪的方式，快刀切下的冷酷和决然，不给我一丝丝拖延或纠缠的机会。一开始我感觉自尊无法接受，她从不解释或相劝，只是告诉我情绪多余并且无用，扔掉是最好的方式。

后来我发现她是对的。她知道什么是不必要的。她希望我控制身口意，简化生活。她不动声色，逐渐修正我习以为常的思维方式和言行举止。我被她影响很多。

我只是没有明白，为什么会在梦中去到夏摩山谷，见到死去之前的母亲。我在图书馆的藏书里见过夏摩山谷在过去时古老的样子。梦中的它看起来属于以前，是封闭的与世隔绝的时空，和现在的世界毫无关系。

也许是你的母亲用意念召唤你过去与她同在。其实琼持寺一别，你们后来再没有相见过，是吗。

是的。但这个梦太长，太真实。我想告诉你不用等待我。你觉得在我经历过这些事情之后，还能够安心于世间的生活，过完一生吗。

我不想有婚姻、家庭、后代，盖房子，做生意，赚钱，生养孩子，以各种吃喝玩乐寻开心，买各种衣服珠宝取悦自己。所谓男女相爱，竭尽所能地霸占着对方的身心，害怕别人分走所谓的忠诚。这样琐碎而努力地去生活，需要很大的无明来支持。世俗男女之情，则需要很深的情欲和贪婪来支持。

何况，雅各，也许你喜欢我。但你也喜欢很多其他漂亮的女孩子。你只是觉得我比较特殊。

他搔搔头发，是的，你始终不答应我。但你也说过人与人之间不需要忠诚，这都是束缚和捆绑。

但我还没有对你说，如果两个人心心相印，他们之间连忠诚或不忠诚的界限都不存在。死亡也无法分开他们。

什么是心心相印。

合为一体，恪守彼此永恒而无尽的诺言。

这些信念所需要付出的代价太大，我们只是寻常人而已。

但母亲她做到了。她应该对此有坚定的信念。我想她经历过极为珍贵的情感。在漫长的告别之中，不知道她如何面对和转化欲望、悲伤、思念与孤独。她看起来已接纳和消化一切，并通过修行克服了自己。

她应该还没有告诉你更多的事情。她与她的爱人之间不会是个简单的发生。

也许她认为这是最珍贵的记忆。只能独自守护。

无量

1

弥光遵照母亲遗言，带着绿度母佛抵达菩提伽耶。她把小度母像供在大正觉寺佛陀像前。她想雀缇的意思应该是让它漂流于世间，谁与它有缘就由谁拿走。有三天时间，她独自从早到晚以顺时针方向绕行礼敬大正觉塔，疲倦时坐在大菩提树的树枝下喝水、休息。这里人来人往。有一天，她注意到一位白发苍苍的老妇，穿着浅蓝色绸缎衣袍，白色丝衬衣，戴着红珊瑚耳坠和戒指，看起来整洁而优雅，坐在菩提树下祈祷。大风吹过，间或有几片心脏形状的绿色菩提叶悠悠落下，老妇慢慢走过去，小心蹲下，把捡起来的落叶视若珍宝放在手心里摊开的一方丝布上。

她想起雀缇，不知道她活到这般的年龄会是怎样。她不能想象一个成为老人的雀缇。雀缇以前爱佩戴鲜花，总是随手把摘到的野花插到发鬇上。她的黑发浓黑茂密，披散下来如丝缎柔软。去世之前母亲的头发还没有变白，只有四五根白发。

再到瓦拉纳西圣城。在这里，恒河从瑞诗凯诗向东南方流淌八百多公里之后，在与阿西河交界的新月形地带突然掉头向北流，因此被认为是神迹显灵之处。据说是湿婆创造这座城，也是印度人最早定居的地方，叫光之城。这座古城有漫长历史。她住在恒河边上一家老宅改成的小旅馆。房间在二楼，楼下是集市，熙熙攘攘，有人售卖供神用的万寿菊、素馨花以及香蕉等水果。每个铺子前点燃一根带有安息香浓烈气味的粗香枝，烟雾弥漫，人们摩肩擦踵。窗外大河波光粼粼。

她心中有说不出的宁静，感觉放松。即便在这般日夜不息的热闹之中，醒来之后也不想起床。睡了一天。

那天凌晨，她感觉雀缇回来。她们睡在顶楼房间铺着白色床单的床上，有古旧的纯木房梁、柱子和手工编织地毯，卫生间铺陶土砖，是帕坦古城以往的贵族宅邸。一排优雅缜密的法式百叶木门，打开后是悬空阳台，站在那里可以远眺房屋间隙的灰蓝色天空。楼下花园传来隐约说话声音，一些欧洲住客即将离开，他们的背囊堆在庭院，吃完早餐在喝最后一杯咖啡。

母亲比她早醒，从背后抱住她，抚摸她的手臂，亲吻她的脸颊，下巴贴着她的额头，弥光，弥光，亲爱的女儿，我的宝贝，轻声在背后宠爱地呼唤仍在睡梦中的她。只在偶尔，雀缇敞开她内心属于世间深切而缠绵的情感。此刻的雀缇三十岁，年轻而秀美。她闻到母亲身上带着清淡酸味的馥郁芳香，以及头发上散发的晚香玉芳香。她熟悉这温暖柔软的身体和气息，雀缇在花园里种植花卉和草药，自制精油，涂抹各种自制的乳液或精油，皮肤细润洁净。尤其喜欢浸泡晚香玉的精油，身上、头发上总有一股淡淡的晚香玉馥郁芳香。

她留恋母亲，知道能够与她共处的时间并不长久。

雀缇温柔地低声吟唱道歌，以往夏天，哄她入睡，雀缇侧躺在她身边时会一边摇着扇子一边哼唱：善似青松恶似花，青松冷淡不如花。有朝一日浓霜降，只见青松不见花。

她心里说，母亲，再给我唱一首歌。雀缇继续唱歌。

太阳月亮和星星，
是蓝天上的三种宝，
照亮人间要靠它，
五谷的丰登要靠它，
愿三种星星永不变，
为了永存祝吉祥。

雪山石山和草山，
是大地上的三种宝，
奔流江河的源头，
滋润庄稼的甘露雨，
愿三种宝山永不变，
为了永存祝吉祥。

五谷六畜和人的智慧，
是人世间的三种宝，
消灭饥荒要靠它，
人间的平安要靠它，
愿三种宝贝永不变，
为了永存祝吉祥。

这首歌是不同的，旋律深情悠长而宁静。雀缇在与她去尼泊尔的路途上，独自洗衣服或晒太阳、看着满月、睡前常常轻声哼唱。也许母亲已接受所有的结果和安排，再无期待或失望，而在那样的时刻，她思念心中不再见面的爱人。

她即刻从梦魇中警醒。天色未亮，穿戴整洁带上骨灰，去恒河边相会约好的船夫。雾气弥漫的河中已有很多人在沐浴，这条雪山融化的圣河是很多人的向往。古老宫殿下面的台阶，火葬仪式正在举行。烈火熊熊白烟升腾，白布包裹的尸体燃起火焰，空气中充斥熟悉的腥甜黏稠的气味。加德满都山谷圣河边，她与雀缇一起看过火葬。雀缇早就预感到这一天，提前把饱含深意的种子置入她的心里，等待她慢慢去领悟。

她坐在船上，船夫摇动船桨，木船晃晃悠悠驶向河流中心。船上有事先准备好的玫瑰花瓣和可以漂浮在水面上的蜡烛。她买一束青莲花，把点燃的蜡烛放在河流上，把玫瑰花瓣洒出去，为雀缇做最后一次供养。

终究还是打开那封红丝布袋里的书信。

雀缇：

犀地一别。世事无常，则旦孤儿学校发展顺遂，现在我们可以照顾三百个孩子。但最近清理国外嬉皮士，我也需要离开加德满都，不能继续在琼持寺完成心愿。也许要回去欧洲。

期限紧迫，我即将远行。不需要去思念你或回忆你，每一天你都在我的心里。接到通知时我亦思忖，是否能够带上你和弥光回去法国。我们或许可以在我父母的农庄里，成为与他们一样的农夫与农妇，抚养弥光，生活静好，度过花好月圆的一生。这是你内心的愿望吗，雀缇。我很想满足你，但我看到你身上负载的使命。你自己也有意识，你会在未来为更多人付出你的生命。你需要爱，但你更需要在爱中得到自由。

我昨天梦见你在高山之上采摘草药，仍穿着白色衣衫绿色裙袍，戴着绿松石项链。你背着与我相见时的竹筐，黑发如丝，神情纯净，美丽的眼睛如同宝石般晶莹。这闪烁而温柔的眼神惊动我，又像一潭清泉让我难以自禁、沉浸其中，让我忘却来时路上的漫长与辛劳。在佛陀殿壁画之下见到你的那一眼，我即明了与你的重逢是宿世的愿力所致。

你如此美好却从不自知，我忍耐所有感情佯装沉着，只是和你走完三个月的旅程。这三个月每一天对我来说都无比珍贵，过去一天便少去一天。我在心里数算。

山谷中出现两道彩虹，一端来自惹觉，一端浸入度母湖。我们当时赤身浸泡在湖水中沐浴，一前一后，仰头观望这梦幻般的虹光，你像一朵盛开的夜莲皎洁无瑕。我感恩这一刻你陪我度过漫长旅途，并仍在我的身边。我感恩你接受我的选择与告别，这是由你的智慧与慈悲所决定。

昨夜我梦见你，我们于开满紫蓝色翠雀花的山谷再次相遇，满心欢喜，相对无言。我从未亲吻和占有过你，在雪山之巅，在犀地夏钦寺的荒废侧殿过道，也许是彼此唯一的亲近。但在梦中，我全然地拥抱住你。抱住你的瞬间，同时意识到我此生的确不想对你做与世间男女一样的事情，与你朝朝暮暮，痴缠围绕，让你生下我们的孩子，彼此相对衰老。并最终为对方的离去而悲痛。直到肉身腐朽与草木一起消失，心识依然流浪着寻求对方。

也许在很多世，我们无数次重复过这样的内容，并因为对彼此的深爱、对世间的留恋或未曾完成的心愿，被卡在轮回里一次次辗转。人生如峻峭之山急流而下的泉水，而人不可能在世俗的宴席之中忘乎所以，还能触碰到神性的足尖。这一世，我们付出的热量应该比以往都多。生命有一次又一次试图提升自己的任务，这是活在此刻的原因。

师父曾对我说，修行者的使命，是把颠倒的扶直，使被覆盖的显现，为迷途者指路，在黑暗中持着油灯让众生能见到实相，把无明转换为菩提。这应是我们共同的所求。愿我们此生身心能获得解脱，融入善法的永恒，并服务众生的需求直到轮回成空。

挚爱你的无量

<u>2</u>

黄昏时抵达帕岗。离开不丹境内，开始走向高原。

这个旅馆靠近边境，接待印度尼泊尔的商队和朝圣客比较多。房间简陋，设施缺乏，牦牛毛帐篷的地上铺两块脏乎乎的垫子，没有热水，没有电。他抵达海拔五千多米的村庄之后感觉有些头痛，上台阶时心脏有明显压力，需要适应日后将一直延续的稀薄氧气和高原环境。雀缇摸他的额头，没有发烧，服下药丸后明天应该会适应。她点燃蜡烛，从厨房倒来一盆热水让他洗脸，让他喝下一些掺加酥油的青稞粥。

等他觉得慢慢有些舒服，他把一张破旧矮桌擦干净，从随身携带的丝布袋子里拿出一尊镀金小度母像。小佛像大概六厘米长，在他的掌心中显得小巧但金光熠熠。女神像左腿伸出，搁在一朵莲花上面。华丽的佛冠顶部是阿弥陀佛。右手持莲花三朵，一朵完全打开，一朵半开，一朵含苞。这三朵花代表过去、现在、未来。他把在草地上摘的一束粉白的鹿药花连同柏枝一起供在它的面前，点起燃香。

他说，一切现实物质都可以当成内心的供养物，并且观想这供养无边无际的广大。他打开用绸布包裹的经文。无论走到哪里，他都带着这些。经文每天持诵。他的诵经声音与在不丹的佛殿里一样，熟悉的音色和节奏。此刻夜色降临村庄，万籁俱寂。

她说，不知为何，觉得我们现在处于一个时空交界地带，很快将进入另外一层时空。这里是终结点，也是出发的地标。身边场景在逐渐倒退，仿佛回到古老的年代。那时没有汽车，没有电，没有科技化的配置。

他说，惹觉有特殊的能量场指引需要靠近它的人，并展示出不同的时空。去朝圣的人都提到过这一点。更重要的是，这种示现是由每个人的业力与心境所决定。也就是说，雀缇你看到的是自己心里的旅途。是唯你所有的心里的时空。

你看到的和我一样吗。

是的，我们进入同样的频率。这是我邀请你和我一同去朝圣惹觉的原因。

他说，关于惹觉，他们叫它神圣之川。它的形状像一把宝剑插在大地，周围的山脉如同八瓣莲花围绕巨峰。有人说它就是须弥山，在古典经文里认为我们生存的世间以须弥山为中心在运行与旋转。惹觉也是一座自然天成的坛城。只有对曼荼罗净土深切地祈祷和发起大愿的人，才会去朝圣惹觉。那片地区气候恶劣，天气变化无常，经常有雪崩和冰雹。要翻过海拔六千多米的卓玛岗拉雪山。我们徒步前往，路上艰辛，会需要一些时间。

她说，你为什么会来到这里。
是的。现在应该告诉你我的故事。

他说，我出门开始旅行，是想把妻子的骨灰洒在耶路撒冷的山丘上，完成她的愿望。但后来一发不可收，越走越远。慢慢我发现，最重要的问题应是我如何处置自己的生命。就像耶稣说的，如果生长出你里面有的，生长出来的会拯救你。但如果不能生出你里面的，那不能生出来的将毁灭你。我需要解决自己的困境。

我出生与长大的地方，在普罗旺斯薰衣草工厂农庄。不太清楚父母为什么会到那里。他们像被鸟携带的种子，翻山越岭，随意被丢弃在这片土壤之后开始生根发芽。他们在工厂里干活，每当薰衣草开花的季节，收割，蒸馏，提炼精油，制作各种香皂及衍生品。忙碌的季节过完，管理一处大庄园。庄园占地很大，属于世袭贵族。四层古老建筑长久无人居住，周边是广阔的经过精心设计的法式花园。庭院种满各种各样月季花，还有一个长满绿苔的游泳池，池中有鱼。

父亲从马赛港口入的法国。他来自夏摩山谷曾经是一位僧人，抵达这里之后选择还俗，与同样血统的女子结婚生子。我母亲是贵族的女儿，后来家族开始流浪。她执意跟父亲结合，与家族脱离成为一位吃苦耐劳的农妇。她终生有一双澄净的微微含笑的眼睛。他们没有什么钱，但为人慷慨乐善好施，总是积极帮助比自己更困难的人。

童年是一段平顺的日子，经常跟着父母去薰衣草田野里劳作，晒太阳，眺望远处的雪山。收割薰衣草的季节，天上飞过的鸟被芳香田野熏得迷失方向，扑闪翅膀直往下掉。父母一年四季辛劳工作，早起睡前长时间持诵祈祷文，说话幽默，经常大笑朗朗，从不说伤心或愤怒的话。我也未见过他们彼此争吵。他们不伤害自己不折磨别人，保持心地洁净，这大概是他们一生的戒律。

母亲说她分娩之前，梦见一只漂亮的雪白猛虎跳入她的肚子。他们只有我一个独子，百般疼爱。后来父亲被赏识提拔为管理层，家里日子更加好过。境遇顺畅，他们注重我的教育，希望我学有所成。我十六岁离开他们去巴黎读书。上大学之后发现自己常有疑问，不像身边的人那般能够简单快乐。我不喜欢流连在酒吧、餐厅、咖啡店，对世俗的虚荣、成功的目标没有热情。

一次富家同学生日，邀请我们去海边度假酒店开派对。房间奢华，环境优美。旅客们白天游泳、冲浪、上山入海。晚上歌舞派对，各色人种聚集一起，电音沸腾，日夜狂欢。餐厅里提供应有尽有的美食，随便吃喝。人们看起来纵情声色这般快活。这些快活都是真的吗，能持续多久，为何快乐有这样层出不穷的花样，而人们却又从来没有得到过彻底的满足。

我午夜醒来，独自下楼在沙滩上走路。一轮皎洁圆月洒下银光，照亮潮涌。夜色中的海水与月光交融。我觉得这是一场幻梦却醒不过来。我的性格独立，叛逆，不会随便顺服于权威或相信教条。怀疑和思量身边发生的一切，同时知道某种傲慢和固执是自己的障碍。

我害怕不知道什么是臣服与开放，开始参加慈善公益、内观禅修的一些组织。大学毕业那年，奔赴斯里兰卡参加一次集会。集会的目的是以爱、和平、自然主义的方式抵制物质至上、消费主义和主流价值观，来自世界各地三百人约定汇聚在一处海拔两千米的山地草原，共同生活两星期。我坐上百年历史的老旧火车，人很少，车速慢。经过山坡，一路都是青翠而平整的茶田，高低有序，云雾缭绕，火车仿佛在云境中无止境般缓缓穿行。不知不觉入睡。

在梦中，我见到一条宽阔的河流，对岸是寸草不生的黑色山岗，山下有寺院，一座白塔。我坐在船上，是用张开的牛皮绑在树干上做成的渡船，旁边有一头大山羊背上驮着布袋，里面可能装着水和食物。山羊睁着安静的眼睛，嘴巴里嚼着蚕豆。我也许在等人。

一个怀孕的年轻女人朝我走过来。她即将要分娩，肚子隆起，穿着白丝衬衣、粉红色上衣和彩虹色围裙，耳坠上戴两颗小而洁白的海水珍珠。虽然衣着整洁，眼神看起来却哀伤，脸上还有被击打过的伤痕。她上船，船夫开始划桨。载着三个人一只羊的牛皮船在江水上顺波而行，每当有风吹过船摇晃不停。我看那江水清澈涌动，源头来自远处雪山，手浸入江水中感觉寒凉。女子坐在对面，看不清楚她的脸。

下船之后，船夫把船倒扣在岸边，让风吹干，再把船身背到上游准备下次渡河再用。我和女人一起走进寺院。她跟在我的后面沉默无语，进到佛殿，里面的摆设熟悉而又无比陌生。点燃着酥油灯香雾弥漫的殿堂，各种从来没有见过的寂静或愤怒像的神像，正中是一座高耸触及屋顶的四臂观音像。猛然一阵惊天动地的长号喇叭、铙钹、海螺的声音齐鸣。我即醒来。

不清楚为何做这样一个梦，我很快将它抛之脑后。人群开始集会，一起搭起帐篷，自力更生，在野外敞开而自然地生活。大家赤裸身体在溪水中沐浴，收集柴禾，生火制作各种食物，编发辫，在脸上绘画装饰图案，用淤泥涂抹身体，用草药催眠、进行冥想。彼此抛开一切身份、性别、年龄的差异，在野外劳作共生。我在那里认识一位也是来自巴黎的女孩，她叫度雅，是韩国孤儿，与法国的养父母生活在一起。

她小时候有比较严重的心脏疾病，做手术之后治愈。她的东方面孔让我觉得亲近，而她温柔而单纯的性格像我的母亲。她说从来不知道生身父母是什么样子，只是尽可能保持温和的心情生活。我还没有做好谈恋爱的准备，但她的脸、说话的表情、笑起来的样子，一言一行，迅速而深切地吸引我。她在巴黎上艺术学校，兼职当模特。很朴素，不施脂粉，穿简单的衣服。喜欢阅读、音乐、戏剧，精于烹饪。她来自无神论者家庭，但对《圣经》产生强烈兴趣，加入一个韩国人为主的基督教团体，经常参与礼拜。

她与我的家庭有不同的信仰，我想父母应该不会允许我与她之间的交往。在这方面，我的家庭有极为严格的界限，必须保持纯正的血缘和信仰。但这缘分过于强烈。我们迅速决定同居，并开始四处旅行。

离开巴黎，租车一路开到靠近圣十字湖边的小镇，我们租下一间狭小的带阁楼的二楼房子。她教孩子画画，手工做一些设计品售卖。我去洗车场打工。我们经济拮据，但彼此相爱毫无怨悔。她渴望有很多孩子，与爱的人在一起朝朝暮暮度过人生。说，平淡生活就好。只要每天醒来，看到你睡在身边，花园里有四五个孩子在玩耍，我在厨房里给你们做饭，再无所求。她的愿望真诚貌似也快要实现。我们的第一个孩子即将出生。

那天中午，怀孕六个月的她临时出门去集市买食物，回来时车子不知为何突然出现故障，不能点火。她打电话给我。我说，你坐在路边咖啡店，我马上去接。她坐在超市门口的街边木椅上，想打开一瓶矿泉水喝几口水。刚拧开盖子，一个形容憔悴的中年男人经过，突然从衣服里面拿出一把枪狂乱地射击。毫无设防的路人无一幸免。男子很快被赶来的警察击毙。他只是路过这里的游客，后来被证实是个精神病患者。

在死去的十七个人当中，度雅和还没有出生的孩子也在其中。

她的尸体被放在医院，白色裙子上全是血污，子弹集中在胸背部，脸仍完好干净。她的耳垂那天戴着一对小而洁白的海水珍珠，之前我从未见过她戴任何首饰。我让二十一岁的她戴着这对耳坠被火化。防不胜防，人对生命毫无控制力，无常使所有计划中的理想成为泡影。自此我的前半段生活瓦解，重新开始形单影只。

因为无法克制的悲伤，我不想回到父母身边。于是开始流浪。

3

走过宁静的开满高山杜鹃的山谷，穿行于悬崖的羊肠小道。有时需要翻过冰雪覆盖、寸草不生的山顶山口。持续行走在喜马拉雅山脉云雾缭绕的山麓。日夜交替，循环往复。只是往前。

都已换上当地人的衣服，长袍穿脱更为方便。晚上不需要脱衣，靠近火堆靠着大岩石缩在袍子里就可以睡觉。他们看起来像一对年轻夫妇，一路陪伴和照顾对方。在低温而刺骨寒冷的荒野里过夜，选择有淡水和野牛粪的背风的场地扎营，捡一些干牛粪饼或几把羊粪，用两块石头搭建起炉灶。生火之后，煮茶，吃糌粑，每日相同的粗茶淡饭。一起在夜色中诵经、修习禅定。

慢慢远离人烟。走过草原，空中的团团白云移动阴凉的投影。有时从凌晨到黄昏看不到其他人影。没有村庄，没有野兽，没有烟火，没有任何声音。只有一道地平线，落日余晖染红云霞。偶尔邂逅一些野驴和羚羊。仿佛行走在永久的渺无人烟的寂静之中。天气如同魔术般幻化无常。即便是一望无际的蓝天如同宝石澄澈，白云朵朵，很快，滂沱大雨，电闪雷鸣，大雪夹杂冰雹，飞沙走石。大自然随意而任性地展示它不可阻挡的威力。

在旷野里无量烧起牛粪火，火焰窜出气息辛辣的烟雾，这股熟悉的气味弥漫意味着在大地之上的休憩。在任何地方他维持觉知，长时间静默地打坐，修习瑜伽，持诵经文。每天写日记，用铅笔在一本笔记本里记下所见所闻，当地的习俗、食物、建筑、交通、服饰和行为方式。他说这些具有典型特征的区域性的文明，也许在以后会改变，消失，失传。人留下的痕迹对天地来说微不足道，但承载一代又一代生命印记。他们来过，存在过，然后消失。

他有光明的特质，干燥而洁净，仿佛无色无味。习惯今日事今日毕，保持自然状态地活着。不自找烦恼，更不找别人的麻烦。也许是因为他懂得如何归于中心。这是一种五行平衡的个性，土的稳重，风的开放，火的热诚，水的温柔，空的安宁，自然而合理地存在。但她知道要形成这样的存在并不容易。他必然经历过一段漫长而周折的来路。

在白天，默默无言，只是跋涉在荒野之中。睡前，他继续对她讲自己的故事。轻声说话，断断续续，绵延不绝。言语仿佛来自亘古的源头，无法说尽。也许因为他们都曾各自度过漫长而孤独的时间。

他说，我卖掉剩下的不多的物品，先去耶路撒冷。度雅之前努力存钱，希望以后带着孩子去朝圣。她祈愿能够满足这个心愿，现在由我实行。我来到这座古老的圣城，看到山谷中遍布简洁方正的岩石砌成的房子。这些房屋用附近山上开采的石灰岩装饰正面，颜色朴素温和，在夕阳照射中发出金色反光。年轻女性穿着端庄，衣服偏好黑色、深蓝色、白色。男人戴礼帽，衣着正统。灯火次第亮起，远处的宫殿凸显出轮廓。耶路撒冷，这座积累漫长历史和劫难的圣城，有一股能量静谧而柔和。仿佛神从未离开过人，离开过这座城。

我带着她的一张小照片去圣公墓教堂。在耶稣被钉上十字架的地方，有一块耶稣复活的墓穴的堵墓石是原石。大量的人排队等待进入被搭建出来的华丽的复活墓穴。被玻璃密封的小型青色岩石放置在墓穴入口处，点着两根白蜡烛。拥挤人群汇聚在一起产生激情。女人披着洁白的蕾丝，手里拿着鲜花，盛装打扮。男人趴在恍若流淌过耶稣鲜血的石板上，如痴如醉久久不起，反复用手和脸颊碰触，轻声祈祷。

我把她的小照片包在丝布里面塞入教堂的墙壁缝隙。不管有任何人死去，这个世界继续存在、继续推进。世界是大地，而人的生命是无数的落叶腐烂其中消失不见。我们以幻化轮转的生命喂养这片大地。

然后我到特拉维夫，给弱视残障少儿社团做义工，带领这些孩子用陶土捏出想象中的模型。与他们相处有特别的宁静，我训练自己也处于黑暗之中，感受他们的心境。一个年轻的女孩名叫阿莱娜，她问我，你觉得一生中发生过的最快乐的事情是什么。她关心快乐而不是痛苦。她分享自己的感受，说她的快乐是有人骑着自行车载她去海边兜风。她严重弱视但温柔纯净，她的微笑让我想起度雅，想起在农庄的母亲。我说，对我而言，已发生过的最快乐的事情是，我爱过一个人也被深深地爱过。

城内不时出现各种爆炸企图的新闻，兵荒马乱，仿佛随时会遭遇变故和死伤。人们忙里偷闲。我去吃饭的餐厅午后没有人，厨子们在露台上休息。肤色黝黑的穿着厨师制服的男人们，有的打着鼻钉，手上有刺青，浓眉俊目，分享彼此的烟和咖啡。旁边的白色花树开得正盛，映衬特拉维夫特有的颓唐建筑。

在这里，所有的年轻人都要在军营里接受训练。家庭如何对待随时会到来的亲人的离去，死亡的侵袭。妻子失去丈夫，女孩失去爱人，母亲失去儿子……

最后一站是死海。车子沿着岸边公路一路行驶，荒凉的沙漠和山地不见生机与人烟。另一边是日出之前的死海，静止的咸水湖纹丝不动，山峦边际天空瑰丽的颜色在凝固，深蓝，深紫，玫红……彼此糅合，光影变幻。黄昏时我去死海里浸泡，脱掉衣服，慢慢浸入冰冷的海水。赤裸的小腿在石头上有些擦伤，伤口渗入咸咸的海水带着锋利的刺痛。天色浅蓝，湖水呈现碧绿，远处紫灰色山脉起伏笼罩微蓝雾霭。对岸即是约旦边境，灯火绵密闪烁。

我在澄净海水里闭上眼睛漂浮，此时感觉到度雅伸手在抚摸我的头发。我看到她脸上的笑容，她的面容有些变老，眼角有皱纹，眼尾微微肌肤松弛。去世时她仍是年轻秀丽的女子。我看到她老去之后的样子。内心的悲伤平息，仿佛与大海合为一体。大海在融化我的过往。我对她说，我已做完你想做的事。我想重活一次。

然后我带着背包、帐篷、睡袋、水壶，游荡过十几个国家。在长途的漂泊与流浪当中，我体验到两件事，人占有很少的移动的生活是很好的，像古代行脚僧那样的生活，不囤积、不建设，克制欲望。同时，不思恋不依赖任何人是好的。但要互相善待。

303

最终我来到喜马拉雅地区，沿着缅甸、老挝、印度、泰国、孟加拉走过一圈。直到抵达尼泊尔。

4

雀缇在路上带着草药、药物、针灸工具，遇见病人或需要帮助的人随时随地给他们看病。有人得各种病，消化不良，心脏衰竭，甲状腺肿大等，经过潮湿的疟疾地带，穿行于高山和密林，路过一个麻风病盛行的村庄。这种病据说是遭受蛇神或恶灵的诅咒。村子房屋顶上到处挂着印有符咒的旗子，试图阻止邪灵进入。在一个峡谷的小村庄里，她帮人接生了孩子。

她给患者服下用秘方调制而成的药丸，有时采摘新鲜草药熬成汁水，或直接从他们耳后的颈静脉放血，也给他们按摩、针灸、擦剂、精油的治疗。替他们洒净房间。用吉祥草沾上红花水，持诵咒语，去除污秽，驱除不净的邪灵。她的温柔与宁静，滋润和抚慰这些在困难与疾病中焦虑不安的人。因为被感激他们陆续收到施舍，又把这些施舍一路分送给需要的人。

在逐渐靠近惹觉的荒原上，他们遇见一行六人朝圣者，这些人来自遥远的牧区，有些来自边界，在路上遇见并聚集一起去惹觉朝拜。在秋天收割庄稼之后，很多人有空闲时间。为祈祷或还愿出门踏上持续数月的长途旅行。通常只带着很少的行李。一个结实的手杖，杖头包上金属，右手举着转经轮，一路持咒诵经，转动经轮。如果磕大头前行速度更慢，需要专门的人帮忙推车带着帐篷、食物等配备。

在旅途中遇见的人们亲切而自然地围聚一起，一堆牛粪火熊熊烧起来，冒出气味刺鼻的白烟，彼此倒热茶、分享食物、席地而坐交换见闻。第二天按照各自的速度渐渐分开。

在六人当中，年龄最大的是一位七十多岁的老人，名叫桑却。他独自从北边牧区家乡出发，在路上已行走二十三天。他说他一生都在草原上放羊，没有出过远门，这是第一次出门旅行。他听到过祖辈们提到惹觉，说惹觉是诸神的宫殿，有福之人去朝圣能听到峰顶胜乐宫中传出歌舞声音。而对惹觉生起信心的人，会把灵魂安置在曼荼罗净土。

他觉得在离世之前去朝拜一次惹觉，这世生命才会完满。他的妻子在一年前已去世。

无量说，一般老人都喜欢去犀地朝圣。你为什么想去朝拜惹觉。

桑却说，去犀地是为了积累福德。朝拜惹觉则能够迅速净化与解除身心障碍。

老人身体有些虚弱，长时间风餐露宿和体力透支让他的心脏疾患变重。朝圣路上常有人死在途中，他对自己也许会赴死的前途保持态度平静，但仍希望在活着的时候靠近惹觉，尽量往前走。现在他觉得越来越困难，四肢无力，脑袋昏沉，一坐下来就想闭上眼睛昏睡。身体在竭尽全力维系住意志，意志仍恍恍惚惚不时会脱离而去。他脸色惨淡，四肢无力，并且出现发烧与水肿。

雀缇替他把脉，给他服下有浓郁麝香气味的棕色粉末。走出帐篷之后告诉大家，老人状态严重，也许这一两天就会离世。旅人们知道雀缇会行医，郑重把桑却老人托付给他们，另有一个年轻人图西留下来帮忙。图西的故乡与老人所在的牧区位置比较近。其他人各自从有限的物资里面分出一部分留下。他们要迅速前行，不能拖着不走，也不能丢下老人不管。所以遇见雀缇与无量深感是最好的安排。

无量请他们放心，说，无论老人状况如何，都会安顿好他的归宿。

四位旅人整顿行装之后继续前行，留下无量，雀缇，老人和图西。他们把老人安置在帐篷里，雀缇一直帮他按摩，定时让他服下药物。老人仍逐渐进入弥留。雀缇安慰他，人的一生能见到神山一次，是重要的功德。转山一圈能洗去一生的罪孽。你虽然没有朝圣惹觉，但已走在朝向它的路途上，这一世的障碍与错误仍可以被净化。人的发心最重要。

老人微笑，点头，说，我小时候在祖辈口中听到关于惹觉的赞诵，现在仿佛看到它的峰顶闪闪发光。请你们带上我与妻子的佛珠。如果路过惹觉的谷地，把我们两人的佛珠留在那里。

桑却陷入昏迷，无量开始持续地诵经。图西负责照顾火堆。凌晨三四点的时候，无量感觉老人陷入弥留状态，需要用破瓦法引导他的心识进入中阴。他从笔记本中撕下一页纸卷起来成为管筒状，贴近老人的右侧耳朵，低声而清晰地说，桑却，现在死亡已经来到你的身边。不仅是你，所有众生迟早都会面临此刻。现在放下你这一生的得失成败，以及任何欢愉或悲伤，你的心识即将要脱离这具肉体。努力地集中意识在头顶。把自己的觉识导引到梵穴。

不管心中出现任何场景，听到任何声响，不要害怕也不要执取。记住，把这一切认证为你自身的相。这些境相、这些声音，是光明和清静的实相显现。放弃一切攀援、欲望和执着，把你的意识投入本觉虚空。当你离开这个血肉和合的躯体时，告诉自己它是短暂的幻影。保持清净心，并把心与虚空结合为一。

无量把老人的身体摆设成右侧卧，头朝北，让生命气能从左鼻孔出去。他揉搓老人的头顶，轻拉头顶梵穴的头发，让意识从这里离开。他反复提示老人，并缓慢而大声地为他念诵中阴身救度法。雀缇把一颗代表如意吉祥的药丸放入老人的嘴巴里，把一个写上密咒并用特殊方式加持过的圆形布块放在他胸口上，咒字朝向亡人。之后，他们三个人围坐在老人身边，持续为他唱诵道歌，念诵六字真言和百字明。

　　无量说，老人这样死去多么清净，身边无一物，没有财产，没有眷恋或贪恋的东西，没有深爱或厌恶的人出现。如果人在生前经常思维死亡，通晓空性的真理，即便死亡显前心也是平静而自由的。这不是终结而是又一个开始。

　　天色渐亮，桑却去世。他看起来面色红润，脸上有一种平静而放松的神情。无量对图西说，尸体一般要放三天，至少需要静置二十四个小时，然后再想办法处理。图西说，他知道往东再走十公里，有一个小村庄，他会走过去叫人，给老人进行葬礼。这个方向与去惹觉不同，就不再耽搁无量与雀缇的行程。他让他们带上桑却老人的佛珠先走，并一再道谢这极为重要的帮助。

　　他们问这个年轻人为何独自出来朝圣。他说，他的父母在一次瘟疫中双双死去，现在他是孤儿。他想替父母洗净障碍，完成心愿，所以决定要完成惹觉的转山。他们给他留下食物。雀缇把自己戴着的一对纯金耳环摘下来交给图西，让他可以作为对葬礼仪式的酬谢。

　　再次出发。离惹觉已经很近。

路开始越来越难。气温寒冷，有时风雪交加。道路愈加漫长而艰辛。苍茫天地，又只剩下他们两人独行。

越过数座高山。每攀爬到一个高峻险恶的山口，会有玛尼堆和经幡，这是向山神祈祷的地方。人们祈祷它护佑旅人安全通过，抵达目的地。雀缇与无量按照路过的行人的方式，在玛尼堆上增加一块石头，悬挂经幡，高声祈祷与赞赏，倾听山谷回音。无量说，留下我们的礼赞和祈祷在万水千山，供养给无尽无形众生及有形山河。这是把自己奉献出去的最好方式。

在冷冽而肃杀的夜晚，他们面对静默的天际线，看到黑色山岗绵延起伏，仿佛剪纸贴在荒原尽头。一轮孤月当空，满天闪亮的繁星逐一跃出。

她说，在村庄里有说法，人不能数星星，因为当人数星星的时候，星星也在数人。老人们说，那发出蓝光的是年轻的星，它很热。发黄光的是中年的星星，也是最多的。发出红光的是垂亡的老年星。发白或发黑的即将死去。据说太阳在临死之前也会慢慢变成红色。太阳一死，地球一定也会死去。

他说，天空是一本精确的日历。太阳和星星决定了季节、食物、温度，月亮则决定大海的潮汐和许多动物的生活周期。包括人身体内的循环周期。人应该珍惜大地母亲，尊重和养护它。而不是去挑战它，征服它。看到天上繁星，感受到宇宙的存在。感受到天地万物井然有序，彼此之间错综微妙密切关联。没有一件事物是孤立的、固定的，没有一件事物具有善恶或悲喜。

经过一面空旷的冰湖，积冰很厚。两旁高山险峻，蓝天没有一片白云，也没有一只鸟飞过。万籁俱寂，只听到脚下冰块微微碎裂。他们看到河床下面浮出僵硬的尸体，是朝圣途中因各种原因而死去的人，没有条件进行葬礼，同行的人只能把尸体投在湖里。他们一边小心过河，一边为这些死者的灵魂诵经和祈祷。

持续穿越莲花状的往四面辐射的山川，向惹觉行进。

在即将攀爬海拔六千多米的卓玛岗拉山口时，他们在谷地里扎营，决定次日天未亮出发，以防白日天气变化雪崩严重。翻过山口将进入惹觉的中心。海拔七千多米的主峰是众人从未攀登的，是神圣的领域不可侵犯，否则会遭到惩罚。有人试过，但有去无回。他们将围绕主峰而行，顺时针绕行一圈，然后从另一侧的山坡而下，继续南行。直到去往四百多公里之外的圣城犀地。

在这里已能够看到惹觉巍然耸立，突破云雾呈现金字塔形山峰。白雪皑皑的峰顶，在繁星闪烁的黑色天空的映衬下，在辽阔深邃、与世隔绝的寂静中，仿佛被赐予神谕的一把利剑，雄猛而圣洁，一轮圆月悬挂于天际。无量轻声说，惹觉常年云雾缭绕，能够看到它露出整体的时刻很少。如果看到这是吉祥的缘起。

凌晨四点，当她醒来，发现帐篷内一片漆黑不见光亮，身边属于无量的睡袋是空的。外面有火焰燃烧的声音，还有隐约歌声。她走出帐篷，空气酷寒，无量独自坐在干涸的碎石河滩上点燃起一堆篝火。他融化冰雪煮奶茶，用清亮的嗓音在唱歌。

太阳月亮和星星，
是蓝天上的三种宝，
照亮人间要靠它，
五谷的丰登要靠它，
愿三种星星永不变，
为了永存祝吉祥。

雪山石山和草山，
是大地上的三种宝，
奔流江河的源头，
滋润庄稼的甘露雨，
愿三种宝山永不变，
为了永存祝吉祥。

五谷六畜和人的智慧，
是人世间的三种宝，
消灭饥荒要靠它，
人间的平安要靠它，
愿三种宝贝永不变，
为了永存祝吉祥。

他的声音磁性而温存，曲调优美。看见她出来，说，这是我们家乡古老的歌谣，母亲喜欢这首歌。在我小时候，经常听见她在干活或哄我睡觉的时候唱这首歌。

现在为什么想起来要唱歌。

大概觉得心里真正地回到故乡。他微笑，想了很久的事情终于实现。还有你跟我在一起。他说，以前读过一首诗，说：山峦静谧，群星璀璨，时间在其中闪烁。呵，在我野性的心里，永恒在露天度过一宿。

现在这一切确实完美。

她搅动奶茶，把他随身带着的木碗装满。木碗老旧遍布使用的痕迹，碗沿镂刻一只线条拙朴的蝴蝶。他说，这是我在琼持寺自己做的。通常用红枫或白枫老树干上纠结的毛瘤部位，因为那一块地方特别坚硬。需要车制打磨并仔细地抛光。师父说，木碗对来自夏摩山谷的人来说，一生拥有一只就足够。

我跟随师父，学会做各种手工艺活。在寺院做电工，做木工，做桌子椅子，给僧人做木碗。我们十几个重要弟子陪伴师父一起，用双手建立起禅修中心。

为什么你决定在加德满都留下来。

我遇见命中注定的上师，大概他早已等在那里。但我需要经历一段过程，用痛苦把自己真正净化完毕才能回到他的身边。

他说，在加德满都山谷，充斥着腐烂的垃圾、焚烧尸体的气味，沙石路弥漫被扬起的灰尘，汽车和卡车浓烟滚滚，但它也是苦修者、瑜伽士、游方僧、灵性导师、西方嬉皮士们聚集的乐土。在他们的眼中，这个到处都是破败神庙的地方是极乐净土般的世界。有人在这里吸食大麻，有人在这里寻找涅槃的道路。

我找到一间廉价旅馆，那里有大麻的香气，西塔琴颤动而清灵的曲调。大概由于长时间流浪，我连续昏睡，有时喝点水吃几片面包，足不出户。夏季天气炎热，我在房间里睡觉，中午时被热浪熏醒，发现自己浑身被热汗浸泡，头发也湿透。我迷迷糊糊躺着，在暑热、汗水、恍惚与虚脱般的煎熬之中，脑袋却好像被一道亮光划过。

在这个突然的瞬间，我"看见"自己。看见肉身里面的我，看见恒久的心识。我意识到人其实是不死的，因为心识是不灭的。它是

"我"，而这具肉身只是一个暂时的容器。

死亡时，这个"我"将会脱离容器而去，投入崭新的肉身展开另外一次生命形式。如此持续不断，感受生老病死，经历人世苦难。生生死死，人的受苦不会停止。这是轮回。我第一次离轮回的显现如此之近，它并没有被推断、论证，而是在突然之间进入我的觉受。眼前的世界由此被撕开一道裂缝，露出真实，这种认知在当时让我觉得极为恐惧以致浑身汗毛凛起。

我也曾经与别人相同，只相信经验和逻辑，不相信眼睛不能看到的、耳朵不能听到的、头脑不能想象到的事物。但在这个经验里，我没有通过任何人的理论或传递，而是直接进入轮回的内在经验。

当时同屋有两个英国嬉皮士，是一对爱人。他们从印度果阿游荡而来，为琼持寺的禅修课而停留，已经居住一年多。他们极力邀请我一起去寺院里听课，也许觉得我看起来如此虚弱和沉沦需要出手相助。我反复发烧，咽喉发炎，有时沉默不语有时脾气暴躁，在经历最后一段极为困难的隧道。他们带着我，走过车辙和岩石密布的泥泞路，攀爬到山顶。我看到绿树丛中一座远离尘嚣喧杂的寺院。

则旦师父的花园栽种着很多松树和大丽花，他讲解禅修之道，当时一百多个听众席地而坐，铺着粗麻垫子，大多是西方嬉皮士。他们衣着奇异，披头散发，很多人有刺青纹身，打各种鼻钉耳钉。这样的一帮人听闻教法的态度却认真而投入。这些学习者长期跟随他，什么样的人都有。师父剃发，刚刚长出一些雪白的短发。他的英文虽带有生硬的口音但简洁明了，他的眼睛落在每个人的脸上，微笑示意，眼神如同天上降落的花朵。他看起来总是面无疲色，讲课声音洪亮，精神矍铄，也许是长期持戒、练习禅定及生起广大的菩提心的原因。但事实上他有无法治愈的疾病在身。

会场有时鸦雀无声，有时爆出阵阵笑声。当时他在法台上开示，如果我们要来形容佛性，弥勒尊者在"宝性论"里曾经用过一些比喻，它是包在破布里面的金佛像，埋在贫民窟地下的宝石，蜂群聚集其上的蜂蜜，腐烂果实中的种子，埋于泥泞之下的黄金。佛性是我们的本性清净，每个人都具有，但我们忽略和遗忘它。同时业力与习性会把它遮蔽。我们有时甚至惧怕最深的本性。害怕一揭开，看到的是羞耻、脆弱、邪恶、伤痛。记住，一切烦恼与障碍可以转为道用。这是心里的无尽宝藏。

人们听完后散去。我留在最后离开的人群里面，慢慢排队靠前，跟随众人与他道别。走到他面前，他突然伸出手搭在我头顶，把我的额头拉向他彼此碰触。当他温暖的额头贴碰到我的前额，不知为何我流泪不止，感觉终于回到家。从未有过的知足和宁静把我包裹。他也许在用完满而平衡的心识状态渗透我，用他的存在启示与净化我。

我轻声说，师父，我想请教一个问题。
请说。
我走过太多的路，不知道怎样才能让自己安定下来。
他说，你从哪里来。我愣住，一时不知道说什么。那一刻我的确想不清楚自己的来路，在旅途漂泊多年，甚至从不计划下一站要去哪里。他又说，你还要再往哪里去。我仍无法作答，神情迷惘立在他的面前。
他温柔而镇定地对我说，现在停下来吧。就是现在。

我知道生命可以改进与调整，而不是被业力鞭打着亦步亦趋。终止流浪在尼泊尔安顿下来，跟随上师学习。我停留在这座尘烟滚滚充满噪音与污染的城市，在寺院生活，与他们一起劳作，种菜，盖房子，修水电，做家具……什么都做。为给师父翻译，跟一个台湾教授学习中文。

师父平时教诲我，真正的修行是为他人做事，付出自己，不是仅仅坐在静室享受自我的禅悦。人世的悲苦和磨难更能考验修行所获的证量。他说，人应该观察自己的悲痛与恐惧是由什么组成。人可以承受多少痛苦，才可以承受多少喜悦。

我在重新生长，而这种生长必须通过不同阶段的检查与考验。先是对男女情爱、吃喝玩乐、物质享乐等所有具备漏洞的欲望失去向往。再后来，逐渐感受不到自己的存在。没有骄傲自大，也没有自卑自怜。没有悲伤，也没有狂喜。让心清醒，而不是逃避与麻醉于情绪与妄念。不沉迷于物质、欲望、感官刺激、享乐、情感、出行、饮食、流浪。不贪恋也不憎恶这个世界。我体会到什么是自由，清净的法喜升起。

转眼过去五年，师父心脏病加剧，被弟子们坚持着送进医院。手术做完三天之后去世。当时很多弟子觉得这样证量圆满的师父，如此饱学、精深而高尚的僧人，不应该在医院里做手术患病去世。有些人开始怀疑无法具备信心，颠倒的人认为他不应该病死。但我始终相信自己的师父。听闻他开示跟随他做事，我对他有强烈的信心。只是不知道与师父之间的缘分是五年。但这五年也已足够。

我需要传承着师父的灯火继续行路。我也相信师父的死亡是他最后一次开示。他告诉我们，生死无常须精进。对真正的修行者来说，死亡是无惧的。它只是圆满而平静地回归。

你想他吗。
他就在我的心中存在。不必想起。

他对我说，当你意识到心被调御到等持、清净、皎洁、无秽、离随烦恼、柔软并且达到确立不动，才能够点亮心灯。但这火源并非来自我这样一位师父，而是来自人类整体高级意识的传承。在这盏灯的背后，有过无量无边的苦海中的明灯，它们发出共同的光芒。你要借此光芒点燃心灯，以此为凭靠再去照亮别人。你是这光芒之海中的一簇。

这是师父留给我的最后遗言。他去世后，遗体经过特殊处理被保存起来，身体滴下来的盐水被他们收集起来与黏土混合，做成小佛像和擦擦。它们极为珍贵。得到的人会把小佛像或擦擦珍藏在护身符盒子里，挂在脖子或戴在头上。我得到这个小度母佛像，从此再没有离开身边。

6

在卓玛岗拉。白雪皑皑的山坡，厚厚的雪堆让人举步维艰。越往上行越感受到身心压力。在苍茫冰雪之上，天空仍是一片耀眼的透蓝，无一团云朵，鹰的影子也见不到。没有任何人说话的声音，没有水的流动。即便是偶然的雪崩，也是在遥远的地方传来隐约回声。

他们全神贯注走在极其滑陡的山路上，以免一不小心掉进冰雪的裂缝。那裂缝极深，人掉进去之后尸首难寻。夜色来临，必须找到有岩石可以避风的地方，蜷缩起身体熬过必须经过的长夜。无量把岩石下面的积雪清除干净，他们躲在岩石下面，用羊毛毯子紧紧盖住身体。没有办法生火，不能煮茶，要忍饥挨饿经受严寒度过一夜，次日一早下山绕行。

山顶空气稀薄，刺骨寒风阵阵呼啸。雀缇取出随身带着的药丸，两个人吃下补充精力，以便身体经受自然的严酷和狂暴。大风夹着雨和冰雹，她觉得脚和膝盖已冻得麻木。无量此时离她非常近，他们紧紧贴在一起。她说，我们一定不会死在这里。

他说，这是通向惹觉的台阶，必须被跨越。当人经过卓玛岗拉，会因为缺氧和严寒的痛苦而呕吐、窒息、痛苦地呻吟，有些甚至发谵妄，他们形容这种感受如同穿越炼狱。也有人死在途中。实相与至善至美同体，也许在临近死亡时离它们最近。

白天从这里眺望惹觉，我看到不是一座雪峰，而是这一座诸神的宫殿。它深具威严也有足够的仁慈。它被黄金、纯银、水晶、宝石覆盖，发出晶莹透彻的耀眼光芒。空中飞舞深沉的秘密和珍贵的真言，空行母们在欢笑着舞蹈。这是天地的密意被撕开的能量之壑。

不管白天黑夜，我看到整片山峦谷地被一种奇异的电光石火照射。七彩光波振动。虹光笼罩和封闭这片天地，以便让振动强烈地集中。这是一个在不断旋转和上升着的磁场，包含无数曾抵达这里的朝圣者们的生命痕迹，他们无尽的发愿、慈悲的回向和源源不断的菩提心所生起的喜乐与清净。由他们内心赤诚而重复的心咒的音节和热能所汇聚。由苦修者和瑜伽士心中汹涌的般若智慧的灵感和他们所创造的礼赞、道歌、文字所萃取出来的精华而推动。这个场，现在托举、灌注我们，也在同时吸取我们的生命汇入它的中心。

她说，是的。这个能量场在不断转动。就好像被我们推动的寺院的经筒，老人手里持着的经轮，塔下绕行的人流，以顺时针方向旋转。这股纯净、超脱的能量在平衡地球的持续与生灭。

他说，惹觉启示我们，如何抵达净土。朝圣神山对你我来说，是精神的旅行，也是对自己的灵魂感受与净化的过程。我们进入坛城的中心。曾经被伏藏经文里提到过的曼荼罗净土，是个象征性的比喻。并不存在物质性的净土，而是对自己有过坚定与深入的认知，自我净化，把所有曾经二元对立的概念粉碎，把事物的两极合一，才能最终观望一切外景、外物、展示、发生、变化都是清净完美。那时才有净土。

他与她面对面而坐，身体内有拙火带来的深切热量，持续诵经与观想，彼此进入深深的禅定。雪山的能量极为纯净，他们坐在一起很快进入定境。身体内有拙火带来的热量，慈悲的宁静与温柔涌入心识之流，明亮觉性包裹人在天地之间渺小的身心。此刻人的存在与天地一般大。

凌晨时，大风、雨和冰雹突然奇迹一般停止，天空露出微微带着深紫和暗红的蓝黑色。四周连绵起伏的雪山如莲花圣洁的花瓣层层打开，惹觉山峰展示出清冷而肃穆的线条，整个世界像琉璃水晶雕砌出来一般的宁静。无数繁星跃出，远处传来的雪崩回音。在山顶上有着最为荒凉、壮丽而孤独的景色。

她说，刚才我短暂地入睡。闭上眼睛看见虚空中漂浮的经文，一行一行跃动，自动铺展不休。是从来没有见过的文字，但我并未去努力分辨，只是读诵它们，一行一行把它们吞服下去。现在我记不住内容，也不知道它究竟说了一些什么。

他说，这不重要。重要的是你把它们都吞食进去了。雀缇，让我们在这神圣场域的加持中，整夜禅定与祈祷，回向给一切生灵。

天色微亮，他们互相依偎小睡一会。她在他的怀抱中醒来，看见他们裹在一团被雨雪湿润而越发增加重量的厚毛毯中。她的脸贴着他的脖子，感受到他的血管动脉的微微震动以及他的心跳。这是旅途中唯一的亲近。虽然苦行在漫漫长途的朝圣中，他们头发蓬乱，脸色苍白，体力有待恢复，身体需要沐浴。但在这拥抱中，她感受到的不是肉身而是彼此水晶般清透而璀璨的心识交抱，发出熠熠光彩。

他也醒来，此时的卓玛岗拉变幻颜色，晨辉倾洒在它的峰顶，变成玫瑰色与灰色交融发出金光的色泽。它像一把金碧辉煌的宝剑刺向无限，像一朵皎洁的纯白莲花盛开在虚空之中。朝霞绚烂，一束明净而鲜亮的蓝紫色光芒从山后迸发而出，挥洒天际，慢慢变成银白色。浩瀚的光带往天际延伸。这神圣天象从未曾见过。

他们一起看着这座宝石般闪烁的山峰陷入静默。静默的瞬间如同远古，再说不出一个字，只是凝望这座山峰，膜拜它的显现，聆听它的低语。天色放亮，万象退隐，剩下一片茫茫无际的白雪的海洋和碧蓝天空。他们感觉能量充沛，从内到外的澄澈清明。彼此一语不发地分开。站起来准备尽快下山。

先把行李扔下去，然后沿着雪坡快速滑下。继续行走，绕行惹觉。渐渐开始有植被出现。回到岩石边上有灌木丛生的山道，一路疾行。

7

临近中午，乌云翻滚。天色开始变化。突然电闪雷鸣，下起大雨。

即将穿过山谷，此时经过一处平台。大小不一的石头堆里，遗留佛珠，被废弃的碗，以及过路的旅人留下来的旧物。众人留下衣服，鞋子或一块布条，作为一个仪式。转完惹觉，身上的罪孽已被消除，

318

这是向过去的自己告别。无量从怀中拿出携带的桑却老人的佛珠，把它放在衣服堆里，祈祷，持诵。他对雀缇说，让我们剪下一缕头发，留在岩石底下。

滂沱大雨，寒风刺骨，两个人已浑身湿透。他拿出平时削肉用的小刀，在她的头顶抽出一小束发丝割下，然后由她为他做。两束漆黑发丝相叠，他用一块红色丝布包上，搬开黑色岩石，掘出泥土把丝布埋在下面，又重新覆盖上。他说，由它们慢慢腐烂。这是此世我们来过这里的信物。

他们衣衫褴褛，风尘仆仆，脸上被晒得黝黑厚实。无量的脸被晒得黑红，被灼伤的眼睛浮肿，手臂上满是疤痕，眼神却灼灼发亮。等他们走到群山之间的开阔荒地上，风雨戛然而止。形貌凶恶的野狗聚集成群。恶狗会伤人，他并不畏惧，稳定地往前走。大堆狗群跟过来反而不再躁动，一直默默跟随。一只怀孕的母狗围绕着无量徘徊几圈，低声呜咽似有所求。他停下来对它持咒给予祝福，蹲下来轻轻抚摸它的头和脖子。

路过一面碧绿大湖。度母湖如同一颗心脏形状的绿色宝石镶嵌在山谷之中，纯净的湖水源自惹觉的冰雪融化。雀缇站在湖边，感受风吹动发梢、衣角，手臂上的肌肤。远处雪山重新隐藏于云雾缭绕之中，仿佛罩上面纱。一行黑色候鸟途经此地，发出余音缭绕的鸣叫，消失在湖的彼岸。

她说，度母湖边也许会有雪莲花，我去找一找。雪莲是珍贵的药材。她让他等在原地，很快走下坡去。回来时用衣服包了一些新鲜雪莲花，是难得的高山苞叶雪莲和绵头雪莲，可以为女子治病。她还在湖边捡到一块石头，自然呈现的海螺形状，上面有六个白点。他说，六个白点象征六字真言。这是惹觉送给你的礼物。留好它。

这面湖是珍珠，是不败和胜利，也是诸神情爱之地。据说惹觉的诸神若与他们的爱人相会，在这湖水中沐浴嬉戏。他们交抱，互相问答，阐释智慧与真理。有些被记录在古老的婆罗门教经典之中。

他们问答过一些什么样的问题。

你的真相是什么，这个充满惊奇的宇宙是什么，种子是由什么所组成的，谁是宇宙轮子的中心，这个超越形式的生命是什么，我们要如何超越空间和时间，名称和描述，而完全进入它。

他们洗脸，洗手。他在湖边准备煨桑，挑选一块干净大岩石，在上面堆起柏枝、糌粑、酥油、红花。这些东西他常会买好装在背包里，到殊胜之地挑选一个适当的位置就开始煨桑，以此仪式向神灵礼敬和供养。他拿出酥油投在火焰中，火焰炽烈，清净而芳香的浓白烟雾升起，滚滚洒向虚空。取出一小瓶湖水，用大拇指和无名指弹动水滴，念诵净化咒语。站在一起念诵祈请文。她已习惯他随时随地按照需要而进行的仪式。这些仪式和祈祷并不陌生，成为共同旅行生活中的常态。

他说，有人认为，这是惹觉之神为来朝拜他的旅人们用意念创造出来的一面湖。当疲惫的朝圣者们下山之后，会极为渴望喝到甘泉以及沐浴清洗。让我们对着度母湖祈祷，把清净的身口意供养给它。他把戴在手腕上的一串粉红色碧玺项链捧在手心中，念诵经文，把这莹润透亮的珠宝投掷到湖中。他说，这是我母亲的项链。她去世之后，他们把它寄到尼泊尔我住着的寺院。这是最好的归属。

他说，我想进去湖中沐浴，觉得应该下水，印度人看到圣湖会立刻投入它的怀抱。圣湖可以洗涤身心内外的尘劳和污秽，洗净障碍与恶念的痕迹。

他脱掉身上全部衣服，背对着她裸身走进湖中。他的身材高大匀称，肌肉结实。背部皮肤上如同星空遍布一抹红色血痣。他扑入湖中，湖水幽蓝清澈，深不见底。水波轻轻晃动，如同明镜开始融化。她脱掉裙子、上衣，解开发髻，一头黑色长发披散在腰际，裸身跟在他后面踏进湖水里。浸入水中，冰冷彻骨。等身体适应这冰寒之后，她用手掬起湖水，浇在头上，脸上，身上，清洗自己并保持观想。他回过头来看她一眼，知道她已适应无妨，放下心来，也开始用手掬水洒在头顶与身上。

此时，晴空朗朗，两道彩虹出现。熠熠闪光的虹彩梦幻横跨山谷，一端出自惹觉雪山，一端浸入度母湖中。

8

他说，处理好师父的舍利之后，我决定离开琼持寺。短途旅行，转换环境，去三百公里之外的一个寺院闭关。

寺院位于一个已经消失的小王国境内，在荒漠的山岗之上。那里的山色红褐铁黑相间，高崖上有天然岩穴，自古以来供僧人们或瑜伽修士隐居修行。这些小山洞俯瞰整片荒漠，以及远处峥嵘挺拔的山峰。我得到一间高处的山洞，面积狭小，里面不潮湿不污脏，相反一搬进去感受到一股圣洁气氛。也许是纯净的地气与以往修行者们留下来的修炼觉知互相汇合。这气息让我得到安宁。

我在这个洞穴里居住三年。这里有绝对的孤独，一望无际的空漠，严酷的气候，适合静坐、研读、沉思和修习。我按照并不绝对严格的闭关仪轨修行，有时去寺院里与僧人一起听课、参加仪轨。问他们借一堆经书、经论，用布条捆绑住，背着这些书走过陡峭山崖小路再回到洞穴。有时他们送来一些糌粑和酥油，我在屋外用牛粪煮茶，粗茶淡饭没有变化。偶尔寺院有法会或大型供养会分到一些鲜肉。

小屋有能够透进光线的木门与窗，一只原先留下来的旧木箱，上面有不知道是谁留下来的手印，石壁上也有。白天我用箱子学习、持诵、写笔记，晚上用来禅坐和入睡。书塞满洞穴。屋里不能烧火，冬暖夏凉并非不能熬过。我用厚毛毯把全身裹住，席地而坐，从早到晚闭门阅读并自学语言和文字。日复一日祈祷，供养曼扎，尽可能减少饮食与睡眠时间。并修炼则旦师父传授的拙火瑜伽与禅定。

每天凌晨四点起床，先修持宝瓶气，服用一些甘露丸和药物，喝茶，诵读《文殊真实名经》和大量祈愿文。晚上诵护法仪轨。并反复持诵文殊菩萨的咒语，一心一意地观想，除了进食、休息，时间都用在修行上。每天修持上师瑜伽。遵循师父所言，像只受伤的鹿在偏僻幽独之处修行，无视衣食的舒适放下此生一切俗务。

封山差不多持续三个月，有时长达多日没有和别人说话的与世隔绝之地。冬天外面大雪茫茫，连鸟的声音都不再有，静得没有一丝丝声响。在这个狭小而孤寂的洞穴里，我直接面对自心，体会到它任何一种细微或激烈的变化与递进。有时感受意识稳定、洞彻、清明、澄静，并维持定境很长时间，或者说，根本不知道已经过去多久的时间。有时体察到内心潜伏的细微情绪，突然变得庞大而鲜明。犹豫、退缩、怀疑、沮丧。还有时而会汹涌反扑的悲伤与情欲，让我觉得狂乱仿佛在理性无法维持的边缘。

在绝地尽头般的处境之中，梳理和重新整合身心。持续持诵祈祷文与经文，回向给上师，回向给度雅，回向给所有在业报受尽中离世又继续投入轮回大海的众生。

一次，我在梦中认知到与度雅短暂缘分的来由。有一世，她是一个当地贵族家里受宠爱的小女儿，我是被邀请去他们家里做荟供仪式的僧团中的一员。她在端茶时对我一见倾心，却什么都不敢说，只能隐藏起强烈的爱意。一年后她嫁给一个富家子弟，对方吃喝玩乐对她百般虐待。她后来毒死他自己也被处罚，他们把她绑上石头扔进河里。我们最后一次见面，是她即将分娩的事情，她希望我为肚子里的孩子诵经。这个孩子在她被丈夫推下楼梯的时候流产了。

也许在死去的那一刻，她仍执着而沉默地恋慕着我，这强大渴望始终捆绑她的灵魂。当她轮回，终于得到机会在又一世中与我相逢，并成为我的妻子。但这只是一种出于她强烈愿望的牵引，我们之间缺少根本性的因果。她本来不应该对我生起这种贪恋。在一起三年，我为她做到足够，她便离开。她想让我做的也就是这些。我回向给她，希望她得到情感真正的自由并卸除罪障。这样她也会给我自由。我们便可以永久地不再见面。

长久闭关让我的身心极为敏锐，逐渐探入意识的最深处。身心的触角绵密而纤细，与无形中的能量进行连接和传输。一次，我见到洞穴里爬满很多黑色大蛇，里面夹杂很多细小的仿佛刚刚出生的小蛇。它们密密麻麻、无声无息占据我所有空间。睁眼是它们，闭眼也是它们，这个状况持续一个星期。我对此幻境，对自己说，不能恐惧也不必怀疑。与它们共存，但是需要持续禅修以及做火供护摩的净化仪式。也许是内心所有潜藏的业力痕迹被翻动，这是识别和燃烧它们的时候。直到有一天我闭上眼睛，看到明亮的火焰熊熊生起，额头前全是光明，所有黑蛇一扫而空。

　　我并不总是独自在这个山洞里。很多形象出现在定境中。脖子上挂着花环手里拿着弓箭的红色女子来过，给我端来一碗白色的牛乳。我饮下它，甘甜清凉。一位全身碧绿的美丽女神来过，她的形象塞满整个山洞，却又好像恰如其分毫不拥挤。我想她也许是度母。她对我示现我曾经历过的各种孤独、悲伤、犹豫、困惑的场景，每一幕场景里，她都提示我，说，看着我，我在这里。我想她是想启发我，在我们经历的每一个现实中都有神性的示意所在，只是我们无知觉，无法认识到这深意。又有一次，一只五彩斑斓的孔雀在山洞里停留很久。当我准备入睡，它在旁边展开尾羽轻轻颤抖。不管我见到了什么，感受到什么，我铭记师父对我说过的话，以空性之道对之。不要执着境相，而是穿透境相。

　　那天我梦见师父。他还是初见时四十多岁模样，穿着白色和红色的袍子走在前面健步如飞。我跟随他一路快行，在一个悬崖边他突然消失，又出现在对岸，我却戛然而止。他在对岸大声对我说，赤裸地看，直接地看，无遮拦地看。看到自己本性的海洋，它在源源不断地波动，做出不息的幻化与显示，直到你体会到它们寂静最终合一，没有分别。在自生自灭的状态中去体会。仿佛冲浪其上与大海合为一体。

　　他又对我诵持一段经文，说：像国王舍弃他被征服的国土，像森林中的大象，舍弃贪欲，寂静独行。像坚固的岩石不会因风而动摇，自心不被毁誉、苦乐所左右，不显示高兴或低沉。像澄澈的深湖包含一切。像明月照在湖面上，清净皎洁的心遍满此身，全身之任何处无不以清净皎洁的心所遍满。

　　他身影消失。我醒来后觉得通体清凉，喜乐涌动。

进入神圣的法教世界和古人教诲之中，法喜让我忘记外面的世界。一年后我的母亲在普罗旺斯去世。她把她的碧玺项链托人送到琼持寺。她思念我，但从不写信或催促。她知道我有自己的人生需要完成。她与父亲对我这样一个独生子的心态极为豁达，愿意把我托付给天地与真理。

我返回琼持寺，寺院希望我不要离开。他们需要我留下来做些事情。我想起则旦师父曾经说过的话，他说，我给予过你们的所有的教导是没有用的，最多是一种准备，一种理念上的开示。它告诉你一个目标，但这个目标在高山上。你现在知道它在那里，它是什么样子，却费尽全力千方百计也无法成为它。因为你即便听过再多的教导，依然留在自己的位置上。你没有移动半步。只有亲自出发，翻山越岭，以身心试炼，抵达高山顶上，才能趋近目标。光靠听闻、理解、背诵与教导没有用处。

行动起来。在行动的时候人没有恐惧，这是离证悟最近的一步。

我不应该再在山上闭关自守，那个阶段的任务已经完成。接下来是把自己学到的用在现实之中，用在鲜活的生命之中。所有的实现都需要被累积，这是一步一步的台阶。我决定入世修行。

我们在博纳德以则旦师父的名义开设一间孤儿学校，收养孤儿或者失去单亲的孩子，吃住都在学校，教授他们，带到十二岁左右再送去别的地方学习。学校在一座神山入口处，附近有一座荒废的老寺院，重重叠叠的经幡把这处残留建筑包裹起来。经年累月不断有人过来挂经幡，成为绵延无尽的经幡的海洋。村子里的人没有什么钱，转神山之前，他们背着一袋麦子、一桶芥子油或一些食物布施给学校里的孩子们。有时有人寄来衣物、文具和钱。

我在那里的任务主要是管理，联络一些跨国界的援助和活动，使学校得到关注。拿到资金可以建设厨房、教室、图书馆、宿舍、操场，拓展学校的规模，以便能够照顾更多需要帮助的孩子。同时教他们学习经文和语言。这样一过两三年。

9
—

他们沿着岩壁边缘的小道迂回前进，越过溪涧，找到一处山脊中的村庄，遍布赭色木屋。屋顶飘出炊烟，这里有人烟。晚上留宿在村民家里，坐在粗草席上看着门外的雪山，被布施丰盛的一餐。肉汤，碎羊肉面片，红土豆，盐和干奶酪。度过惊心动魄的艰辛的转山之旅，有如释重负的放松。但路途还未结束。

她说，这些年来，有时我具有高级意识，可以帮助到别人，有时我也会退转，产生犹豫、退缩、怀疑、沮丧这些情绪，虽然维持不会很久。我给别人占卜，洞悉他们的内心和创伤，看到人世的欲望充满漏洞，最后带来许多痛苦与失望。有很长时间我感受不到欲望。在退转时甚至会生起自杀的念头，觉得停留人世毫无意义。

他说，一个好的医生未必自己的身体就没有任何问题。一个好的巫师，也不可能做到始终具备高级意识。但通常对自己的痛苦感受强烈的人，更具备能力去治愈他人。真正懂得痛苦的人，才能够理解他人的痛苦，能够帮助到别人。对你来说要获得手里的法器，必须先试炼自己的身心。

她说，有时我会渴望只是像一个普通人般地活着，相夫教子朝朝暮暮，哪怕这幸福的世俗人生像个水泡，咕嘟几下瞬间就熄灭，即便不具备任何意义。

这是你真正的心里的愿望吗，还是仅仅只是逃避的托词。你孤身离开家人，停留在芒切师父的身边，这个选择已注定你的人生与大多数女人的生活都不一样。你的师父传承下来的智慧包含多少人的苦修和孤独，这是他们希望留给这个世界的。他们的爱超过人的测度。

她低下头轻声说，是，我知道。

早上醒来。他们决定继续出发。她去厨房煮奶茶，烧热水。
他说，你会剃发吗，帮我把长发剃除。
你的头发留了多长时间。
从师父去世之后就没有剃发。现在我知道，旧阶段已过，会有新的开端。
她说，我昨天做梦，梦见自己学习剃发。好像有人在无形中教我，模拟帮人剃发的过程，贴着头发轻轻剃除，沿着头骨的轮廓操纵发力的大小。剃得很顺利。
他微笑，是我在教你。那么，来吧。

蓝天清透明亮，阳光热烈。他们即将告别这个雪山之下的村庄。他把凳子搬到花园里，坐下来，她开始帮他剃发。留下一寸左右的发根，然后用温水清洗他的头部。他把剃掉的一把头发收起来，用绳子捆扎，在花园里烧掉。灰埋在泥土下面。

继续前往犀地。时空仿佛又有所变幻。经过一片幽深而充满生机的森林，攀援植物爬满枝干虬劲的树木，青苔如薄纱般挂在树枝上。松树结满覆盖鱼鳞壳的绿色松果，蠕动的毛虫结出丝茧。这里到处都是荨麻和多刺的荆棘，开满白花的灌木交杂浓密。他说，按照在泥地上看到的脚印踪迹，应该有豹和野猪。也许还有熊和响尾蛇。

穿出森林来到一片峡谷。湍急的河流，陡峭的山路。这里的气候和之前经历的不同，温暖，湿润，山谷中遍地盛开白色百合花。绿色波浪状大叶片在风中飞舞，白花晃动，香气扑鼻。走过野百合山谷听到流水淙淙，翠鸟在溪水边啄食杜鹃和杜松的浆果。一道高山瀑布惊天动地。雀缇寻觅到一些解热消毒的草药。他们在水潭边花丛中酣睡一觉。

接下来的路途开始走蜿蜒的羊肠小道，攀登在陡峭山崖上开凿的石阶。悬垂在奔腾大江之上的独木桥，悬崖深渊，激流险滩，四周环绕的雪山越来越远。途经一处硫磺温泉，升腾的蒸汽远远可见。

慢慢看见草原里成群的牦牛、牧人的帐篷、火堆和升起的袅袅炊烟。一条奔腾大江从峡谷之间涌出，两边是覆盖松树和枞树的高山。土墙被刷成白色的村庄房子，围绕大片被耕种的开阔田野。青稞已成熟，沉甸甸的穗子如金黄色的波浪涌动。乌鸦在麦浪之上鸣叫。

沿着碎石小道，行人越来越多。这些人赶着成群的牦牛，绵羊，马，骡子，驴子，动物的身上被装饰贝壳和彩布，脖子上拴着的铃铛一路发出清脆的撞击声音。商贩们运送粮食、物资、干牛粪去往城市。天空仍是一片晶莹无瑕的蔚蓝，白云朵朵，阳光赤热。空气中仿佛有虹光照耀，让山谷、江河、砾石河谷、田野，所有的一切闪闪发亮。

长路漫漫，旅途寂寥，忽然有人拉起嗓子长唤一声，放声唱起歌来：

世间诸事皆无义且如幻，尽管你那么奋力争取，它们终归没有任何回报。所以放下今生的琐事和一切世俗的担忧，现在便开始寻求解脱之道。

人身的难得你们要了知，就如同一艘如意宝船。它能驶过痛苦之海洋，所以要消除懒惰与散漫的心，发起精进无比的力量。

一切有情的生命无常，仿佛先后到来的客人。老的人走后年轻一代随后紧紧跟上。现在的人百年后都将一个不存，从此刻起带着确信去认识它。

这一生的显现如今日的白昼，有的显现似今夜的梦境，来世的显现像明月般降临，从此刻起精勤修行正法……

苍凉粗狂的嗓音，悠长优美的曲调，声声震颤穿透黄昏暮色。黑色秃鹫张开翅膀，在沉寂的远空中翱翔。前方，画在一面崖壁岩石上的四臂观音像被落日照射发出黄金般光芒，佛像的面容无畏而深远，俯瞰大地。而在后面高山顶上已能看到白墙金顶的巍峨宫殿。

终于抵达圣城犀地。

第四部

心咒

他伸出左手轻轻抚摸她额头上的黑发，为她拂去清凉的雨水。仿佛一片羽毛在她的头发上摩擦。他清澈的眼神如水灌注。这一刻他充满柔情，深深看着她的眼睛。这个瞬间，他们看见对方无数世的衰老、死去、重生。然后他把手移开，转开身体，默默地看着已经空无一人的冷寂的大街。

　　他说，我们从来没有从梦中走出去过。所以我们在梦中又遇见了并且回到这里。

春泽

1

远音与春泽一起从普那卡回到帕罗。最后一站是虎穴寺。

清晨早起，他们沿着密林中的砂石路步行上山。远音脚步稳健，速度很快，保持呼吸频率持续往上攀爬。半途经过休息站，她喝一杯红茶，吃几块饼干，春泽不紧不慢跟在她的身后。他夸赞她，远音，你的速度是德国人的。他以前带过不同的人爬过虎穴寺，认为德国人速度最快，未曾看出她有这样的潜力。

山道一侧是苍翠松林，一侧面对开阔峡谷。树梢之间挂满层层叠叠的经幡。寺院白墙金顶遥遥可见，高踞险峻的悬崖。莲花生大师曾在此闭关。寺院多年前被一场大火烧毁殆尽，之后在原址上重建。一鼓作气，沿着山崖上狭窄铁索小道爬上高台，直奔虎穴寺。莲花生闭关的洞窟被一扇木门挡住，沿着小阶梯往上是一处殿堂。

他问，这也是书里提到过的地方吗。

是关键性地点。从虎穴寺出去之后，他们成为结伴同行的伴侣，不再是萍水相逢的陌生人。无量与雀缇在这里发生第三次相逢，决定一起去惹觉。这是结盟与出发之地。

现在她来到这里，却不知道这书中人物的相会聚焦于时空哪一处坐标。山间苍茫，云雾变幻，殿台空寂，楼空人去。一个地方究竟发生过多少事情，被多少人所经历，那曾经有过的虔修的孤绝、信念的燃烧、相逢的喜悦、内心的愿望都已被封存于虚空。她合掌祈祷，然后走出大殿。

他们坐在悬崖边的空地上，看着远处如画山影。

她说，曾经，我在城市地铁行色匆匆的人潮里看到一对男女，穿着普通走路很慢，两人紧紧依偎相依为命。这很少见，我快步走上去，看到他们果然都是盲人。女人眼皮紧闭，男人的眼眶血红一片，没有眼球。他们进入车厢仍互相依偎，低声聊天，仿佛说不完的话。正常人的男女世界，情侣们彼此生气、争执、残酷对待，而对失明的人来说，他们需要互相照顾和依靠，看不到对方的缺点也不追究。只是感恩对方出现。

健全的人们何曾珍惜被视为理所应当的一切，也没有更好地善待对方。是什么东西在阻碍人与人之间真正的亲密和融化，是什么在捆绑着我们。人的一生至少有一半内容以妥协、回避的方式存在，无力面对无法解决，不能把自己供养给真实而丰盛的生命。

怎么突然想起这些。

刚才在大殿里仿佛看见雀缇与无量的重逢，他们微笑对望，许下朝圣惹觉的愿望和承诺。这世间大部分人所遭遇、感受过的感情，都不是圆满的爱。也无法遇见真正相爱的伴侣，不知道是没有资格还是没有机会。

他说，以前母亲对我说，如果要迎接一位尊贵的国王来家里做客，事先要清扫整理，准备好各种珍贵的物品和丰盛的食物，才能配得上这位贵客。人需要他人的关注、尊重、宠爱、照顾，要求别人让自己满意，习惯苛责他人推卸责任，这是难以圆满的原因。很多人的心不过是一间没有打扫干净而且贫穷的房间。贵人不会抵达更不会停留。

晚上他带她去一家山上餐厅吃饭。店家不接受点餐，提供新鲜的当季菜单给顾客，是当地家常菜。他在酒店大堂等待，看到她从电梯里出来。她已换衣梳洗，穿白色丝质上衣和织锦长裙，黑发中分在背后扎成一束，露出被岁月侵染的素净面容。现在的她，收敛起过往曾经喷射般的活力、暴戾、横冲直撞，像巨石坠落之后的海面，波纹平息，恢复平静。但他仿佛仍能看到她过去的模样。她的质地并未改变。

他从座位上站起来迎接她，说，你今天很美。

沿着盘旋弯曲的山道开车到山顶，一幢传统木屋花草树木覆盖。走进生机勃勃的庭院，一丛丛盛开的玫瑰花，还有丁香、紫薇、绣球花、李子树和夹竹桃。房间已有几桌当地客人，他订的位子在客厅。摆好餐具的木桌放着一只玻璃花瓶，插着花园里摘下的新鲜浅紫色绣球。

她说，今天我请你吃饭。一路上他们互相照顾，有感激对方的心情。由彼此天性的引导，并不像游客与司导的职责关系，而以真实特质与对方相处。他愉快答应，两个人坐下来，他给她倒出一杯矿泉水。

夕阳光线洒到窗边，花园暮色柔和。食物陆续送上来，第一道菜是碧绿浓郁的豌豆汤，有豆子芳香。依次上来辣椒炒土豆、奶酪蒸饺、萝卜炖猪肉、荞麦饼、红米饭。

她说，想听你说说自己的生活。

他说，我曾去美国读书。读完硕士，在华尔街的证券公司找到一份工作，尝试在那里生活、扎根。但始终感觉找不到真实的生长感受。因为工作压力和各种被期待的焦虑，感觉一度有轻度抑郁症，并持续加重。在出国之前不曾有过这样的感受。在村子里，我们与泥土、大地、各种生命的关系紧密相关，人不会感受到孤独和隔离。也有信仰的气氛支持精神的重心。我想我仍没有接受资本运作的商业模式，对西方化的生活理念也有所怀疑。人并不是有更多的物质、更发达的科技、更强烈的自我表现才是成功，而应该活得快乐、清明。

当我开始正式接受服药治疗，想应该回去家乡，不能为所谓的人生蓝图或试图得到他人的认可、赞赏或羡慕，继续这种无法安顿身心的生活。于是终结在一个发达国家的努力与野心，回到不丹，回到家乡的村庄。因为懂英语，会开车，与朋友组建起旅游公司。

回来第二年，接待一个日本女人。她喜欢到处潜水，一生痴迷海底万象。她来廷布见一位师父，想得到他的祈福，要去挑战一个危险的任务。我陪她在不丹旅行，她停留两个星期，与我相爱。也许她很清楚这只是阶段性的感情，回去一个月后，她给我打电话说她已怀孕。她不想结婚也不愿伤害孩子，所以决定生下孩子以后，把孩子送到廷布由我抚养。我同意。村里的父母姐姐都可以帮我一起照顾。

一年后她托人送来这个孩子，是个男孩。我们给他取名顿珠，现在已经五岁。我想，结婚或者不结婚，能否在一起生活，这些都不重要。最后需要接受的都是正在发生的事情，一个等待照顾的孩子，用以维持生存的劳作，对客人负责的工作，以及善待父母家人的责任……没有什么可以被回避和躲闪。我们为当下而活。

孩子的妈妈后来回来过吗。

她出发去完成挑战自己的任务，但失败了，在海底潜水失事身亡。死亡召唤她，使用她最擅长和热爱的事情为方式，仿佛甜蜜的诱饵。人经不起诱惑。

孩子想念妈妈吗。

他一直认为经常给他做饭、陪他睡觉的女人是妈妈。其实是我的三姐。这是我的前半生。好像五分钟表述就可以结束。

他的言行真实，放松自若，还有虔敬心带来的宁静和克制。他是那样的男人，路过山林中茂盛的草地，会脱下鞋子袜子，光着脚跑进去走路，并且大声地唱起歌来。如果身边有一条淙淙流淌的河流，脱下衣服光着上身跳进去，游上几个来回。他没有多变的情绪和混沌不清的烦恼。在他的世界里，事物了了分明。他不给自己增加多余的冲突。

他说，也想知道你的故事。

我以前是个演员。在纽约学习的戏剧专业，后来跟随恋人到香港，在戏剧场工作很长时间。早年演了一些戏，吸引很多人也遭受争议。后来尝试做哲学化的剧目，重新阐释观念。我一度认为痴迷于艺术，可以寄托毕生的信念与理想在其上。后来发现这是不究竟的工具。艺术不能解决我最根本的困惑，凸显更多的倒是圈子里的功利、浮华、肮脏的人际关系……我那时对目标产生怀疑。

我尝试以生活本身去解决，迅速地结婚、生孩子、安居，进入新的生命阶段，但我发现，人的婚姻与家庭生活大多也是苦楚的充满缺陷。我经历过人生这么多事件，依然不清楚为何而活，又该如何而活……于是我去印度，离开生活中已有的一切，封闭起来观照自心。我同时意识到人会老去，人活着的时间并不多。

在印度遇见一个比我小十三岁的男人。他是双性恋，我们在一起很好，以突破常规的恋情支撑，度过人生中困惑的阶段。当他还是单身，我在家庭中。后来他感觉无望结婚，婚姻并不幸福，而我又选择了单身。当他想再次努力跟我在一起，有一天坐高铁回老家去看望家人，高铁出事坠入河谷。车上一千人无一幸存。

活着时，我们会发生错觉，以为时间无限长，可以拖拉着、半死不活地混蒙过关。以为自己不会死去，身边的人也是不死的。好像置身于一个有弹性的无限封闭的容器里，无法触及到边界，所以麻木不仁，什么都看不见。直到某个时刻降临一切戛然而止，人被无常撕裂的速度快如闪电。

我没有去出席他的葬礼，没有见到过遗体。我们存在于彼此生活当中无法示人的深处，把对方隐藏在黑暗中，于现实中没有立足之地。

然后你去了哪里。
我去了一座岛上。

他说，想不想探访不丹典型的乡居生活。我家很近，村子在六十公里之外的山上。欢迎你去我家里做客。
这样不打扰家人吗，我是个陌生人。
我们欢迎远方客人来家里做客。众生都是一样，亲人和陌生人也是一样。在我家乡的村庄附近，有一面神湖，叫拉姆湖。据说它是众多空行母心识的聚集处，具有神性。我们有去湖边观看的习俗，也许能够看见自己的前世或未来。但并不是所有的人都能看到。有些人可以，有些人不能。

你看到过吗。

我去过三次没有一次看见。它展示给我的只是一面普普通通的颅骨形状的湖。是我与这面神湖无缘吗，或许以前我没有好好供养过空行母，还是我的障碍太深蒙蔽了心与眼睛……实在不清楚原因。也有人什么也不做，一到湖边就轻易看到示显。

它依靠什么构成画面，是倒映天上的云团，还是投射光线呈现幻境。

不知道。见过的人也无法解释它的现实。每个人看到的内容都不同。

他说，第一次去拉姆湖的时候，我六岁，和父亲一起骑马去。通往神湖的路极为颠簸难行，一直没有修好。以前连破烂的路都没有。大家去神湖只能走江对岸的山道，曲曲折折羊肠小道陡直难行，要牵着马走过山崖。还有的人从很远的地方做大礼拜磕头，徒步走到湖边。在这样的过程中能脱落不少障碍和遮蔽，也许就有更多可能性看到神迹。按照习俗，拜访此湖最佳季节是阳历五月，最吉利的日子是四月十五日。一般我们会先煨桑，祈祷。如果与圣湖有缘，就有可能见到它给予生命的启示。

是想带我去看看吗。

值得尝试。这是《夏摩山谷》当中没有出现过的情节，我们让它发生。

通向拉姆湖的山势越来越陡峭高峻，好像渐渐去往世界尽头。他在路上捎带上几个等待帮助的朝圣者，一对年迈的老年夫妇，一个背着六个月大孩子的村庄里的妇女，还有她的大儿子，一个十岁男孩。车子超载，但他仍有时轻松地开着玩笑，消解大家挤坐在一起的辛苦。路况危险，持续颠簸不停。他在车上少见地放了流行音乐。五个小时之后，到达神湖附近的村子。大家下车道谢各自散去。

拉姆湖在附近三十公里的深山里，他决定明天早上出发。她被这段艰辛的行路消耗得精疲力尽。他带她在一间旅馆住下，说，你休息，我去给你带些晚饭。想来你没有力气再出门去吃饭。她说，好。她的确是累了，想洗澡洗头速速躺下。遥远而偏僻的小村，如同被放逐般的安静，山林高耸，云雾缭绕。她在床上躺下，一碰到枕头就入睡。等她醒来，看到他在床边桌子上摆放着晚餐，土豆猪肉，红米饭，清炒豆角，一小碟辣酱。他知道她喜欢吃的东西是什么。还有两只已洗干净的红艳艳的日晒苹果。

她从窗口探出身体，看到他站在旅馆门外靠着电灯杆在嚼槟榔，一边喝着一罐可乐。他也累了。他只在十分疲惫的状况下会想喝可乐。她叫唤他，春泽，我们一起吃饭。

她问他，今天你在车子里放的日语歌曲很特别，是谁的歌。

他说，一个流行歌手的。歌词大意是：无数的星辰点缀在宇宙的尽头，我找到我们初见时的目眩。现在我们被这金银的光芒吞噬，你我二人，向着神圣之川。这甜蜜的海洋震撼着我的胸膛，我想就这样永远将你拥在怀里，不会再让你离开。

她说，这是你的爱人喜欢的歌。她还特意告诉你歌词的意思。

是的。我想在这首歌的歌词里有某种频率与她共振，这是她内心深处的世界。我是她的世界中一个路过的客人。

你梦见过她吗。

没有。但记得开车带她旅行，跋涉群山之中，突然在山顶经过一面宝石般的冰川湖，山坡上盛开蓝色大花绿绒蒿，景象异美。她想停车过去看看，我刚把车子停下，她在蓝天烈日之下一边跑向大湖，一边把身上的衣服全部脱下来，扑通一声跳进湖水里面。他微笑，她长得并不漂亮，可能还有点难看。但我看到她的美，她有一颗婴童般无拘无束干净剔透的心灵，也许因为大部分时间在碧蓝而遥远的深海里。我想她对我的感情应该与对待这个湖没有区别。

这是爱吗。

是的。一种纯洁的没有条件和要求的爱。

吃完饭天色已黑，他从袍子前胸内侧拿出几块硬干奶酪块，说，这个可以补充体力。她说，你的兜兜里还有些什么宝贝。他说，很多。他挨个从里面掏出喝茶的木碗，装槟榔果的小圆盒，钱包，一把小匕首，一只装饰着珊瑚、珍珠、宝石的护身符盒子。打开小盒，从里面取出一颗甘露丸，他说，这是有能量的圣药，可以驱邪净化。睡前把它泡在水杯中盖上盖子，凌晨醒来喝掉它。

他从带来的香盒里抽出一根香，点燃它。一股沉香与草药的芬芳烟雾弥漫在房间。他说，我想知道你去海岛之后发生了什么。

2

她独自坐船到寺岛。

与世隔绝的山边旅馆，一排白墙黑瓦、翠竹遮掩的复古平房，当地出租车司机都不太知道此地。少有人来。她住进其中的一间，细竹铺陈的屋顶，陶土砖地板，四柱床挂白麻纱帷幔，有舒适的白色羽绒枕头和被子。落地玻璃窗映照出一面大湖。露台摆一张小桌，两把藤编凉椅，可以看到湖中大大小小罗列的绿色岛群。

远处，重叠起伏的岛影仿佛山峦层峦叠嶂，呈现出深浅不一渲染般的水墨效果。据说大湖中孤岛林立，大大小小三百多个。山水有莫名的磁力让人心神安定。而她沉淀在深处的孤独感与时时升起的悲伤的刺痛互相冲撞，逐渐被天地的磁场无形地抚慰。烧热水，用陶器宝瓶冲泡老生普茶，坐在露台喝茶。一座孤岛映入眼帘，树木繁茂，形状浑然的大树在山巅独立。浩渺湖面上，这座孤岛，这棵大树，成为她的定境。她经常独自凝望着它很长时间。

在房间里闭门不出。早晨雷电交加，有时滂沱大雨，她蜷缩在床上试图沉睡，间断在黑暗中醒来，听到屋顶被雨水冲击发出的钝响。当大雨气势略退，雨水洒落在树林、湖面，发出轻重不一的回声。中午，雨停歇，太阳出来，依旧暑热蒸腾。

过往的生活如同一场早已逝去的旧梦。站在舞台上感受掌声雷动，万众瞩目，排长队的爱慕者们只想合一张影或离她近些多看一眼。她曾是年轻而时髦的戏剧明星，参加聚会，谄媚与赞美，女人的嫉妒，男人的勾召。通宵达旦，欢宴相聚……这一切已被弃置在身后失去踪影。这种改变是如何产生的无法确定。也许在某个时地，她对世间产生一种突破性的认识。

突然看清楚，这花团锦簇、浮光掠影、海市蜃楼只是幻梦一场。真实是这一刻，她所面对着的自己，以及这身心之内需要被消融和吸收的无尽心结。

他们去旅行，留宿的山村有一两百年之前的木楼，山岭幽静，古树参天。住在农家旅馆，开车探索四周垂危的廊桥。他说在地图上看到有一处宋代遗留的廊桥。开车到附近村落，下车进山。山间梨花盛开，如积雪白茫茫。溪水潺潺，洋芋田绿叶翻腾。她走在前面，身体轻盈而有力。他跟在她的身后，穿白衬衣，戴一顶草编凉帽，干净俊朗的模样。

在两道山崖之间，一座横跨的廊桥清旷而苍老。因为僻静这座老桥没有太多访客。木板踩上去吱吱嘎嘎响，桥下河滩已干涸，两边翠竹摇曳，桃花烂漫，间或一声清脆的鸟鸣掠过。桥的中段立有佛龛，供奉一尊瓷质观音像，米堆中插着未燃尽的香枝，香灰堆满案台。有人来祈祷过。但是祈祷的是什么，是想得到孩子，还是希望病人康复，还是愿望有人通过考试，或做生意顺利。俗世的期待是无止境的。

她拿起旁边的香枝，用火柴点燃，把香插在小碗的累叠香灰当中。他说，你在祈祷吗。她说，是的。祈祷我们能够在这段关系中获得解脱。

他让她在桥上休息，自己寻觅到山间农家，借来一暖瓶开水、两只白瓷粗碗。他经常随身带着茶叶，喜欢在风景优美的地方与她一起喝茶。坐在桥上，在碗里撒入一把岩茶，注入开水，茶汤慢慢变成红褐色。虽不讲究，两碗热茶闻起来芳香四溢，喝一口滚烫的茶汤心胸化开。并肩坐在桥上的木廊椅上，端着茶碗慢慢啜饮。一阵风刮过，不知从何而来的粉白花瓣漂浮在茶水中。

他轻轻地说，不管你在想什么，远音，我只想跟你在一起。就这样与你相对，慢慢老去。我爱着你，赤诚而真实。

爱河难以枯干。她触摸到他身上光滑细密的肌肤，未曾衰竭的年轻肉体，酸涩的汗味，肌肉充满弹性地隆起，脉管微微跃动。抚摸他的额头，耳朵，喉结，温柔地亲吻彼此，他把她托到他的身上，看着她低俯下来的面容。这肉身之中隐藏的细微而丰盈、深沉而复杂的喜悦，带着哀伤的甜蜜与渴求，无数次重复的拥抱、交会、纠缠、厮磨。源源不断，无止尽，以肉身在情爱之中献祭。这轮回中彼此牵连的沦陷与无望。

他说，我知道人迟早都会死去，这肉体会被丢弃。但是现在与你在一起，多么好，多么好。若不如此，宁愿人与人之间不再重逢。这是他们在孟买的告别。

这也是一场梦。梦消失了。

当她清醒，她独自置身于寂寞无声的酒店房间。一切荡然无存，他的肉身灰飞烟灭。凌晨天微凉，脑袋像一汪冰冷清潭，清楚分明。人衰竭老去，俗世诸事虚空，就像少年时在亚瑟的书房里翻到《圣经》，阅读整卷的《传道书》。所有在重复的不过是被预言击中的古老情节。在极度孤独的状态中，她感受到情欲在身体中的熄灭。先是对爱恋的幻想消失，然后是渴望与人合二为一的欲望消失。捆绑在身上的欲望和情爱的绳索，一一被剪开断裂。她在被释放。

等到内心真正平息下来，她决定出去走走。

出门徒步，山道空旷无人。两旁茂密的樟树、松柏散发浓香，蝉蛙狂鸣，天边有彩霞。沿着树林中的石板小径一直东行，一侧水面浩瀚，一侧山峦幽深。灌木丛中的涓涓溪流始终相伴。行走约有十公里，经过空无一人的古村落，只剩下断壁残垣。民居、祠堂、牌楼、街巷，轮廓依然，毫无人迹，长而茂盛的荒草四处蔓延，覆盖生存的痕迹。

再往前出现一轮圆月般青石拱桥，越过拱桥，对岸山坡露出金色殿角和佛塔顶部的雕琢佛像。在那里有一座寺院。她看着这一切，觉得场景熟悉似乎梦中见过，站着回忆但没有线索。突然听到心里发出一个声音，说，往前走吧。她决定跨过这座桥。

过桥之后，长满青苔的石阶逐级向上，尽头出现圆形门洞，木匾上写"云会禅寺"四字。走进去，庭院静谧，花木幽幽。古树，古腊梅，古溪涧，一切在慢慢荒废，盛夏几株夹竹桃开得如火如荼。禅堂回廊摆满大盆兰花，一副楹联，写着：五蕴皆空。真相大白。横幅是登无上觉。她一时微微有些发愣，再看佛殿前面的墙壁，书写墨迹：看破有尽之身躯，万境之尘缘自息。悟入无念之境界，一轮之心月顿明。文字苍劲清峻，一字一字细读，只觉得心流平息浑身汗毛竖立，清凉甘露由顶门流下灌注全身，站在那里几近无法动弹。

此时身边有一个人经过，他说，禅坐十分钟之后开始。不如去禅堂修习。

然后你开始在那里禅修吗。

是。我搬进寺院开始学习禅修。寺院里从无外人，其他僧人的身影偶尔进进出出，但他们没有和我说话。只有素弓与我有交流。这位与我说话的僧人，四十多岁，清瘦、矫健，应该是位禅密双修的修行者。他也学道。白天练功、种地、养兰花、挑山泉水、做木工，清晨与晚上修禅。禅坐每天两次，早上四点半开始，到六点半。晚上七点开始，夜晚九点结束。禅堂大门顶上有一幅匾，写着四字：如救头燃。对修行者来说，了脱生死是极为重要而紧迫的大事。从禅堂下来，他击播鼓，鼓声雄浑有力，声震四方供养天地神灵。

我问他为何深爱兰花，他说，世上很难用言语表达的事，是梦中的流浪，相爱的因缘，禅定的寂静，兰花的香气。很多时候，人只需要静静去听，去看，去闻，去感受，而不是试图去考证、去分别、去判断、去演说。更多的时候，要把听、看、闻、感受也关闭，寂静之中，万物的深意与奥妙自动浮现。他说，我虽爱兰花，但不痴也不贪。有缘时精心照管它们，无缘也不牵挂。

他教我习禅，提示我仔细保持正念与觉知，观照时时生起的经验。观看一念生起、熄灭，又一念生起、熄灭，注意这个念与念之间的缝隙。意念专注持守这个空隙，让念头自然来去。以此修习观照自心，感受到这间隙之中存在的空性。加强觉受。

我同时帮忙厨房里做饭、洗碗、打扫整理，种植蔬菜瓜果、做酵素、缝制衣物床被。也去山里挖草药，整株野生蒲公英煮出来的汤水碧绿芳香，可以净化身体排出热毒。白天从事心无杂念的体力劳动，保持一定强度，这让脑袋停止复杂的感受与思虑。阅读、静闭、素食、禁语、与无用的信息隔绝。每天劳作、修习之余，在斋堂领到碗筷，吃着被布施的素食，我体会到，只有守持戒律，在有控制力与觉知的生活中才会得到究竟的自由。

有时他给我讲一两则经典论著中的故事，一次讲到道元禅师谈论古佛心。有和尚问，何为古佛心。道元回答，春天莺啼美妙，处处皆然。这和尚又问，本来人又是什么。道元又答，是脑部覆盖双眼的异相男子。

他问我，第一个回答是什么意思。

我说，是法身遍地显现。

第二个回答是什么意思。

本来人以般若智慧替代常人以受限的感觉判断世界的方式。

你有何感受。

这像一门艺术，在试图表达纯粹真理的优美而精深的艺术。对众生来说这种表达方式过于高深和精微，只能被很少的一部分人享用。有人如果身心粗陋又痴迷和追求这种境界，会非疯即痴，走火入魔。我入云会寺，没有想过要得到大证悟。这不是目的，也无法成为试图通过种种方式、法门去达到的境界。只有循序渐进，有所积累，在此前提上才有可能得到电光石火的一刻领悟。

你是说禅宗不适合大众吗。

它也许是一种极致的哲学艺术。如我这般根基粗陋的众生，应该从低处做起。

怎么做。

洗菜，做饭，打扫，劳作。在日常生活、起心动念中练习保持禅定。如果我能在琐碎尘劳和普通无奇中感受到法意，了悟到事物存在的本质，那么在固定的禅修时间里，更有可能通过打坐来巩固和加强这种觉受，而不是试图通过不明法理的长时间打坐去渴望达到证悟。我要安顿好这具肉身，身心平衡，和谐地存在。不高估也不低估自己，断惑证真。我喜欢中间道路。

他说，甚好。

此时我们交谈已至夜色转黑。他转身离开走到寺院高处亭台，坐在大岩石上吹奏一曲尺八。曲音深邃、曲折、绵延、气韵悠长，略带肃杀荒凉之气，在空间中穿透而震颤，传递四方。有时引来山中隐藏的野生动物此起彼伏的呼号迎合。我在底下回廊里坐着聆听，觉得身心节节碎裂。仰头望见一轮圆月皎洁辉映，朗照尘世。转眼已到深秋，山中桂花盛开，芳香阵阵袭人。

他也教我太极功法，修习桩功，教我习拳。他说，我们的心和脑已学习和积累很多理论与见地，身体如果过于僵硬与局限跟不上心和

348

脑，彼此不匹配。身体要被训练，净化气脉，培固丹田气，这样觉受跟上领悟，肉身与见地相符合，是身心合一。这是经历过一个阶段的理论学习之后需要训练身体的原因，并非无缘无故出现。在适当的时候应做适当的事情。

庭院有棵六百多年的银杏树，我经常对着它练功。看着它的叶子从深绿，慢慢镶上一圈金色边框，渐渐成为烂漫的金黄色。深秋满地落叶仿佛铺上一块软毯，素弓清晨早起，拿一把大扫帚，在树下刷刷有声清扫落叶。他捡起饱满的银杏果，拿回厨房挤出白果晾干，夹开口子洒上粗盐火烤，果仁芳香温热，送来给我吃。我说，感觉果实里都是流动的活力。他说，这是大自然赐予我们的最好的食物。在一颗成形的种子里它包含着多少信息。

他继续给我讲述他所热爱的道元禅师的典故。道元是对他影响最深的一位古人。

他说，一次道元谈论菩提心，说：师尊有言，只要有一人起菩提心，归依真实，十方虚空世界将会消失。五祖法演和尚有言，只要有一人起菩提心，归依真实，十方虚空世界将冲撞破碎。夹山圆悟和尚有言，只要有一人起菩提心，归依真实，十方虚空世界将如锦上添花，发出光辉。佛性法泰和尚有言，只要有一个人起菩提心，归依真实，十方世界依旧是十方世界。天童山如净禅师有言，虽然师尊说过，只要有一人起菩提心，归依真实，十方虚空世界将会消失。这是十分高卓的见解，但我却认为，只要有一人起菩提心，归依真实，乞丐的饭碗即将被打破。虽然先师如此说，又有五位尊宿的见解在前，但我则认为，只要有一人起菩提心，归依真实，十方虚空世界也都将生起菩提心，归依真实。

他说，远音，你来接龙。

我说，我接不起来。贤者先师们已经道尽所有。你能否接呢。

他说，虽然贤者先师们已经道尽所有，但我仍想发表一条感受，只要有一人起菩提心，归依真实，十方虚空世界将聆听他在山谷桂花香中吹奏尺八。

他说，事实上，当我独自在清晨、黄昏或夜色中、在晴朗的天气或细雨中、在花开花落时、在下雪时、在寒霜深重时、在万籁俱寂时吹起尺八，我听到的不是自己在吹，而是十方虚空世界中所有修行者在定境中的意识与我一起在吹，一起在听。每个人的领悟和回向融入十方虚空世界，我们形成它成为它的一部分。它同时在碎裂我们，让自我无处可寻。

有时我在庭院里晒着阳光读经。枣树上的果实坠落下来，开始轻微落地作响，过些日子，枣子坠落的频率加快，力量加重，大概是成熟之后，打下来噼啪有声。不知何时撞在肩膀或脑袋上。光影在青砖墙上缓慢移动，树枝花草的阴影也在移动。逐渐暮色转暗，万象消匿。岛上雨水多。早晨和晚上都下雨。夜空晴朗时，皎洁月光洒在佛殿前的广场，地面好像铺上薄薄白霜，又像是大海的白色波浪。我在广场的月光下踱步，念诵心经。在诸如此类的瞬间，突然发生的微细之中，觉得自己在融化，无所不在，无所在。与万物无二无别。我感受到自我在消失，像盐溶入海水，月色融入虚空。

冬天暴雪六日，进出的路全部封闭。竹林里很多竹子被大雪压断，腊梅却盛放，黄色小花芳香扑鼻，成为白雪中的花海。寺院里没有外来的人空空荡荡，我开始闭关，安住此心，与残存在内心深处的极为细微的恐惧、动荡、孤独、渴求共处，持续深入。我把修习与领悟，回向给众生，回向给怀玉与孩子们，回向给净湖。在心里练习慈悲，让这种温柔的悲伤持续发散，无时不刻地发散，安静而有力地发散，突破一切条件与分别地发散，无限地发散。

一心一意，日以继夜。

那天晚上，我在房间里独自打坐。停止各种纷乱心思，呼吸声消失，身形廓然变大仿佛充斥时空，体会到素弓对我描摹的那种心境。又觉得可以无限缩小比微尘还要细密。以前种种自以为重要的、强烈的、特别的、执着的感受，虚妄不真，烟消云散。突然听到隐约树枝燃烧的声音，我缓缓回收从功态里出来，起身走到窗边，眺望远处，发现一座孤岛无缘故着火。山顶大树熊熊燃烧，成为湖中的一个火把。这里雨水多很少起火，但这个岛兀自熊熊燃烧，不知道是否还有人看见或过去熄火。

火焰照亮整片夜空，我看出这是经常被我视为定境的小岛。这个世间，突然生，突然灭，无生，无灭，万事万物莫不是如此，我为何恐惧，为何担忧。也许这是一个示显，用觉知的清净火焰烧尽生生不息的妄念，不留下一颗灰烬。

决定离开寺岛前的一天，她最后一次在梦中见到净湖。

他们走山路，岔道拐入小山背后，地形幽深，树木葱茏，有一座荒废的寺院。走进花草烂漫的花园，已无香火和僧人。台阶尽头的大殿，浑然大气，廊檐挂着铜铃。莲花台上的木雕佛像姿态潇洒自在，衣着花纹漆色剥落落满尘土。他们并肩站在空空的佛殿，仰头观望。

一阵午后的微风穿梭，夹杂燕子唧唧啾啾的鸣叫。她踱到墙边，屏息静心看壁画，墙上密密浮出众多菩萨和阿罗汉的脸，细长而平静的眼睛，眼角微微扬起，衣衫飘拂。笔触细致而洒落。有些线条在年代久远中损伤，已消失不见只余墙上空白。她转头看他，净湖不知何时走到门外。站在开满黄色穗状小花的栾树阴影下，肩头沾染几片黄色花瓣。

他把花瓣轻轻摘下来，微笑地凝望她。他的脸仍俊美而年轻被某种光亮照亮，那是一种欢欣，无悲无喜。仿佛曾经存在过的所有的矛盾与对峙已都被融化，一切归零。他在对她告别。当她清净了自己，也清净了与他之间的障碍与困难。他不会再回来。

告别云会禅寺和素弓，告别寺岛，我回到自己的立身之处。因为一段时间的闭关和幽居，回到混乱和喧嚣的城市，看到高楼大厦人群如蚁，闻到尾气和浑浊气息，看到人间百态，本来以为会需要一些时间去调整，但切换却比预料的要直接。看到身边的人，急迫、忙碌，被欲望驱赶着无暇顾及停歇，神情迷惘，对自身存在一无所知的处境，心里涌起觉受。人无法在一个虚伪的造作出各种概念的世界中保持真实生活，只是被挟持着随波逐流，席卷而去。我们在走向一个自动化无意识的状态。

我是个戏剧工作者，一度觉得创作需要动力，动力只能来自于痛苦与欲望……但这是真的吗。我从自认为特殊的、与众不同的、隔绝的人，成为一个质朴而接纳一切的普通人。无需再强烈地渴望自己能够改变一些什么，或成为什么。不管天翻地覆，只要还活着，就以接近实相的方式生活。这是素弓帮助我做下的决定。

3

早晨，他们出发。他来接她时提前买好奶茶，没有时间吃早餐，喝杯热腾腾奶茶是很好的补充。他的心一贯地周到与仔细。车子一路盘旋往山顶行进。

停车之后需要步行一段山路，增加海拔一千六百米，爬上峰顶可以看见拉姆湖。这一段路对她来说有些困难，沿着台阶往上，觉得心脏跳跃沉重，呼吸刺痛而双腿无力。在半途经过的白色煨桑塔边，春泽做煨桑。袅袅白烟升起。他拉住她的手把她拖着，说，还剩最后五百米，就在眼前。拉姆湖需要你付出一些代价，人不能随意而轻易地靠近它。

山顶上聚集十几个当地人，有的祈祷诵经，有的默默不语凝望前方。一面颅骨状高山湖躺在山峦之间，平静无波没有任何反射。她走到前面，有一块岩石挡在腰际，是观景台。她脑子里没有杂念，直接在泥地上跪下，双手合掌开始祈请。不容人思辨，仿佛有直觉在推动，远眺湖面，心里无一物。顷刻之间那镜面般湖水微微波动起来。

仿佛被强风吹出的涟漪，波纹涌动，尔后湖面如同幕布拉开两边。湖中出现景象。水中呈现出一座佛塔，高大耸立，一节一节的塔身共有九层，方正端重。塔身中间有一层小佛殿，门楣上涂画佛眼。伞盖为圆形，顶端做宝瓶为刹。大塔清晰出现之后，凝固成形再没有移动或变化，散发深沉不可测的勾摄力。她看着这座佛塔感觉魂魄被吸引而去，整个人的意识都被牵走。身体空了，心中一切思虑也被清空。

她离开出发地，在这个娑婆世界轮回，流浪太久兜兜转转吃尽苦头，现在看到自己的根。这是精神归宿，是故乡。一种强烈的悲哀与感动注满身心。无尽忏悔，无限温柔与哀伤交杂灼热的慈悲，身心之中潜藏的无数世的悲伤、动荡、困难与向往在此时喷涌出来。周围的景象、陌生人以及春泽都已不存在。感知到的只是被湖中景象抽走所有意识之后的心的回归。

跪在高山之巅，对着一座大湖中呈现的佛塔，她痛不欲生地哭泣。眼泪簌簌落下，身体颤抖不能自制。

这突然而起的肝肠寸断般的痛哭持续很久。停止之后，整个人觉得清空而干净，心里宁静而澄明。春泽默默站在她的身边，递给她纸巾，让她擦干净脸。他没有问询，只是说，我们去挂一道经幡。他让她拿着经幡的一端站在原地，他拿着经幡走到对面的山头上。他的身姿快捷灵活。挂好经幡，他们下山。

刚刚踩到下山的台阶，天空开始下雨。先是小雨然后是粗大雨点。春泽说，刚才听到有人大喊。这里不能喊叫，一喊就会下雨。这是空行母的脾气。等他们刚刚赶到汽车里面，一场大雨倾盆而下。

跟随春泽到他的村庄，住进家里。雨声先是暴烈冲击屋顶和墙面，然后变成淅淅沥沥交替声响，洒在花园的树木和草丛。她在一间纯木结构的房间里醒来，声响安宁，一时不知道身在何处。楼梯传来脚步声，春泽端着木碗出现在门口，碗里放着四五根折断的红色植物茎干，闻起来有清香。刚刚他开过一段有很多弯道绕行到山顶的公路，看起来有些疲惫。

但不管置于何种境地，他看起来总是清清爽爽，神情平静。这种特质不让人觉得疲累。她跟他在一起的这十多天，已习惯每一天这样平静地相处，仿佛已过完半生。明天她要回去廷布。然后很快离开不丹。

他微笑地看着她，你睡得好吗，现在觉得心里平静了吗。我刚才去山边找到一些可以吃的。你尝尝振作一下精神。这是一种野生植物，我们小时候当零食吃，对人的身体很有好处。他递给她一根，说，试试看。他打开窗户，让芬芳而湿润的山谷微风吹入房间，说，对面那座山有很多滇藏木兰，春天漫山遍野开满高山杜鹃。我童年时经常跑去森林里寻找麋鹿。

他所在的村庄叫苏荷。六十多户人家坐落在山脊，房子是传统木屋，木制活动遮板窗，木门与窗框雕刻精细花纹。一楼是厨房、工具间、粮仓。二楼是卧室、佛堂。三楼屋顶用来储存干柴、禾草、风干辣椒和肉类。木楼梯窄小陡直。家里陈旧，但打扫整理得干净，整洁，有一种井井有条的烟火气息。窗外望出去是开阔的山坡和远山密林。

卧室里没有床。他说，晚上我们铺开毯子男女老少一起睡在地板上，没有什么不适，从来都是如此。墙边拉起一根粗绳，长袍长裙挂在上面。不需要衣柜。又说，今天家里的人都不在。老人带着孩子去十公里之外的村庄参加灌顶法会。一早步行出发，晚上也不回来。

她走进隔壁佛堂，这是房子朝向最好并且装饰华美的一个处所。佛龛上摆放鎏金黄铜佛像，穿着刺绣的锦缎佛衣，面容古老而优美。墙上悬挂一幅绿度母老唐卡，色彩浓郁，气韵厚重。供奉装饰品、食物、朵玛，一排铜碗盛满清水。这七只碗象征七种供品，粮食，饮料，清水，鲜花，燃香，燃灯和香料，每天供奉神灵。墙角边靠着一把高大的伞状转经轮，制作精美，撑开之后如同一把小伞。她说，这不是那种走路时拿在手里的小转经轮。

他说，这是村子里老人们爱用的。他们年龄越来越大，腿脚衰弱逐渐走不出家门。余下时间便坐在花园里的板凳上，晒着太阳看群山和日月，晴天远眺喜马拉雅山雪峰，把转经轮撑在地上慢慢摇动，持诵六字真言，从日到夜。在祈祷与回向中度过最后的时间。我的父母也是这样，一心一意修行，为死去做准备。

我记得他们说，当人走到此世生命尽头，曾经盖过多大的房子，吃过什么样的美味，穿过如何精美的绫罗绸缎或者获得过多少声名，都无足轻重。人死之时，无法带走积累的财富、贪恋的物品、心爱的人，也不能以这些作为下一世的凭靠。在那时，只会问自己，有没有好好爱过，放下心结，卸掉贪嗔痴的负累。学会原谅，学会接受，真正地努力过，习得智慧与慈悲。有没有获得了却生死的解脱之道。

她说，是。他们说得很清楚。

佛陀像边有只深色乌木漆盒，里面装着一尊六厘米左右高的小度母像。她俯身过去仔细看，绿度母脸型与现在的造型迥然不同，并不美艳却有一种中性、严肃、有力量的阴性展现，像大地一样开阔而宁静。绿度母左腿伸出搁在盛开的莲花上面，佛冠顶部是阿弥陀佛。

他说，这是父亲从菩提伽耶带回来的，一直放在家里。老人期望去印度朝圣。我从美国回来之后，带年老的父母动身，怕他们以后身体不好没有体力支持无法如愿。双亲抵达大正觉寺之后一直围绕圣殿磕长头，每天持续从无间断。父亲磕头到第七天，临近黄昏在菩提树下突然看到一尊小绿度母像浮现。它为什么会出现，何时出现，无从得知。他把这圣物带回家来。

父亲说，他听到过这尊绿度母小佛像说话，但我从来没有听到过，其他人也都听不到。这是父亲与它之间的缘分。佛堂是我们家里最好的房间，僧人过来住这里，尊贵的客人也住在这里。晚上你睡在这里可以试着听听，看能不能接受到绿度母的声音。

她看到墙上有三幅黑白照片。左侧，西式打扮的男人，穿着布裤、衬衣，背一个双肩包。旁边的女人穿传统服装。她的脸融入阿尔泰类型高山人群及羌人的质地，骨骼结实，头发漆黑，发线中分编成细细的长辫子，辫梢缠绕毛线。一双黑白分明极为干净的眼眸。她手里拿着一束高山杜鹃。应该是在旅程当中，旁边是宫殿下面的白塔。两人看起来年轻而俊美，神情肃穆。

中间位置，一张寺院佛殿的庭院照片，荒凉静谧，开着大簇饱满的大丽花。

右侧，是一位女子的独影。长满羊齿蕨类的山谷，远处高耸山峦起伏。她站在松树下，穿着长裙和布衫。在她的前方也有一座白塔。

这是书中出现过的照片。所有的文字在化为现实。她凝望很久如在梦中。那女子凝望的远处的白塔，分明是她在拉姆湖中看到的轮廓。

他说，这些是我祖父的照片。说来有趣，他年轻时在犀地开照相馆，这些照片不是他拍的。据说是个西方来的摄影师，有些是拿到他的店去复制，有些是寄到他的店里转交。

4

在犀地。日玛旅馆是一幢石头盖的三层房子，外墙刷成白色，窗框深色。以前它是贵族府邸，住宅主人后来举家迁移锡金。房门低矮，门槛很高。窄小陡直的楼道，回旋幽暗的天井。里面黑暗不易通风，房间有一股陈年的酥油与檀香气味。他们住的房间是以前的主人卧室，在三层，有一个屋顶花园。侧边是小经堂，维持原来的装饰。墙上绘画吉祥符号，房梁和支柱画满繁花异草，色彩斑斓但粉漆剥落。

花园敞开，用陶罐种满金盏花和大丽花。午后刮起大风，悬挂的经幡在风中翻动。很多次，雀缇站在露台上远眺山谷中的宫殿，它像停滞在海洋深处的船只隐藏着沉没之后的所有秘密。白色云团在巍峨群山之间游动，变幻无常。楼下是密密麻麻的楼屋和街巷，曲折巷道，各种商铺的声音此起彼伏。

他们抵达犀地时刚好是燃灯节。整个高山谷地中的城市、屋顶、窗台、连同寺院的台阶，摆满点燃的酥油灯，成千上万盏油灯火焰闪烁。海螺发出低沉的呼唤，召集僧人们通宵达旦地祈祷诵经。居民家里，人们点燃灯火加添灯油，让油灯持续不灭。晚上做烟供堆放大量的甘丹草焚烧，屋顶冒出的白烟芳香扑鼻。

住下来决定休憩几日。从雪山抵达低处，她觉得神清气爽，身心舒畅。整理房间，洗净衣物拿去露台晾晒，又出门购买面粉、蔬菜、羊肉等，在公用厨房炖一锅肉汤，煮面片。她做很多事，而无量睡了三天。她给他煮用姜粉煮沸的水，让他喝在干旱之处种植的陈年谷类煮成的粥。为他买来刚刚挤出来的羊奶用来恢复精力。在转山旅途中他照顾许多人，消耗能量。来到犀地之后好像是一种自我治愈，一直在睡觉。

暮色中传来人群声响和孩童玩耍的欢笑。街上的人们开始纷纷用白粉擦墙面，柱子，房梁。并在门前空地上画出吉祥华美的图案，有万字符、宝瓶、莲花、太阳、月亮等符号。开始准备过新年。她坐在床边默默等他醒来。他像孩子般地酣睡，也许是感受到深深的放松与完满。

则旦师父曾在犀地西侧的夏钦寺学习。无量想去看看师父以前学习时住过的僧房，也是缅怀。夏钦寺是犀地的第一座寺院，在岁月的洪流中被战争摧毁，没有留下什么东西。现在的建筑是三百年前新建，又被摧毁过一次，只留下些许痕迹。他说，师父经常提起庭院中遍地的大丽花和精妙绝伦的壁画。

一早赶路步行，坐船过江，沿着羊肠小道盘旋上山。越到山顶地势越陡峭，俯瞰的山峦和平原愈显壮美，视野开阔，感受到强烈的风水气场。到达寺院大门已是中午，门外有一家甜茶馆，摆设简陋但门庭若市。僧人与来此参拜的四方信众都会在此地歇脚，吃一顿便餐。他们进去吃午饭，要两碗面条、一壶甜茶。

她见到邻座一位老太太，穿着传统长裙，头发盘成发髻，戴松石耳环和红珊瑚项链，背着双肩布包，手持转经轮。经常绕寺转经，对老人的身心有极好的滋养与锻炼作用，所以她看起来清瘦、健康而精神矍铄，气色十分洁净。老人也要一壶甜茶，倒出一杯，用左手的大拇指和中指弹动茶水，供养给无形中的神灵。如此三次之后，捧起杯子静静喝茶。佛珠放在桌子左上角。那串凤眼菩提佛珠因为长久的持咒和抚触，已成为暗红色并闪烁润泽亮光。

他说，你觉得她很美吗。
她说，是的。忍不住一直看她。
他说，也许你在她身上看到自己年老以后的样子。

走出餐厅，遇见大队僧人背着柏枝、酥油、经幡等往山岗上走，他们跟在后面一起上山。爬到山顶，全寺僧人聚集一起，在山顶拉起经幡，燃烧柏枝煨桑，长时间坐在草坡上诵经。这一天是殊胜的日子。山上芳香的白烟滚滚，经幡在风中呼啦啦刮动，诵经的群声于山间回荡。他们加入其中。

进入寺院，先去佛殿。酥油灯点燃的光亮围绕一盘时轮金刚彩砂彩粉坛城，浑然壮丽，熠熠生辉。他对她说，整个坛城由五个同心的正方形城池和外围的六个同心圆组成。五个城池由外而内是身、口、意、智慧和大乐的坛城。六个同心圆从内而外安放地大、水大、火大、风大、空大和智慧之光。最外围是火焰圈，外界的妖魔鬼怪或其他不洁之物无法侵入洁净神圣的坛城法场。第二层是金刚杵组成的结界，无坚不摧，保护坛城的洁净和不被打扰。第三层是莲轮，是连续的从内部呈放射状的莲瓣，表示洁净。

他说，坛城象征着能量之间的整合、连续性以及最终的萃取。我们朝圣的惹觉，它的结构也寓意着一座坛城。对试图进入它的人来说，先经过火焰圈，穿越无明与妄念，穿越轮回之海的汹涌以及被地狱烈火焚烧过的苦痛，由此认清人世的幻变性质，得到出离心。金刚杵的结界，代表精进的决心和戒律清净的修持，以诸般万象和境遇修炼转变身心。最后通过莲轮，抵达自性与明觉的宫殿。

坛城作为仪式发挥过作用之后，会被破坏，扫除，毫不留情地清除干净。这是深谙空性的必要，具备这种智慧，人能够不留恋也不执着于世间万相。

旁边是一尊壮美的时轮金刚像。近距离观看，雀缇当下被时轮金刚及其伴侣的面容所摄住。那种威怒和强烈让人产生裂变及克服的感受。多头多手仿佛是心的爆破，眼神有一种亦明亦暗的复杂情感。她感受到勇猛的摄受力。他说，师父说过，有相而不执相，破相而见真，这是最高智慧境界。口出诽谤或心怀偏见的人，无法了解事物的深刻要义和奥妙。

走进一处花木苍翠茂盛的院子，以前应该是个侧殿，现在佛殿大门被牢牢封住，门前堆放很多杂物。墙壁仍残留暗淡的壁画，断壁残垣中长出一簇簇高壮的野生大丽花，碗口大，层层叠叠花瓣伸展，茁壮艳丽。僧房在右侧，传统的绘画木雕窗框，天花板很低。空地上矗立一尊古石塔，铭刻在塔上的六字真言长满青苔。

他说，师父说他以前在这里学习，生活很艰苦。每天基本上就是吃糌粑，有时也吃不到新鲜的糌粑，都是旧粮。即便如此，他还是经常给来到房间的各种小生物留下一些口粮。

在角落里有一株大苹果树。有些枝条已结出果实，她想摘一个尝尝。晒红的苹果在高处，他从地上捡起石粒扔向树上，接连几次，打下来几颗。她从地上捡起来用袖子擦净，递给他一枚。咬一口，酸甜微涩，有清香味。一只流浪的虎斑野猫穿梭过草丛，在远处万寿菊花丛边蹲下来，瞪着滚圆的橙色眼珠看他们。她咬着苹果，走过去对它温柔地轻轻说话。

此刻的她满脸稚真之气。她仍是那个他见到的用水洗完脸后与过路的松鼠说话的女子。

以前的侧殿入口现在成为荒废的过道。墙壁上绘有和谐四瑞吉祥图案。燕子在屋顶墙角做巢，不时轻盈地进进出出。这里光线阴凉。他们在石阶边坐下来休息，静静地看着庭院中的花木扶疏。看了一会燕子。

他说，有人说，我们感受到的每一缕阳光的温暖，每一丝凉风的慰藉，都是有因果的，而不是无缘无故发生。这个世界上的因果肉眼不可见但比微尘更细。我们此刻坐在这里的缘分，也许要追溯到很久很久之前。所有的因缘条件具足才能得到这一刻的相会。她觉得浑身的汗毛微微凛起。转过脸去看着他的侧影。

他的鼻子长得极为高挺俊美，大概因为山根高的缘故。山根从眉心之间开始耸起，如雕琢出来的凛冽山峰。一双眼尾长长的单眼皮眼睛，眼神洁净。眉心有一颗红痣，脖子上也有几颗大的红痣。在他的背上、胸上也有相同的红痣。

她与他共处三个月，经常同居一室，如同亲人般亲近却又相敬如宾。他有一股安然自若，旁若无人的冷静，也许是确认自己来自哪里要去何处，重心感稳定而平衡。有时则像一片深不可测的海洋隐藏起内心的愿望与情感。她不想触及他的轮廓，探究他的深处，与他朝夕相伴便是平静而知足的日子。她想这可能是此生最圆满的时候。他在她的身边。

他问她，你静静地在想些什么。

她说，据说在吠陀经中记载有一种珍贵而罕见的草药，跟随月亮的信息和规律生长。月渐盈时，每天长出一片叶子，到满月刚好十五片。月亏时，每天掉一片叶子，到月尽时刚好全部掉完。但我从来没有在现实中找到过这样的植物。有时我想，它可能在其他维度的空间里存在，或者只是一个幻想。遇见你，像遇见那草药般的不可思议。

他说，世尊曾经说，我们无数世的生命好像从这个村庄出发去另外一个村庄，又从另一个村庄出发，再去下一个村庄。如果我们能够

362

记得在每个村庄曾如何立、如何坐、如何说、如何默然不语，能想起宿世发生的种种行相，境遇，会对业力有清晰的了知。会明白自己如何生，如何死，如何随着业力招感，经验卑微，高贵，美，丑，幸福，不幸。雀缇，现在我们正置身于轮回中。

曾有一世我们也在犀地遇见，决定同行穿越雅鲁藏布江峡谷，去寻找莲花状的山谷。出发前我们过河重访这座寺院，在花园边的房间里住过一晚。那时大丽花也这般到处盛开。轮回没有尽头。如果无法解脱，我们会一再启动彼此相遇的模式，重复流浪的人生。

现在我要小睡一会。等着我。说完他把头枕在她的腿上，蜷缩起身体右侧躺，手掌放在脸颊下面。他开始入睡。

5
—

这个月十五，在大寺附近八角街举行盛大的护法节日。街上陈列寺院僧人用酥油做出的无量寿经文中描述过的西方净土。大量美妙绝伦的酥油花、朵玛、各种供养，酥油灯燃烧一个晚上直到次日凌晨。这一年一次的盛景，是犀地与它的居民们的狂欢节日。白日，有人表演歌舞、骑马，人们烹煮食物、痛饮、欢歌，人声鼎沸，熙熙攘攘。晚上则观赏夏钦寺僧人跳金刚舞以及酥油花杰作。

男女老少穿上节日的盛装，手持佛珠，出来顺时针沿着古老的石板路绕行大寺。成群结队，流动的人潮围绕这座神圣的古老寺院，形成一圈充满活力的能量旋涡。经过转角，他们把带着的柏枝、青稞、麦子、酥油扔进煨桑炉里，路边还有自然形成的岩石上的小佛像，刻在石头上的六字真言。石头已被抚摸得发出亮光。人们在那里供养过无数的花朵、食物、酥油灯。人们各自发出的持咒嗡嗡作响，绕行七圈。

朝拜和祈祷日复一日，酥油灯璀璨闪烁。煨桑的白烟通宵不断，芳香烟雾渗透空气。

雀缇那天也穿上新衣，是在街上裁缝店里买的。那是一套因为尺寸做小所以被寄卖的传统衣裙，白色卷草纹路的丝缎斜襟上衣，绿色织锦长裙遮挡脚面。这套衣服由无量帮她买下，他说是礼物。她的头发编出细细的麻花辫子再层层盘成发髻，脖子上挂着自己的项链，一圈洁白的海水珍珠围成，中间镶着一颗乌兰花松石，旁边点缀两颗红珊瑚。在镜子中她看到自己格外美丽。

与无量走在人群中，男女老少纷纷侧目，仿佛她是一个金光闪闪的新娘。在广场上，一位西方摄影师叫住他们，他略有些羞涩地介绍自己，来自美国，拍摄喜马拉雅地区的人们，想给他们两人拍一张照片。无量愉快地答应。拍照之前他用零钱在小孩手里买下几枝高山杜鹃，人们买去花枝通常会带进寺院供养给殊胜的佛陀等身像。他们站在白塔边上，由摄影师拍摄几张黑白照片，仿佛一对婚礼仪式上的新人。那时，雀缇二十七岁，无量三十岁。

拍完照片，进去寺院祈福，带着高山杜鹃、哈达、酥油。长长的队伍从大殿蔓延到广场，大家挨在一起慢慢向前。终于轮到，无量提前买了两份金粉，说机会难得，在这个殊胜的日子里要供灯，给觉沃佛的脸涂金。僧人取走他们手里的金粉，装在小瓷碗里用水调和，由专门的僧人戴着口罩，用毛笔沾金粉轻轻扫在佛像的前额、眉心、鼻梁、脸颊和下巴。

摆放觉沃佛的佛殿用檀香木造建，屋顶上蓝色的瓦是把绿松石熔化之后上釉，经常有一大群经过此地的候鸟绕行佛殿，在屋顶休息。在佛像里面装有各种圣物和稀世珍宝，菩提伽耶菩提树的树枝，佛陀成道之后曾经洗浴的河流中的沙子。把各种宝石与圣地的泥土研磨成泥，再用模具塑造成小神像，装藏在佛像里。佛像金色的面容，在常年酥油灯光芒的照耀中、在众生日复一日的参拜和祈祷中熠熠生辉。

他们跟随众人，踩着小木梯把头贴在佛像脚边进行顶礼。然后他带着她离开人山人海的大殿。无量说，每一尊佛像是人人具备的内在佛性的象征。它不是我们形式上这一具易毁坏的肉身，在无常的世间漂泊不定，而是不生不灭、不增不减、无生无死的法身显现。他说，我们礼敬它，是在礼敬内心珍贵的自性。这也是佛性。

狂欢与祈福持续整个白日。晚上夜幕低垂，街上点亮灯火，被期待已久的佛土展示拉开序幕。酥油万像被陈列出来，映衬着无数盏点燃的酥油灯的火焰闪烁，一个被创造出来的净土世界呈现在夜空之下，众生之中。精妙绝伦，清净无染。人们好像是要故意地兴奋起来，前俯后仰，互相拥挤推搡，欢歌笑语，围绕八角街游走一圈。到处都是光影穿梭，浮世幻影，迷离跃动，美轮美奂。

回到寺院前面的广场，突然一声海螺低沉长鸣，长喇叭、铙钹与鼓的声音激昂。已被清空的石头地面上，由金线绣着龙和其他动物图像的彩色经幡高高悬挂着，被风翻动不已。六十名表演的僧人们正从寺院前门走出来，戴着动物、愤怒像等各种角色的面具，穿着华美的丝绸袍子，排列队伍准备就绪。人们坐下来，围成密密麻麻的圆圈。随着鼓点与横笛的声音，金刚舞表演开始，讲述传统神话中神灵惩罚恶魔的故事。

雀缇与无量也坐在观看的行列之中。雀缇把杜鹃花戴在头发上，那些花朵因折下时间长已有些枯萎，而她秀美年轻的面容仍如同鲜花一般充满生机。周围山顶上持续飘散煨桑的圣洁白烟。犀地在这一天，从白天到深夜仿佛一个沸腾的星球。她抬起头看到天边出现一轮浑圆而洁白的朗月，无边清辉洒向四处高耸山峦。

你看到月亮的时候想到了什么。他说。
觉得心和它一样的干净，没有分别。整个世界都是一样。
世界和你的心一样，都是干干净净的吗。
是的。
我们的一生都在追求这种净观，只是很难长久和稳固。如果净观能够贯穿一生，生命会免去很多苦痛。

舞蹈结束时，宫殿方向放起烟花，隆隆升起的烟花在夜空中绽开照亮山谷，人群再次骚动和欢呼起来，整个世界成为狂欢的海洋。她看到很多人流下喜悦的泪水。她也意识到这可能是这一生，她在犀地的唯一一次停留。也是此生唯一的一次机会，与身边的这个男人在一起。

一过午夜十二点，这集合犀地所有寺院最灵巧能干的僧人，制作三个月才完成的佛土酥油装饰便被统统拆除压碎，变成粉末。没有任何顾惜和留恋之心。僧人们以此训练自己面对无常梦幻的冷静之心，领悟这世间斑斓色相之后的纯粹空性。

狂欢的人群渐渐散去，广场迅速空寂。余留一地拆除后的支架和烟花灰烬。大片黑云正从山边移动到城市中心。雷电声声要下起暴雨，无量拉着雀缇的手在街上奔跑，雀缇头上的花掉下来，裙子也被泥水弄脏，两个人欢笑着呼叫着跑到侧边巷子里，躲进一家店铺的雨篷下面。那里也有人在避雨。深更半夜，仍有很多人在嬉戏玩耍，互相拥抱，跌跌撞撞，开着玩笑，像无忧无虑的孩子。

雨水如注。在黑暗中，在人群之中，她问他，我们是在做一场梦吗。

他说，我们从来没有从梦中走出去过。所以我们在梦中又遇见了并且回到这里。

他伸出左手轻轻抚摸她额头上的黑发，为她拂去清凉的雨水。仿佛一片羽毛在她的头发上摩擦。他清澈的眼神如水灌注。这一刻他充满柔情，深深看着她的眼睛。这个瞬间，他们看见对方无数世的衰老、死去、重生。然后他把手移开，转开身体，默默地看着已经空无一人的冷寂的大街。

他说，雀缇，我们各自都曾经度过漫长的孤独的时间，以后还会如此。但这是我们此生的使命。

6
_

他说，我准备回去尼泊尔。先闭关三个月，稳定这趟旅程所带给我的种种启示。然后在孤儿院继续照顾孩子们。也许我会开展更多的项目，帮助穷困和孤独的老人、妇女和孩子。现在学校的教育，书店里的各种书籍，通常都在告诉人们，如何利用各种学科知识来进行技能和技术的提高，但少有人去直接探究人类生命和境遇之中最核心的问题，关注心与意识的本质。这是需要有人做的事情，通过学习传承智慧并传授他人。

她早已知道他的决定。转过脸去保持沉默。

他说，在尼泊尔山上闭关来到不丹之前，我在洞穴里做过一个梦。梦见自己到犀地，去往宫殿下面的一间小旅馆，以前它是一座贵族府邸旧居，幽深走廊的尽头是木门。我推开门，看见里面的女人坐在桌子边静静等待，她梳长发辫，穿着白色生丝上衣和绿色刺绣长裙，戴绿松石耳环。窗外射进来的光线在她的黑发上跳跃。她平静的面容像东升的满月。她站起来，眼睛灼灼地看着我。我们第一次相见，但我知道这是恒久的爱人来找我了。

她的眼睛像深潭，像火焰，像宝石，吸入我的灵魂。我们没有说一句话。我走过去，我们的脸立刻互相贴合，紧紧拥抱在一起，情不自禁亲吻彼此的嘴唇。巨大的甜美和沉溺从我的身体深处升起，填满每寸觉受。

这激情如此强烈，我惊悸地醒来。那天我跪在佛龛边祈祷和发愿很长时间。宿世的情感在动摇我的愿力，这热切的渴望在对我发出呼召，渴望彼此归属。我向上师的心识祈请，讲述这个强烈的梦境希望得到指引。师父在梦中对我说，前世的爱人在寻找我，我应该去不丹。遇见她，带她去转山，在圣湖沐浴净化，到犀地朝拜觉沃佛。这样我们之间的善缘才会在此世有个结果，彼此提升，而不是互相纠缠。

师父说，这是一个珍贵的爱人，不管是有形的肉身，还是无形的意念，你们已经照顾和支持对方无数世。真正的爱，是带给对方自由和解脱。俗世情爱如同堕入泥沼，不如把它转换成清凉而深情的慈悲。不应该退回到原点而没有进步。不应退转。

当我在不丹佛陀殿的壁画前面，听到你推开木门的声音，转过脸看到你的瞬间，我知道那个女人是你。你回来了。即便你的心识寄生过多少个不同的身体，漂流过多少个世代，见到你的眼睛我便认出你。但这一世我们不能够相守。我不想与你过平庸而幸福的生活，即便建立一个完美的家庭生下很多孩子，朝朝暮暮相对，那又如何。

她轻轻地说，所以，你决定和我去惹觉，给我这三个月时间吗。其实在佛陀殿第一次看见你，我已看到现在此刻。就好像我的女儿弥光刚刚出生，我看到她以后会去寺院，在那里为孤儿院筹款、奔走、照顾孩子，余生不会离开。
你早已看到我与你的未来吗。
是的。

所以，你知道一切，但仍跟着我出来旅行三个月。

她说，我的根本师父在我二十岁准备下山的时候示寂。我曾祈请他，向他问询曼荼罗净土以及灵魂伴侣的问题。他给我指示，他认为找到命中的爱人是必要的，爱之路是净化。你的道理我都清楚。无量，但是我仍然还是想问你，我能不能跟着你一起走。我想留在你身边。我们再次互相遇见，这很不容易。

为这份情感，你已轮回很久。雀缇。你已知道生死轮回的真相，知道净土的所在。我不想看你成为平庸而幸福的女子，逐渐衰老一事无成，或为人间家庭、为世俗肤浅之事奔波忙碌，这样的人生如同一个泡沫很快就破灭。让我们为其他人，为更多的人活着。让我们利用此生短暂而无常的肉身，充分而精进地修行，完成心识的进阶。趋向目标，更近一步，更近一步。不要再浪费时间。

他拿出那尊小小的佛像，旅途中一直陪伴在他身边、用野花与柏香粉供养的绿度母，每天早晚他对着这尊度母像诵经、持咒。他说，我把你托付给度母，由她来看护你。你念诵她的咒语，观想她，直到自己与她融为一体。当我们在每一个世代遇见，我会把这尊绿度母重新送给你。这是我的信物。我答应每一世若再与你相见，会一再地认出你，去爱你。如果你认为我们必须要以世间的幸福作为了结，某一天也许我能够陪伴你过寻常的日子，与你相守直到老死。我会完成对你的诺言。

那时，我又该如何认出你呢。

他说，我会认出你。我永远都会认出你。不管你在哪里，经历过什么，成为什么样的一个人，不管你的灵魂进入到什么样的肉身。我都会看见你。他的眼睛此时流出滚烫的热泪。

7
—

他让她洗热水浴。在庭院的绣球花树丛中安置一只松木浴桶，这是家人洗澡的地方。常规方法，他烧开热水用大桶接过去把浴池装满，如果水有些凉，再加入烤热的大鹅卵石。他把花园里采来的新鲜草药浸泡其中，说，感受一下不一样的山间泡澡。在这个角度，刚好一边泡澡一边看到对面山峦的晚霞落下。逐渐月亮升上山岗。等你泡完，我来泡。热水不能浪费。我们经常一家人这样轮换泡。每星期泡两次热水澡，需要烧掉大量柴禾。

雨后黄昏空气清新，她听到花园草丛里蟋蟀的轻快鸣叫。远山偶尔传来隐约鹿鸣，橡树掉下果实噼啪作响打在她的肩膀上。院子里有棵长得茂盛的无花果树，已果实累累。外面是金黄色的开阔麦田。

晚上，他在厨房烹煮饭食。家里有片修葺整齐的菜园，吃的食材大部分来自那里。山中的蘑菇，园子里栽种的扁豆、莴苣、西红柿、玉米。辣椒炒土豆，红薯苗，喷香的米饭，还有一锅鸡汤。

他有些难为情地说，你会喜欢我做的菜吗。

她说，很好吃。

如果你不是明天要回去，过几天就是村庄里盛大的节日。在庄稼穗粒饱满等待收割的季节，全村的人挑选吉祥日子，先背上经书组成队伍绕寺旋转一周，再绕村庄和田野大转一圈，感谢神灵赐予丰收，希望继续护佑庄稼。转完圈大家围坐一起，聚餐、畅饮、摔跤、玩耍，男女老少尽情地放松、玩乐。晚上在广场架起火堆，手牵手唱歌跳舞到深夜。那时所有的人都在笑，很多人都会喝醉，仿佛他们是这个世界上最幸福的人。

我能想象那个场景。你们总是开开心心的，群居而住，享受四季变迁，人与人密集互动，喜欢轻松幽默地开玩笑。这是真实而充沛的欢乐。城市有发达的科技、五花八门的娱乐、快速的网络信息沟通，但人们的快乐大多依赖于各种物质、载体和工具，离真情实感很远。

他说，写下这本书的如真，她与慈诚后来如何。他们有没有回去幻海。

他们离开幻海，慈诚决定与如真一起隐居。他对她说，人来到这个世间有很多任务，但对他们两人来说这一世最重要的是陪伴对方。他要找到地方给她安一个家。

他们收拾简单的行囊，开着越野车一路西行。有时打工，帮人干农活、在餐厅或工地帮工。如果能够安定部分时间，慈诚绘画，如真写些文章。走过很多地方，最后经过一处有湖的山谷叫云停，附近有大片茶田。他们决定停下来，长租下旧存的古老木楼，在那里定居。

慈诚开始改造老屋。画图纸设计，找材料，动手搬运，用山上的桧木、柏木、松木来搭建，外墙用山上青岩。收集别人废弃的物品，用被丢弃的陈旧的佛龛、矮木桌、羊毛毯，清洁修理之后装饰房间。开辟出花园，可以种蔬菜，花草树木。他们劳作，酿酒，做菜，养家畜，种植，整理院子，把物质需求降低到最少限度。有时去镇上购买必需品，大米、鸡蛋、肉、面粉是跟农户直接交换。

盛夏午后时有阵雨，山风涌动，滂沱雨声落在屋顶。雨停之后，看到湖面上星光满天，浩渺银河。满月夜，洁白月光把房间木地板洒成一片银色。晚上睡觉，把门窗都打开，四季花香涌入房间。春夏之交，他们有很多时间在露台，观望平台外面光线变幻的山峦与湖泊。高山云朵，湖面倒影，穿梭交织，如梦如幻。

秋天，他们用双肩包背上底垫、毯子、用暖茶壶泡好的茶汤、茶器、点心、书，去附近的原始森林攀爬。找到一片草地，正对风景如画的茶园和大湖，铺开垫子休息。倒出茶水，晒着太阳，吃栗子，呼吸新鲜空气。如真躺下来，不知不觉她在暖阳和轻风之中，在地气的抚慰中入睡。当她醒来，慈诚坐在旁边，帮她剥出栗子放在一边。他守在她身边，独自默默看着湖面。

他很少离开她，留下她独自。有时他说，我总有一种感觉，觉得和你在一起的时间不够。她不过是普通的女子，但他珍视她，把她当作手心中的珠宝。他少有情绪，如实而宁静地在她身边存在。世界的虚假、热闹、种种幻象在后退。有时她觉得这一切仿佛是场梦。他们过着与世隔绝的生活，两个人如胶似漆。

冬天山里很早就下雪，大雪茫茫，积雪封路，就不再下山。在屋子里闭关，修行。晚上用储备的黑炭与干柴把铁炉烧起来，火光闪动，大铁壶热水滚滚冒着热气。听着柴火发出噼里啪啦细微的爆裂，盖一条羊毛毯子，不知不觉入睡。时间一天天地过去，日复一日，年复一年。他们互相陪伴，直到白首。

他们有孩子吗，长寿吗，后来有没有出现什么变故或意外。
没有提起。故事结束了。没有以后。

她说，我不知道这本书是从哪里来的。不知道这些人、这些地点是不是真实存在。幻海在哪里，夏摩山谷又在哪里。搜索不到书中提到的地方。时间和空间在书中都太模糊。我感觉书里是一个被封存起来的世界，它们也许仍然存在但在另一个维度，如同不可见的事物的存在方式。

他说，这些不重要。知道有些人以什么样的方式存在过就可以。就像我知道村庄里的人他们曾经如何存在。

她说，夏摩山谷也许就是不存在的，或者是早就消失于地球表面的城市和地貌。像古海洋会变成高原。或许它是一个心灵的坛城，一个被投射出来的能量场，又或许，像书中提到的曼荼罗净土，以及 G 城，C 城，幻海，都是从心识之中幻化出来的场地。净或者不净，清洁或者污脏，神圣或者毁灭，一同源自法身。

离开这个世界或者我们没有机会与对方谋面的人，也会带给我们精神上的启发和情感的影响。这是一股能量。对方的意识像明月映照在不同的湖水河流与大海之中。哪怕只是一小碗水中。这是法性的力量。法性遍满世界，我们却没有智慧去看到、理解、感受。世间万物包括我们每个人，都是法性的投射。只是我们不被人告诉就不会明白，或者即便被告诉也会觉得有些怪怪的。世事本就是如此。

来不丹只是为了完成与《夏摩山谷》这本书的情结吗。

在人世间感情有很多形式。有些人陪伴你，有些人照顾你，有些人在你生病或死去的时候，留在你的身边。他们治疗你，埋葬你。诸如此类出于因缘、责任或义务其实容易办到，即便仅仅只是依靠一份善良或怜悯。人难以得到的，是真正地相爱。

更多人相守一生，直到死去才终于脱离对方。他们为何继续这种没有喜悦、彼此并没有完整的生活。他们难道喜欢分裂和单个的这种悲伤的感受。为什么有些人从来没有生发出过这样的渴望。因为他们没有信仰。爱是一个信仰，他们的灵魂无法承担，爱会烧毁他们。真正的灵魂伴侣是至高无上的奖赏。而他们被自己吓倒。

如我这般在世间情爱中备受折磨的人，在这本书中感受到爱的圆满。虽然，至今我在现实也并没有感受到情爱带来的抚慰。相反都是考验。但至少我知道圆满是有的。圆满不是我们以为的那种方式。

离于爱者，无忧无怖。通过彼此的联结达到净化，皈依自性与寂静，这也许是未来要做的事情，也许是以前就做过的事情，但人容易忘却，需要重新轮回再来一遍。只有彼此的承诺不变。

是的，我已完成对这本书的情结。

8

你离开寺岛之后是不是觉得自己变了很多。

离开之后，我觉得心中的视野和角度发生变化。以前想不明白的事情，现在看来都不复杂。还有一件事情发生。

我觉得那大湖的景色极为奇特。为什么会有那么多岛屿，而且有些看起来极小，只长着一些灌木或一棵大树。有些则很大，有山路、森林、田埂。那里水汽湿润，云雾缭绕，树木苍翠茂盛。我下意识觉得，大湖之下也许有一座座山脉，露出来的岛屿是山峰。回去网上查寺岛，果然有一段变苍山为汪洋的历史。寺岛是经历沧海桑田的高山之巅。我住在寺岛的时候，觉得那里气场幽深古老，却并不知道自己是在山顶生活。周围其实全是被大水淹没的座座青山。

我仔细查看资料，里面提到水下有大量被淹没的村庄、古道、牌坊、祠堂、寺院。曾有考察组专门潜水下去拍摄视频资料，水底保存着完好的古代世界。建筑没有被毁，细节历历在目，只是被抹去人曾经生存其中的烟火气息和生存的痕迹。当时很多人被迫迁徙，离开祖先曾耕耘千年的故乡。即便这些人全部撤空，大水在顷刻之间淹没一切历史，但是千百年来无数代人在这块土地上生存过的记忆，不会消失。我想这片区域是个巨大的信息能量场，这也是我住在那里总觉得有些不安的原因。

我反复观看那个水下村庄的探索视频，发现镜头里出现曾经路过的空无一人的村庄，它的名字叫临岐。一座青石圆拱桥，叫清风桥。跨过桥的对岸，是一座一千年前的古老禅寺，叫云会禅寺。

那是我在里面住过近一年的禅寺。还记得暴雪之后被折断的竹林。大殿前盛开的巨大腊梅树，一棵千年老松。记得秋天金色的银杏叶满地，僧人素弓拿着扫帚每天清扫。月圆之夜，他坐在围墙上吹奏尺八供养神灵，天地动容。离开之前，我目睹对面无故起火的小岛，火焰熊熊。这难道仅仅是我自己的一个梦吗。我不敢回头去看，不想去看，也不必去看。

那时素弓知我将离开寺院，赠我一枚和田白玉，温润古朴有沁色，看起来像古时男性帽子或腰带上的佩玉。他说，此玉与你有缘，收好它。晚上贴身戴上睡觉，看看如何感应，再决定是否以后带着它离开。我便戴着这古玉睡觉，觉得应该会有梦。果然，整晚，有一位白皙俊美的年轻男人睡在我的身边。他没有说话，沉默、含蓄、洁净、温柔，醒来后我觉得人比往常舒服，心里清凉空寂。就决定留下来。

他说，人有各种各样的处境，这是心的投射。学习是让心像一颗晶莹剔透而刚韧的水晶，允许心念投射在其上，但自性保持清净。你知道自己的珍贵吗，有个宝贝在你的身上。你要撕开种种屏障、困难、障碍、疑惑和犹豫，把这个宝贝供奉在灵魂至高至深处。临别赠你四句话：法施胜一切施，法味胜一切味，法乐胜一切乐，爱尽胜一切苦。

我说，素弓，你从哪里来。你以后会去哪里。
他说，我从无中来，到无中去。

此刻，古玉还用丝线系着挂在我的胸前。我知道如果执意回去寺岛一探真相，看到的无非是一座岛。除了度假酒店、公路什么都不会再有。也许在梦中我经历了四季。在梦中我与来自空无的素弓相逢。

不管发生什么，我的内在经历调整。眼睛已亮，心里干净，一切变得清清楚楚，明明白白。我现在能够看到的世界和以往能够感受到的现实迥然不同。虽然内含物质一模一样，没有任何变化，但我看到其中深意。那是一个平衡的自成圆满、无增无减的世界，它在生灭也始终无生无灭。

之前你觉得自己无所知吗。

我也许受过良好的教育，但并没有出自本性的智慧。如同大多数人，我活在制约而僵硬的囚笼里，渴求能够保障肉身安全和满足的物质状态。觉得失望就一再推翻、离开，企图另找模式。又推翻又离开又重新找，就这样不停期望，不停失望，在囚笼中不能停息地流浪。人怎么可能只为自己的幸福而活着呢。

人只能尝试做一个全心全意的人。有一天，我思考这个问题，什么是全心全意。如果我爱一个人，我会以爱其他人的方式去爱。以爱这个人的方式去爱其他人，并没有所谓的特别的唯一的爱。所有人都是一样。以彼此的痛苦为痛苦，以彼此的快乐为快乐。爱一个人与爱很多人没有区别。爱并不在遥远的地方。但是我们为学习去爱，付出太多代价。最后才发现，爱在众生之中。

他说，和你在一起的十天，仿佛过尽十年。你就像我的上师。

她说，你才是我的上师。你教会我如何快乐而自在地活在当下，只活在当下。

他说，下午小睡时做了梦。很奇怪，我很多年没有做梦，一般入睡很快睡眠很深。什么梦都不会有。

你梦见了什么。

梦见我们在与世隔绝的山谷里生活。你开一间旅馆，前面是一片大湖，旁边还有一面小湖，两个湖连接像葫芦的样子。旁边有大片玉米田，背后是茶坡。你说，专门留出一间小屋，免费让申请者来居住，你提供他们一年吃住。对方可以选择在这里闭关修行或潜心创作，但结束之前，必须写出心得供大家参考，作品或日记都可以。你想鼓励人们从事精神上的训练和内省。这个活动你持续很多年，想为世间积累一些有价值的个人体验。我们长年累月地种地、收获、招待客人。我经常摇船去接送客人，也帮你在花园种树，种菜，在厨房做饭。

我在做什么。

你有时禅修，有时打扫房间整理花园。种很多野山兰花，收留一群野猫，每天黄昏给它们喂食。

梦中，我在大湖上划船，木桨拨动水流，那湖水透明澄澈，发出亮光无比纯净。柔软的水草漂浮在漩涡之中，开满白色芳香小花。这些水草和花朵可以食用。有人说它们是旁边雪山上居住的贡拉女神爱的心念，她爱慕当地的山神，他是一位勇敢善战的男神。当他们相会，湖上会出现彩虹。远远地，我看到湖心一座小孤岛，拐过山口是隐藏在内湾的木楼。那幢木楼盖得质朴而大方，有露天阳台和回旋的木楼梯。古树围绕。船只慢慢向岸边靠近，木楼越来越清晰。在大柳树枝条遮盖下的栈道上，我看见你。

你在整理花园。看见我，直起身来微笑，穿白色衣衫绿色长裙，发白的头发挽成发髻插一朵波斯菊，脖子上戴着松耳石项链。我们上岸和你一起在木凳上坐下，你倒出热茶，摘下草地中野生的小红莓，洗干净放在碗里大家一起吃。那只碗我还特意多看一眼。

它什么样子。

是一只景德镇制的出口国外的旧碗，画着绘银边的石竹花。碗底有编号。

你带给我一位什么样的客人。

他是年轻的日本男孩，脖子左侧靠近下颌的位置有颗红痣。面容长得极为俊美，但看起来有些忧郁和孤单。他说他要来这里住一个月。之前他在印度游荡太长时间，觉得很疲惫。

此时已是深夜，地板成为银白色一片，仿佛储满银光闪闪的清水。她觉得惊讶望向窗外，发现是十五的满月，高悬空中朗照十方。忍不住走到窗边，跪下来仰头直视。春泽说，老人们常说，在满月时要多看看月亮，这样会让我们的眼睛更清明。也要对着它祈祷，为它吟唱或跳舞，这是对它的赞颂。在我们的心中，月亮和其他行星如同神圣山峰，都是众神的居所。

他说，总之，这是一个高兴的梦。今天也是一个高兴的晚上。想唱歌。他喝一口茶，微微摇摆上身，开始唱起来。嗓子略沙哑，声音却醇美而厚重。

世间轮回大海犹如幻，其中无一组合恒久存。
论其本质是空无自性，但诸儿女未能识知彼。

无情世间将被水火毁，有情众生身心终离散。
春夏秋冬四季皆无常，心底生起厌离祈加持。

9

他们的欢宴停止。她回到佛堂，春泽帮她铺好干净的被褥。鲜花在下午被他全部换过，她枕边小矮桌上也放着一只玻璃瓶，用清水插三朵大丽花，分别是紫红色、粉红色、红白相间。花叶新鲜，饱满艳丽。

她说，我最初看见这种花是在亚瑟的花园里。喜马拉雅地区的人都喜爱这种花朵。但其实它是从墨西哥来的。想想过去四十多年，仿佛大梦过半。现在看到这花朵像回到家。

他说，是的。有时见到熟悉的人也仿佛回到了家。你好好休息。明天早晨要吃点什么。

吃你们喜欢的东西。

那我们吃面包，我煮一壶奶茶。

很好。

他帮她铺好床，去佛龛边擦干净水碗，重新点香，点燃一盏酥油灯。他们并肩坐下来，念诵三遍绿度母祈请文。一起磕长头一百零八个。念诵心经，祈祷，回向。结束全套仪轨。

她说，来不丹之前，我曾带孩子们去法国南部度假。虽然我不知道是不是真的存在过无量这个人物，但他的故乡我想去看看。我们从海边城市出发，经过峡谷，穿行在平原的各种村镇。有些地方没有游客也没有本地人，走出去空空荡荡，偶尔见到几个人，偶尔开过去一辆车。这种寂静无人我很喜欢。

我知道了如何分辨野生薰衣草、真薰衣草和杂交薰衣草。但只有一株在峡谷高海拔山坡上发现的野生薰衣草，气味辛辣让人难忘。

法国南部的夏季很热，阳光强烈仿佛会把人晒晕，这边的人从不戴帽子，喜欢晒得皮肤黝黑发亮。中午，黄昏，当地居民在露天餐厅吃烤虾饭、海鲜面，喝冰镇的酒，对面是鹅卵石铺就的小广场，有圣母雕塑的喷泉。他们吃美味的家庭厨房的饭食，享受愉快而安逸的生活。我看见年龄很大的老人还是忍不住会想，无量后来是如何度过余生。

在小镇里遇见一位男子，名叫阿兰，他骑着一辆小电动车来接我们去骑行。他穿运动衣服，身材健壮匀称，面容英俊，是个结实有力的中年人。我们参观他的薰衣草田、私人农场、工厂、博物馆以及他帮助管理的一个古老庄园。路上他介绍各种香草、鸟类、作物以及远处的雪山，他说他虽然从小出生此地，经常独自骑行在田野，但仍然每一次都被这田野的美和活力所感动。他说他永远不可能去巴黎这样的大城市里生活。

我和孩子们跟着阿兰骑行于薰衣草田，他描述空中的飞鸟，说它们像小鹰但不是鹰，经常被田野的芳香熏得迷醉掉地。他停下车揉搓香草，让我们去感受掌心中的芳香。指着远方的雪山，说这是南部最高的山脉。他说，在旺季时，薰衣草田会到处都是人，但此刻只有我们几个，应该稍稍休息一下记住这一刻，然后回去归途。

我发现在南部乡村的人的生活水平与城市区别并不大，私人农场主其实都很富裕，但阿兰衣着朴素性格自然，生活理念与人生观都豁达。他们对环境、作物、土地、劳动有深深的感情。阿兰在小镇继承家族生意，把一生时间投注于薰衣草田。他热爱自己的生活，以自己的方式度过此生。他在田里割下薰衣草相送。我拍下他十四岁时在薰衣草蒸馏机旁边劳动的一张黑白照片。

他喜欢与我们在一起，邀请去他代为管理的庄园做客。这是一处历史悠久的贵族宅邸，有大片美丽的花园和一栋古老的房子。过百年的丝柏树、槐树高耸入云，风中充满清淡而甜蜜的花朵芳香。他在花园里种植很多白色月季花，叫雪山女神。这是法国人喜欢的一个品种。他去厨房里给我们做冰茶，拿出简单午餐，沙拉，黑橄榄燕麦面包。我们坐在老树的浓荫下吃饭，周围风景怡人，满目苍翠。

虽然只相处半天，与他之间觉得丝毫不陌生，倒像是认识已久的故人。他说，他的父亲去世，如今和高龄的母亲一起同住。有个儿子，与妻子已离婚。他喜欢亚洲，经常去泰国、越南、缅甸一带度假。我问他，这个地方可曾出现过东方人。他说，有的。但这些人会流浪，住所并不固定。他印象里很小的时候见到过家里有年龄很大的东方面孔的老人。但后来就不复存在。现在也没有。

他起身带我们去花园里走走看看。一边介绍各种种植的草药和植物。我看见一个长方形的岩石堆砌的露天游泳池，水中长满青苔。他说，这里面还有一些野生小鱼。看起来是个被废弃的游泳池，但它是我的天堂。我经常清理完杂草之后，脱光衣服跳进里面。水波清凉，阳光暴晒在眼皮上。小鱼在肌肤上滑行。把头沉到水底，觉得世界在消失，只与自己同在。

她说，那一刻我有些停滞。想起书中无量说的话，每个人，每种事物，最基本的原子光点汇聚成整体，而内在的世界无法测度，它们可以同时存在。此时此地是当下被投射的映像。除此之外的运行离开普通人受限的视野。

春泽说，那你如何看我们现在的这一刻。

她说，难保很久之前的我们曾经相对的时空，就在此刻当下并存。只是我们没有进入那个坐标点，无法进入内部，所以看不见也听不见。

他说，好好休息。远音。他认真地看着她的脸，明天起来后我们回去廷布。你要坐飞机离开不丹。但不知为何，我总觉得你好像只是暂时离开，以后还会回来。心里也没有特别的感受。
为什么你这样觉得。
大概是你在拉姆湖边哭泣，我看着你的背影觉得这样熟悉，好像我们从来没有分开过。我突然想起以前在美国读书的时候，去学习过日本茶道。其他的都忘了，只记住一句话，一得即永得。
是什么意思。
某些体验或真谛，得到过一次，便得到了永久。

春泽走出去之后没有关上佛堂的木门，她也没有关。卧室与佛堂之间有一个高高的门槛，空间相通。她的床铺在南边窗户的隐蔽角落，与佛龛侧排而不是正对。她脱下外套钻进被子里。没有去想回到廷布坐上飞机之后，自己会去哪里，春泽也没有询问。他用他的静默告诉她，他们需要彼此保持觉知存在于当下。

她问自己，远音，你在哪里。
我在这里。
这里是何时何地。
这里是此时此地。

如水月光洒进房间的地板，逐渐蔓延，成为一条白色的河流。她仿佛浸泡在河水里面。窗外树影重重叠叠，远处旷野星火点点。她听到一条大江奔腾不息的声音。春泽对她说过的，在村子背后有一条大河，由雪山上的雪水融化而汇聚。深夜时分这江水奔腾的声音虽然隐隐约约，却好像惊天动地。她躺在床褥上，脸对着银白月光静静倾听江水奔流。

慢慢，这江水声音越来越远，越来越轻微，越来越后退。仿佛大江翻山越岭而去，空间里只剩下寂静。她听到楼下花园里的昆虫鸣叫，花朵摇摆，树枝彼此摩擦的声音。还听到隔壁孩儿啼哭，母亲起来哺乳低声地唱着摇篮曲。几只夜鸟掠过树梢，扑动着翅膀。再后来这些声音也逐渐远去。

然后她听到一个极为清亮、温柔、喜悦、有力的声音，在黑暗中闪耀而出。是女性的声音，在虚空中出现。不知道从哪个方向传来的一句心咒，持续而深远地扩散音频，无比清晰，集中而无限。也许只发生在她所感应到的维度。她完全沉入其中。这声音粉碎所有理性意识，也颠覆她在物质世界受限的感知。她已没有余地去放置任何主观的分别、判断、怀疑与困惑。心被一道洁白的闪电照射，粉碎遮障。只有空落落、明晃晃的一片静止。同时，这静止中细微丰盈，万物自然。

她在月光中坐起来，立刻盘腿而坐，微闭起眼睛，让自己进入这突然呈现的法性空间。虚空中被唱吟的心咒仍充满喜悦，带着大海般深邃而汹涌的慈悲，层层扩散。生于虚空，灭于无限。生生灭灭，无生无灭。

「终」

后记

　　三年前我打算写一个长篇小说。还不知道具体要写什么，但首先明了想写一个时空结构开放、累叠、交织、互相渗透的故事。也包括时空之中存在的人物的命运。这是一个大框架。在这样的三年之中，反复修改、重写、积累素材、又重写。它自身也在不断地扩展与变化，仿佛有自发的节奏与活力。

　　有时我带动它，有时它推动我。有时我支配它，有时它控制我。我们密不可分地相处。在最后半年，反复多次的重写与改写之后，我开始集中完成它。那些日日夜夜，保持高强度的工作。闭门不出。断绝世事，像一次闭关修行。这本书同时是我的老师。在书写的过程中，它教会我很多。

　　最终交稿之后，经历一次身体调整。它带给我某种终结与出发，对我自己具备力量。也希望能带给他人一些启发。如果说，十二年前的小说《莲花》是一次朝圣的出发姿态，那么对《夏摩山谷》来说，它是一条深入的路途。写作得以为一个人的精神之旅做下一路标记。曾经到过这里，曾经翻越过那里。这是书写的意义。

　　而任何一段朝圣的路途，经历过再多的艰辛与努力，最终是为了获得调整、重启、净化与升级。对我这样的写作者来说，这是永恒而赤诚的主题。不但是书写它，自己也要践行。

在这本书中，有无限开放的时空，内心深处丰富而暗涌的潜意识、伤痕、暗喻、情感、爱欲、挣脱、烈焰、倾诉、一个接着一个无尽的梦境……如果你能够与它连接，让它成为宁静而深刻的源泉。如果不能连接，只当看了一则荒诞而边缘的故事。这个故事纯属虚构，没有原型也没有依傍。从究竟而言，它也仅是一部小说。

这本书仅是个体式的领悟和创作，一些观点也许会引起各种不同的声音，但我写作长年，从不分别赞同或反对，理解或不适。对写作者来说，真实的自我表达是首要。这种真实只能是趋向完整，而无法做到达成完全的无误、完美、客观、普遍，或符合某种绝对标准。这是一个思考与提炼的过程。它不是最终抵达处。它不是标准。并且，还会不断地推进和变化。

感谢那些行路者们留下的探索、印迹、心得与领悟。在无形之中，他们的能量与功德与这本书相连。他们的言行留下无尽的启发与影响，深切感恩。

感谢你选择这本书并且阅读它。希望你有所得，并因此利益自己与他人。

愿一切转至慈悲与明觉。

庆山
2018.10.11
于大理

天空没有云彩，地上风雪茫茫。
花荚已经空空，心中别有珍藏。

——摘句

庆山

作家
曾用笔名安妮宝贝

出版作品

告别薇安	2000/01 短篇小说集
八月未央	2001/01 散文及短篇小说集
彼岸花	2001/09 长篇小说
蔷薇岛屿	2002/09 摄影散文集
二三事	2004/01 长篇小说
清醒纪	2004/10 摄影散文集
莲花	2006/03 长篇小说
素年锦时	2007/09 散文及短篇小说集
月	2009/05 音乐合作小说
大方	2011/03 主编文学读物
春宴	2011/08 长篇小说
眠空	2013/01 散文集
古书之美	2013/01 对谈及文化随笔
得未曾有	2014/06 散文集
月童度河	2016/06 散文及短篇小说集
仍然	2016/11 摄影集
镜湖	2018/06 散文集锦
夏摩山谷	2019/01 长篇小说

我在夏摩山谷等你

夏摩山谷

产品经理 | 曹　曼　　书籍设计 | 付诗意
特约编辑 | 介晓莉　　营销推广 | 王雨青
技术编辑 | 陈　杰　　责任印制 | 梁拥军
　　　　　　　　　　出 品 人 | 路金波

图书在版编目（CIP）数据

夏摩山谷 / 庆山著 . — 南京 : 江苏凤凰文艺出版
社 , 2019.1
　　ISBN 978-7-5594-3152-3

　　Ⅰ.①夏… Ⅱ.①庆… Ⅲ.①长篇小说－中国－当代
Ⅳ.① I247.5

　　中国版本图书馆 CIP 数据核字 (2018) 第 294672 号

书　　　名	夏摩山谷
著　　　者	庆山
责 任 编 辑	孙建兵　孙楚楚
出 版 发 行	江苏凤凰文艺出版社
出版社地址	南京市中央路 165 号，邮编：210009
出版社网址	http://www.jswenyi.com
印　　　刷	河北鹏润印刷有限公司
开　　　本	880×1230 毫米　1/32
印　　　张	12.5
字　　　数	260 千字
版　　　次	2019 年 1 月第 1 版　2019 年 4 月第 5 次印刷
标 准 书 号	ISBN 978-7-5594-3152-3
定　　　价	58.00 元

图书如出现印装质量问题，请致电联系调换（021-64386496）